Francesca

La Trahison des Borgia

Sara Poole

Immeuble Régus
88 ter, avenue du Général-Leclerc
92100 Boulogne-Billancourt

Première édition Avril 2012

Auteur : Sara Poole
Traductrice : Patricia Barbe-Girault

Titre original : THE BORGIA BETRAYAL copyright © 2011 by Sara Poole.

ISBN : 978-2-822-400626

Prélude

— Je vois…, dit la femme. Elle traversa lentement la pièce pour regarder par la petite fenêtre qui donnait sur le fleuve. Le clair de lune éclaira son visage. Elle était jeune, plutôt agréable d'apparence, mais n'avait rien de remarquable dans une ville où la beauté était monnaie courante. C'est ainsi qu'elle n'aurait suscité qu'un éphémère intérêt, sans tous ces bruissements de voix qui semblaient se déclencher à son passage où qu'elle aille.

— Et tu n'as jamais su leurs noms ? demanda-t-elle.

L'homme qui était sur le point de mourir secoua la tête. Il était agenouillé sur le parquet en simple chemise, car il allait se coucher lorsqu'elle était arrivée. Le matin venu, à l'ouverture des portes de la ville, il se serait échappé en prenant la route vers le nord et Viterbe. Mais il était trop tard à présent.

Il serrait si fort ses mains devant lui que les articulations en étaient devenues blanches.

— Pourquoi le diraient-ils à un homme comme moi, madame ? Je ne suis personne.

Elle esquissa un faible sourire.

— Tu as pourtant failli être quelqu'un. L'assassin d'un pape.

L'homme en eut la nausée. Il se demandait combien de temps elle allait le faire souffrir, et surtout comment. Il avait entendu dire des choses proprement terrifiantes.

— À quoi bon faire pareille chose ? reprit-elle. Pour Dieu ?

S'il disait la vérité, peut-être l'épargnerait-elle un peu.

— Pour l'argent.

Derrière lui, l'homme qui était venu avec elle émit un grognement.

Il avait peut-être l'apparence d'un soldat bourru, mais il portait la large écharpe et les autres insignes réservés aux condottieri de haut rang. Un homme qui avait réussi, donc, et en était fier.

— J'espère au moins que tu as été grassement rétribué, lança-t-il. As-tu conscience qu'en agissant ainsi, c'est ta vie que tu as monnayée ?

La voix du condamné se cassa.

— Je savais que c'était risqué.

— Mais tu as cru… qu'as-tu cru, au juste ? demanda la femme. Que tu serais plus malin que moi ? Que je ne me rendrais compte de rien avant qu'il ne soit trop tard ?

— J'espérais…

Qu'ils disaient vrai lorsqu'ils prétendaient être plus rusés qu'elle. Que ce qu'ils lui avaient donné à mettre dans le vin passerait bien inaperçu. Et pourtant elle l'avait détecté, cette femme qui se penchait maintenant au-dessus de lui pour le scruter. Il en tremblait de peur, et pria pour ne pas mouiller son pantalon. Il en était réduit à cela : s'il vous plaît mon Dieu, faites que je ne me pisse pas dessus.

— Il te faisait tant envie que ça, cet argent ? lui demanda-t-elle.

Était-ce vraiment le cas ? Il n'arrivait plus à se souvenir, à présent, lui semblait-il. Mais il avait regardé à l'intérieur de la bourse qu'ils lui tendaient, tout cet or qui brillait, et vu sa vie transformée. La richesse, le confort, la tranquillité qu'il n'avait jamais connus, les mets les plus fins, les femmes les plus ravissantes. La promesse de tout cela et bien plus encore avait eu raison de ses facultés. Il avait dû être pris d'un accès de folie, songeait-il, mais il savait que cela ne mènerait à rien d'en dire autant.

— J'ai cédé à la tentation, se contenta-t-il d'avouer.

La femme soupira – de compassion pour lui, aurait-on dit, presque. Mais il n'en allait pas de même pour le condottiere.

— Nous pourrions l'emmener au *castel*, suggéra-t-il. Le soumettre à la question.

Elle resta à regarder l'homme agenouillé pendant un moment, puis secoua la tête.

— À quoi bon ? Il ne sait rien.

— Comment peux-tu en être certaine ?

— Si c'était le cas il nous aurait déjà parlé, rétorqua-t-elle en pointant du doigt la petite flaque qui s'élargissait rapidement sur le sol.

L'homme se mit à prier en remuant furieusement les lèvres. Il leva la tête et la regarda attentivement, lumineuse dans ce clair de lune et l'air plutôt doux, clément presque.

— Bois, l'enjoignit-elle en lui tendant une outre à vin en peau de chevreau, surmontée d'une valve en bois lisse qui passa aisément entre ses lèvres.

— Non, je…

Ses joues étaient baignées de larmes.

Elle lui caressa les cheveux en un geste apaisant, et souleva l'outre pour l'aider.

— Ce sera plus facile ainsi. Quelques minutes et tout sera fini. Sinon…

Sinon le *castel* et des heures, voire des jours de souffrance insoutenable avant que la vie ne le quitte. Mais elle l'avait déjà quitté, même s'il n'en avait pas eu conscience, dès le moment où il s'était autorisé à espérer mieux.

C'était un millésime riche, un vin digne d'un pape, comme il aurait pu en boire dans sa nouvelle vie si on lui en avait laissé la chance. Il eut le temps de se demander comment diable elle avait pu deviner que le vin avait été frelaté. Et si elle avait tort ? Et si tout cela n'avait été qu'une mise en scène, et qu'il n'allait pas mourir…

À peine cette pensée lui eut-elle traversé l'esprit que le feu explosa en lui, lui brûlant d'abord la gorge avant de descendre jusqu'au creux de son estomac et de se propager ensuite partout. Pris de convulsions, il poussa un cri. La femme s'écarta pour mieux l'observer, curieuse de voir les effets du poison sur lui.

Il entendit un bourdonnement formidable, comme si une myriade d'insectes vrombissait à l'intérieur de son crâne. Ses yeux s'écarquillèrent alors même que sa vision se rétrécissait ; autour de lui les objets devinrent rapidement des petits points de lumière, qui à leur tour s'éteignirent. Il était devenu aveugle et sourd, hormis ce bourdonnement incessant dans le crâne ; mais rien de tout cela n'importait en comparaison de la douleur. Il aurait hurlé si les muscles de sa gorge n'avaient été paralysés, tout comme le reste de son corps quelques secondes plus tard, si vite que son dernier souffle eut à peine le temps de sortir de ses poumons que son cœur avait déjà cessé de battre.

Lorsque tout fut terminé, le condottiere alla trouver l'aubergiste qui s'était fait tirer de son lit et attendait en bas, tremblant de peur. Quelques pièces glissées dans sa main, des instructions rapides et l'homme reconnaissant comprit que tout ce qu'on lui demandait c'était de se débarrasser d'un corps et de garder le silence, ce qu'il jura de faire jusqu'à la fin de ses jours, tout en rendant grâce à Dieu encore et encore devant tant de miséricorde.

Dehors, dans la fraîcheur agréable de ce début de printemps, Francesca attendait. Elle serra un peu plus sa cape contre elle, davantage pour se réconforter que se réchauffer, et essaya de ne pas trop penser à l'homme qui venait de mourir. Elle était extrêmement fatiguée, mais savait qu'elle ne dormirait pas. Pas maintenant, pas encore.

Le condottiere la rejoignit. Ensemble, ils marchèrent jusqu'à leurs montures.

— Combien cela fait-il, pour cette année ? s'enquit-il.

— C'est le troisième, répondit-elle, tandis qu'il faisait une coupe de ses deux mains pour l'aider à monter. Elle n'appréciait guère les chevaux et aurait préféré rentrer à pied, mais comme avec tant de choses dans la vie il n'y avait pas d'autre choix, parfois.

Bien calée sur la selle, elle ajouta :

— Et il y en aura d'autres, jusqu'à ce que l'on arrive à y mettre un coup d'arrêt.

— Ou que l'un d'entre eux réussisse, en conclut son compagnon.

Elle acquiesça d'un air sombre et fit partir sa monture en direction du fleuve, tout à coup pressée d'en finir.

1

Le sort du monde est entre les mains d'un homme qui fixe la feuille posée devant lui, remet dans son encrier la plume d'oie avec laquelle il joue depuis bien trop longtemps, et demande qu'on lui apporte du vin.

Cette image est ancrée dans ma mémoire, tel un insecte pris dans l'ambre, comme si une entité qui dépassait notre entendement avait arrêté le temps en cet instant précis.

Mais bien entendu, rien de la sorte n'arriva. Le temps s'obstina dans sa marche inexorable, et continua à engendrer dans son sillage de grands événements impliquant de grands personnages. Toutefois, si vous le voulez bien, laissons un instant de côté l'Histoire pour songer à tous ces modestes gens dont la vie était en jeu. Car à la vérité elle l'était littéralement, et plus d'un ont vu la corde qu'on avait passée autour de leur cou se resserrer de façon insupportable.

J'avoue qu'en cet instant j'aurais volontiers pris un verre, moi aussi. En cette agréable journée de début mai de l'an 1493 après Jésus-Christ, Rodrigo Borgia, devenu le pape Alexandre VI, avait passé une grande partie de son après-midi à examiner la bulle pontificale *Inter caetera*, qui exposait en détail les dispositions prises concernant les terres nouvellement découvertes à l'Ouest. Ma présence avait été requise tout ce temps-là, sans motif valable ; pour quelle raison un homme aurait-il besoin de son empoisonneuse pour décider du partage du monde ? Mais comme j'avais joué un rôle l'année précédente dans son accession au trône de Saint-Pierre, Sa Sainteté avait pris l'habitude de m'avoir à portée de main. J'aimerais vous dire qu'il me considérait comme une sorte de talisman, mais ce serait mentir ; pour lui, avoir toujours un œil sur moi était plutôt faire acte de prudence, de crainte que je ne fasse Dieu sait quoi.

Je m'appelle Francesca Giordano et je suis la fille de feu Giovanni Giordano, qui resta dix ans au service de la cour des Borgia en tant qu'empoisonneur, et pour sa peine fut assassiné. Je lui ai succédé après avoir tué l'homme choisi au départ pour prendre sa place. J'ai également tranché la gorge de l'un de ses meurtriers. Enfin, j'ai tenté d'empoisonner l'homme responsable de tout cela – du moins le croyais-je, à l'époque. Seul Dieu sait si le pape Innocent VIII est mort de ma main.

Si l'idée d'aller plus avant dans mon histoire vous rebute, songez que j'avais de bonnes raisons d'agir ainsi, tout au moins si l'on considère les choses de ma perspective. Pourtant, je ne peux nier qu'une noirceur m'habite. Je ne suis pas comme les autres, bien que je sois en mesure de prétendre le contraire, au besoin. Je suis ce que je suis, et que Dieu ait pitié de mon âme. Mais nous pouvons tous en dire autant, n'est-ce pas ?

Derrière les hautes fenêtres qui donnaient sur la place devant Saint-Pierre, le bel après-midi s'étirait. Un vent venu du nord avait chassé le plus gros de la puanteur qui imprègne la ville en permanence, et cette dernière baignait à présent dans le parfum des vergers de citronniers et des champs de lavande après lesquels tous les bons Romains disent languir. Mais c'est un mensonge : à peine restons-nous quelques jours à la *campagna* que la crasse et le tumulte de notre ville bien-aimée nous manquent déjà.

Les papes se succèdent, les empires s'attaquent et des mondes nouveaux émergent, mais Rome reste éternelle – ce qui veut dire que comme de coutume, ses habitants étaient occupés à suer sang et eau, à pousser des jurons, à besogner, à faire ripaille, à forniquer, de temps à autre à prier et, surtout, à colporter des rumeurs sans relâche.

Comme je rêvais d'être parmi eux plutôt qu'assise sur ma

banquette inconfortable, sous l'œil sévère des secrétaires de Borgia, tous deux hommes, tous deux prêtres, et tous deux n'ayant que mépris pour moi.

Non que je le leur reproche. À la seule mention de ma profession peur et dégoût se lisent sur les visages, mais reste qu'indéniablement, en tant que femme évoluant dans un monde d'hommes, je déconcertais un grand nombre de mes congénères masculins. J'avais vingt ans en ce temps-là, les cheveux auburn, les yeux marron et, bien que mince, des formes féminines. Un détail également prompt à piquer certains hommes (en particulier les prêtres) au vif – ou à autre chose. Les hommes s'enflamment pour tant de raisons qu'il est bien souvent impossible d'en retrouver la cause.

Borgia étant Borgia, toute jeune femme un tant soit peu attirante n'aurait su être en sa compagnie sans qu'on la soupçonne de partager sa couche. Mais dans mon cas, détrompez-vous. Au fil des ans, Borgia et moi avons partagé beaucoup de choses que l'on pourrait qualifier d'improbables entre un homme de son envergure et une femme comme moi, mais la couche n'en a jamais fait partie.

Quant à son fils aîné, César, c'était une autre affaire. Songer au fils de Jupiter, ainsi que ses admirateurs au style le plus alambiqué le décrivaient parfois, eut pour agréable effet de me distraire de l'interminable séance. Il avait quitté Rome depuis plusieurs semaines pour s'occuper des affaires de son père, et en son absence mon lit était devenu froid.

Ma rencontre avec César remontait à l'enfance, que nous avions passée tous deux au palazzo de Borgia sur le Corso, lui en tant que fils du cardinal, moi en tant que fille de l'empoisonneur. Ce qui avait commencé par des regards furtifs avait évolué au fil des ans, jusqu'à cette nuit où il m'avait trouvée dans la bibliothèque. J'étais en train de relire Dante, qui reste à ce jour mon poète préféré ; il était ivre et abattu, après une énième dispute avec son père. Je pourrais prétendre qu'il avait pris la *virgo intacta* que j'étais par surprise et était parvenu à ses fins avec moi sous le regard placide du pape Calixte III, cet oncle et bienfaiteur de la famille qui leur avait montré à tous le chemin de la gloire et dont le portrait trônait au-dessus de la cheminée. Mais pour être tout à fait honnête, ce soir-là, je suis autant parvenue à mes fins que lui, et peut-être davantage. La noirceur qui me hante était attirée par cet homme fait d'appétits primaires, en qui moralité et conscience n'ont pas leur place. Il ne commettait jamais de péché puisqu'il n'en reconnaissait aucun. Pendant toutes ces années il n'y a qu'avec lui que j'eus l'illusion de me sentir moi-même, à défaut de l'être véritablement.

En son absence j'avais caressé l'idée de prendre un autre amant, mais le seul homme que je voulais vraiment, à part César, était celui que je ne pouvais avoir. J'avais alors été contrainte de me persuader que le détachement était une vertu, alors même qu'il devenait davantage évident, à chaque jour qui passait (et chaque nuit), que c'était tout sauf cela.

Toutes ces confidences vous choquent-elles ? Je l'espère, car à la vérité je me souviens très bien que je m'ennuyais prodigieusement ce jour-là, et que j'aurais quasiment tout fait pour redonner un peu de vitalité à cette scène.

— Allez-vous la signer ? demandai-je finalement, car vraiment quelqu'un devait le faire. Il avait passé tout l'après-midi sur cette bulle, il l'avait lue et relue, avait poussé des gémissements, s'était lamenté, avait insisté pour qu'elle soit réécrite, que soit changé tel mot ici et là, et au final n'avait jamais dépassé le stade de l'examen. Les pigeons qui se posaient de temps à autre sur le rebord de la fenêtre pour picorer les poignées de grains que je leur mettais semblaient plus déterminés que le Vicaire de Jésus-Christ sur Terre.

— Tu crois que je devrais ? demanda Borgia. En dépit de la douceur printanière, un film de sueur brillait sur sa lèvre supérieure. Il avait alors soixante-deux ans, âge auquel la plupart des hommes sont dans la tombe ou ont tout au moins déjà pris place dans l'antichambre de la Mort. Mais pas Borgia le Taureau. La charge qu'il avait mis tant d'énergie et de ruse à conquérir l'avait vieilli, certes ; mais il avait encore de beaux jours devant lui. Même dans ses pires moments, il projetait cette aura d'homme infatigable qui faisait fuir en toute hâte ses ennemis, comme autant de fourmis cherchant à s'abriter du soleil de midi.

Pas un instant je ne crus qu'il voulait vraiment entendre mon opinion. Sa question n'était qu'une excuse de plus pour repousser le moment de prendre une décision concernant une chose dont il avait peur qu'elle s'avère être, avec le temps, de bien plus grande valeur qu'il ne l'avait pressenti jusqu'à maintenant.

Cela étant dit, qui aurait su mettre un prix sur un Nouveau Monde ?

À moins que ce ne soit vraiment les Indes, ainsi que le héros du jour, Christophe Colomb, le prétendait. Auquel cas les choses allaient vraiment se gâter.

Le vin arriva enfin. Borgia se laissa aller en arrière dans son fauteuil, fit tournoyer le liquide bordeaux dans la coupe, plongea le nez dedans. N'allez pas vous imaginer que c'était un sauvage. Il était capable, quand il le voulait bien, d'apprécier le bouquet d'un grand millésime aussi bien que n'importe quel prince.

Je l'observai boire avec une confiance que j'avais l'impression d'avoir bien méritée. Depuis son accession à la papauté, Borgia s'était fait davantage d'ennemis encore qu'il n'en avait du temps de son cardinalat. L'année n'était guère avancée et pourtant on avait déjà attenté par trois fois à sa vie. J'avais bien mon idée concernant l'auteur de ces attaques, mais sans preuves mon champ d'action était de fait limité. Par conséquent, rien ne devait approcher Il Papa (que ce soit à manger, à boire, ou tout objet à son contact) qui n'ait été au préalable examiné par mes soins, et cela sous aucun prétexte. Cette difficile tâche constituait la majeure partie de mon travail. À l'occasion seulement pouvais-je être appelée à faire davantage, en dépit de ce que vous avez peut-être entendu dire. À la vérité les gens entendent dire bien trop de choses.

— Les Portugais ne vont pas être contents, fit observer Borgia, à son encrier ou à moi, je n'aurais su le dire. Peut-être était-ce aux pigeons qu'il s'adressait.

— Vous leur donnez tout de même l'autre moitié du monde, lui rappelai-je. Je n'exagérais pas : c'était précisément ce qu'il était en train de faire avec ses géographes, d'éminents savants dont l'air habituellement sévère l'était encore davantage, à présent qu'on les obligeait à redessiner toutes leurs cartes. L'Ouest à l'Espagne, l'Est au Portugal, et pour le reste, sauve qui peut.

— Je suis bien obligé de faire quelque chose, répondit-il un tantinet sur la défensive – mais qui le lui aurait reproché ?

À peu près tout le monde, songeai-je en mon for intérieur, si l'on considérait que la situation était de son propre fait. Je m'abstins toutefois de tout commentaire. Que personne ne m'accuse de manquer totalement de diplomatie.

— Leurs Majestés très catholiques en seront bien aises, fis-je remarquer tout en fixant la plume d'oie qui gisait dans son encrier, en l'exhortant par la pensée à bondir et signer elle-même ce fichu décret.

Ferdinand et Isabelle d'Espagne allaient être ravis, pour sûr, mais restait à espérer qu'ils le soient suffisamment pour aider Borgia à résoudre le problème posé par le royaume de Naples. Un problème que lui-même avait causé, en – voyons, qu'était-ce, déjà… ah oui, c'est cela, en tentant entre autres choses de s'approprier des terres napolitaines pour les donner à son fils cadet, Juan, de qui il se figurait Dieu seul sait pourquoi arriver à faire un grand prince. Les gens prennent si facilement la mouche, parfois.

Ainsi, il y aurait peut-être bientôt la guerre. L'issue du conflit reposait sur la capacité des monarques espagnols, une fois soudoyés à hauteur de leurs désirs, à marchander la paix avec Naples. Un nouveau monde suffirait-il à les inspirer ?

— Ou pas, répliqua Borgia en agitant une main chargée de bagues. Cette question va devoir attendre.

Il reposa sans ménagement la plume qu'il avait reprise une minute plus tôt et se leva.

— Vous sortez ? demandai-je en l'imitant. Étant donné la gravité de la situation, on aurait pu songer que le pape se serait entièrement consacré à son travail. Mais Borgia ne faisait jamais rien sans raison – voire plusieurs parfois, qui à première vue paraissaient contradictoires mais finissaient toujours par se rejoindre, dans le but ultime de servir sa célèbre ambition.

— J'ai promis d'aller conseiller une âme troublée, déclara-t-il, tout à coup de meilleure humeur.

J'entendis les secrétaires grogner, et je n'aurais su les en blâmer. À coup sûr Borgia allait filer discrètement voir sa maîtresse, Giulia Farnese Orsini, connue à juste titre sous le nom de La Bella et dont l'âme (pour autant que je le sache) n'était en rien troublée. Pendant ce temps-là, c'était à ces mêmes secrétaires qu'il incomberait d'éluder au mieux les questions des courtisans et autres ambassadeurs avides de savoir ce que le Saint-Père avait l'intention de faire, si toutefois il avait l'intention de faire quoi que ce soit.

— Eh bien, dans ce cas…, fis-je en me dirigeant vers la porte. Le maintien des apparences étant une préoccupation de tous les instants, Borgia emprunterait le passage strictement privé qui reliait son bureau au palazzo Santa Maria in Portico, où il logeait sa jeune maîtresse. Pour les simples mortels tels que moi, cela signifiait traverser la foule hostile d'importuns attroupés dans la pièce où ils attendaient de pouvoir solliciter une audience. Heureusement, au vu de mon sexe et de l'appréhension notable que j'engendrais invariablement, je n'aurais pas à subir l'assaut de questions que les malheureux secrétaires étaient sur le point d'essuyer.

À peine avais-je atteint la première antichambre qu'un petit homme nerveux à face de furet se faufila jusqu'à moi. Ne vous méprenez pas sur la description que j'en fais, car bien qu'elle soit exacte j'éprouvais une certaine affection à l'égard de Renaldo d'Marco, l'ancien intendant du palazzo de Borgia élevé depuis à son service au Vatican.

— Alors, il l'a signée ? s'enquit-il en jetant des regards furtifs à gauche et à droite, attirant de fait d'autant plus l'attention sur lui – et par extension, sur moi.

Je l'attrapai par la manche et l'emmenai à l'écart, auprès d'une grande cheminée où l'on serait plus tranquilles. Les coups de marteau et de scie qui nous parvenaient de l'aile adjacente du palais du Vatican où Borgia se faisait construire un splendide appartement étaient parfaits pour qui voulait avoir une conversation privée. Mais même ainsi, je lui répondis à voix basse.

— Pas encore, mais il le fera.

— En êtes-vous sûre ?

Renaldo avait de bonnes raisons d'insister. Comme quasiment tous les Romains, il avait misé une certaine somme auprès de l'un des centaines de pronostiqueurs qui prenaient de tels paris en ville. Peut-être avait-il aussi investi quelques fonds chez divers négociants, dont les bénéfices seraient potentiellement affectés par ce décret papal. En cela, lui et moi étions pareils. Borgia avait été plus que généreux avec moi – comme tout homme sensé devrait l'être avec son empoisonneur. Je n'avais donc pas à me plaindre, mais j'aurais été également bien sotte de ne pas chercher à utiliser à bon escient les informations qui remontaient jusqu'à moi.

— Il n'a pas le choix, expliquai-je. Il cherche à s'attirer les bonnes grâces de l'Espagne et Leurs Majestés lui ont fait clairement comprendre qu'il n'y avait aucun autre moyen d'y parvenir.

— Mais si Colomb a raison…

J'acquiesçai avec une certaine impatience. Tout le monde savait pourquoi Borgia avait rechigné à signer cette bulle jusque-là.

— Si le Saint-Père donne à l'Espagne ce qui s'avère au final être réellement les Indes, cela finira en guerre avec le Portugal, je sais. Mais les érudits, les géographes, les cartographes, tous disent la même chose qu'à l'époque où le grand capitaine présentait son projet fou à toutes les cours d'Europe, en vain : le monde est trop grand pour qu'il ait atteint les Indes.

Depuis quelques semaines que *La Niña*, sa caravelle, était rentrée bien mal en point au port de Lisbonne après avoir essuyé une tempête en Atlantique, les nouvelles étonnantes qu'elle avait rapportées étaient dans toutes les bouches ou presque. À peine les premiers rapports étaient-ils arrivés à Rome que Borgia s'était mis au travail, afin de déterminer (comme toujours) la meilleure façon de tirer avantage d'une tournure des événements pour le moins inattendue.

Nous avions alors dû subir un défilé interminable de sages venus lui expliquer encore et encore exactement pourquoi, malgré les apparences, il était tout simplement impossible que Colomb ait atteint les Indes. En toute logique, son équipage et lui auraient dû manquer de vivres et périr en mer bien avant d'apercevoir une quelconque terre. Qu'il en ait été autrement ne pouvait signifier qu'une chose : ils n'avaient pas trouvé les Indes et ses montagnes d'épices (convoitées par tous), mais bien une terre entièrement nouvelle, dont on ne soupçonnait pas l'existence jusqu'alors – une *Novi Orbis*.

— Et s'ils avaient tort… ? commença Renaldo, mais je l'arrêtai tout de suite.

— Les Grecs connaissent la circonférence du monde depuis l'Antiquité, et nous aussi. Non, c'est certain, Colomb a découvert une autre contrée, totalement nouvelle, qu'il le veuille ou pas. Peut-être ce lieu révélera-t-il des richesses inimaginables, ou bien seulement la mort et la ruine. L'Espagne le saura bien assez tôt.

L'intendant paru réconforté par mes paroles, mais je sentais que quelque chose le troublait encore.

— Avez-vous eu vent de la rumeur ? demanda-t-il en se penchant un peu plus près, au point que je sentis l'odeur d'anis sur son haleine. Ce n'était pas désagréable, mais elle ne parvenait pas à masquer totalement l'aigreur, résultat de son anxiété, qui émanait de son estomac.

— Quelle rumeur ? Chaque jour, chaque heure même, apporte son nouveau lot de ragots plus extravagants que les précédents.

— Je ne saurais l'affirmer mais je crains que celle-ci ne soit que trop vraie. On raconte que cet homme, Pinzón, le capitaine de *La Pinta*, est en train de mourir d'une maladie mystérieuse. Il aurait le corps recouvert d'étranges pustules et serait dévoré par la fièvre.

J'avais également entendu dire cela, et je partageais les craintes de Renaldo, même si je n'étais pas près de l'admettre. Les marins revenaient fréquemment avec toutes sortes de maux, mais celui-ci était différent. Les rapports concordaient tous sur un point : personne n'avait jamais vu la maladie qui était en train de tuer le sous-capitaine de la flotte de Colomb. Et il n'était pas non plus le seul à en souffrir ; plusieurs de ceux qui avaient navigué avec le grand explorateur en étaient également frappés. Certains rapports mentionnaient même (mais cela restait à confirmer) que ces mêmes symptômes étaient en train de faire leur apparition parmi les prostituées de Barcelone, la ville dans laquelle une grande partie de l'équipage s'était rendue une fois revenue sur la terre ferme.

— Nous devons prier pour lui, répondis-je solennellement.

Renaldo prêta toute l'attention voulue à ma remarque.

— Bien sûr, bien sûr, fit-il. Mais concernant le décret – vous en êtes absolument certaine ?

Je l'en assurai et invoquai un rendez-vous pressant, sans m'étendre davantage. Quelques instants plus tard, je traversai la vaste place débordant comme à son habitude de marchands, badauds, prêtres, religieuses, pèlerins, dignitaires, et ainsi de suite. Le Vatican était le lieu de tous les commerces, spirituels comme temporels.

Le soleil qui poursuivait sa course vers le couchant me réchauffait le visage, et j'eus l'impression de pouvoir véritablement respirer pour la première fois depuis des heures. Même les muscles de ma nuque, qui s'étaient contractés à mesure que ma présence auprès de Borgia se prolongeait, se détendirent ne serait-ce qu'un peu. Derrière moi se dressait, menaçant, ce colosse aux pieds d'argile qu'était la basilique Saint-Pierre, vieux de plus de mille ans et en terrible danger de s'écrouler. Je ne regardai pas dans sa direction mais comme toujours, je fus vivement consciente de sa présence.

Certains événements de l'année écoulée me hantaient encore. Que ce soit dans mon sommeil ou à l'état de veille, je revivais constamment ma quête désespérée dans le labyrinthe de la basilique pour retrouver un enfant qu'un homme fou retenait prisonnier car il était déterminé à en faire sa victime dans un meurtre expiatoire. Ce que j'avais vu dans les catacombes grouillantes de cadavres était assez cauchemardesque comme cela, mais ce n'était rien en comparaison des moments de pure terreur qui avaient suivi sous le toit en ruine de Saint-Pierre, dans l'immense grenier abandonné.

Comme si tout cela ne suffisait pas, je ne cessais de me tourmenter en songeant qu'une maîtresse des ténèbres telle que moi devrait tout faire pour ne pas attirer l'attention divine, ce qui arriverait certainement si j'avais l'idiotie de vouloir pénétrer de nouveau dans ce lieu sacré.

Fort heureusement jusqu'à présent je n'avais pas eu à le faire, car Borgia méprisait ces mornes pierres ; par deux fois seulement il avait visité la basilique depuis qu'il était devenu pape, et il parlait régulièrement de la démolir. Il avait cette idée d'en construire une nouvelle, magnifique, qui avec le temps deviendrait le symbole de sa papauté. Malheureusement, les fonds nécessaires à une telle entreprise n'étaient pas dans les caisses pour l'instant, et n'étaient pas près d'y entrer.

C'était tout aussi bien que personne ne semble remarquer, et encore moins se soucier, que j'évitais de mettre les pieds dans Saint-Pierre. Il m'était impossible de me souvenir quand j'avais fait pour la dernière fois la confession préalable à la purification de l'âme. Il y avait bien eu cette nuit, l'été précédent, où j'avais fondu en larmes devant Borgia et admis la possibilité que le fait que j'aie peut-être tué le pape Innocent VIII, l'élu de Dieu sur Terre, me troublait. Il avait insisté pour me donner l'absolution et moi, faible créature que je suis, j'avais accepté. Nous étions tous deux passablement ivres ce soir-là, ce qui explique peut-être en partie cela.

Depuis lors j'avais tué, mais pas plus de trois fois, toujours en réponse aux tentatives faites contre la vie de Borgia et avec autant de clémence que possible, si cela doit compter pour quelque chose. Je me disais que tuer pour défendre Sa Sainteté n'était pas pécher, ce qui ne veut pas dire qu'il ne m'arrivait pas de transgresser. En laissant de côté les offenses relativement bénignes – la fornication, hélas en de trop rares occasions ; le mensonge, bien entendu, sans lequel on ne saurait survivre en ce monde ; la non-observation du repos dominical, si les recherches que je poursuivais en privé devaient être considérées comme du travail –, la vérité était qu'il était rare que je ne caresse pas l'idée de commettre un meurtre au moins une fois par jour.

Je considérais véritablement cela comme un exercice : je prenais une idée, je la tournais et la retournais dans ma tête, je réfléchissais à la meilleure façon de la perfectionner, tout cela dans le seul but d'atténuer l'insupportable vérité qui était que le prêtre fou, Bernando Morozzi, le vrai responsable de la mort de mon père et peut-être (comme je le soupçonnais) l'auteur des attaques contre Borgia, était encore bien en vie.

Trouvant que l'expulsion des juifs d'Espagne l'année précédente n'était pas encore suffisante, ce prêtre au visage d'ange mais à l'âme diabolique avait ourdi un complot pour obtenir un décret papal bannissant ces derniers de la chrétienté tout entière. J'avais réussi à déjouer son plan malfaisant, mais échoué à venger la mort de mon père. Jusqu'ici.

Tout de même, cela ne se faisait pas de confesser ceci à un malheureux ecclésiastique qui se trouverait ensuite obligé de réfléchir à une pénitence appropriée là où il n'y en avait aucune, étant donné que je n'étais absolument pas repentante, et n'avais aucune intention de m'amender.

Pourtant, les ombres projetées par la basilique en ruine avaient encore le pouvoir de me faire frissonner. Je hâtai le pas, pressée de quitter, ne serait-ce que le temps d'une soirée, le Vatican et tout ce qu'il représentait.

Les nuages avaient été chassés vers l'est, et Rome baignait à présent dans cette clarté dorée que tous les peintres de nos jours tentent de capturer, même si bien peu y parviennent. Je contournai la foule et pris la direction du fleuve en passant par le pont Sisto. Je descendis ensuite jusqu'à la berge et louai les services d'un batelier qui, une fois mon argent empoché, accepta de m'emmener à plusieurs kilomètres de là en amont. La papauté de Borgia avait beau être des plus singulières, de fait Rome jouissait d'une tranquillité comme elle n'en avait pas connu depuis des années. Il était de nouveau possible pour les femmes de se promener seules sans craindre de se faire importuner. Bien sûr il restait des problèmes, aucune ville n'est à l'abri du crime, mais la plupart des Romains admettaient volontiers que s'il y avait bien un mérite à reconnaître à Borgia, c'était celui-ci.

Ma destination finale était une maison érigée au-delà des limites nord de la ville, non loin de l'agréable village de Cappriacolla. Je quittai le batelier sur la berge et marchai un peu moins d'un kilomètre le long d'un sentier bordé de chênes et de tilleuls. Lorsqu'elles sont brèves, je trouve les excursions à la campagne plutôt plaisantes ; le temps d'arriver à destination, j'eus la chance de humer le parfum des roses sauvages et du chèvrefeuille, avec en note de fond du fumier.

C'était une villa à un étage, construite autour d'une cour intérieure et dotée d'un portail sur le côté, suffisamment large pour laisser passer une voiture à deux chevaux ou un chariot, mais également facile à protéger si besoin était. La sobriété des stucs et autres détails extérieurs correspondait au style en vogue à l'époque de sa construction, plusieurs décennies auparavant. Vue de dehors, un passant l'aurait prise pour la résidence de gens de la campagne devenus prospères grâce aux champs et vignes environnants.

À mon approche, une demi-douzaine de molosses accourut, des filets de bave pendant de leurs joues tombantes. Individuellement, ces chiens de garde figurent parmi les bêtes les plus affectueuses ; mais en meute ils n'hésiteront pas à déchiqueter un homme, aussi fort qu'il soit. Leur chef, un mâle qui m'arrivait à la taille, rejeta en arrière sa tête immense et lança un aboiement puissant pour signaler ma présence. Je restai où j'étais et tendis la main, paume vers le ciel. Au bout d'un moment il s'approcha de moi et me renifla délicatement. Satisfait de son examen, il aboya de nouveau mais plus doucement cette fois-ci, pour avertir les autres que je ne représentais aucun danger, avant de me laisser entrer.

Je passai donc le portail et traversai la cour jusqu'à la loggia du rez-de-chaussée. Là, dans la relative fraîcheur, je m'arrêtai un instant. Plusieurs portes-fenêtres étaient ouvertes. Les bruits de conversation que je distinguais se mêlaient au bourdonnement des insectes butinant dans le jardin.

Écartant les rideaux blancs qui ondulaient dans la brise, je fis mon entrée dans une grande et belle pièce au sol d'ardoise et au haut plafond voûté. Le mur du fond était occupé par une cheminée en pierre au-dessus de laquelle trônait une tapisserie qui selon la rumeur avait jusqu'à très récemment appartenu au roi Charles VIII de France. Quant à savoir comment elle était arrivée entre les mains du propriétaire des lieux, j'en étais réduite aux suppositions.

Mais l'eussé-je voulu, j'aurais pu lui poser la question en cet instant même. Luigi d'Amico était posté non loin de là et s'avança en me voyant entrer, tout sourire.

— Francesca, comme c'est bon de te revoir !

Il n'était pas possible de douter de la chaleur de son accueil, ni de manquer d'y répondre. D'Amico était un grand homme aux joues roses, dont la nature quelque peu bourrue masquait un intellect brillant. Il avait grandi dans un foyer modeste, mais tout jeune déjà avait fait montre d'une certaine adresse à comprendre les arcanes de l'argent. C'est ainsi qu'il s'était lancé dans la profession de banquier et qu'en peu de temps, semblait-il, il s'était retrouvé à la tête d'une petite fortune. Alors que la plupart des hommes dans sa situation seraient devenus mécènes, prêts à payer pour se faire immortaliser, d'Amico s'était tourné vers sa véritable passion : la philosophie naturelle. Il m'avait dit une fois vouloir arriver à comprendre la nature aussi parfaitement qu'il comprenait l'argent, c'est-à-dire fort bien.

— Et comment va notre cher ami, ton employeur ? me demanda-t-il lorsque nous eûmes échangé les politesses d'usage.

— Relativement bien.

Fait surprenant, d'Amico n'avait jamais tenté de se servir de notre accointance pour obtenir des informations sur Borgia. Il n'y avait que deux explications possibles à cela : soit il possédait une noblesse de caractère qui n'existait nulle part ailleurs sur terre, soit il avait de meilleures sources que moi au Vatican. Pour autant qu'il me soit agréable, j'étais passablement certaine qu'il s'agissait de la seconde option.

— Tant mieux, dit-il alors que nous rejoignions les autres. Ce jour-là, nous étions une douzaine de présents. Avec mon arrivée, le contingent féminin se montait désormais à deux. L'autre femme était venue séparément à la villa. Ce n'était que l'un des nombreux lieux où nous nous retrouvions, en prenant garde de n'en fréquenter aucun bien longtemps pour ne pas attirer l'attention.

Pourquoi tant de précautions, me direz-vous ? Car nous avions tous fait le serment de partir en quête du savoir, même lorsque cela nous mettait en porte-à-faux avec les préceptes de notre Mère la sainte Église. Si ce n'est pas assez passionnant comme cela pour vous, si peut-être vous aviez espéré me voir en chemin pour un rendez-vous galant que je vous aurais décrit en détails lubriques, laissez-moi vous préciser qu'en contrepartie de nos efforts pour sonder les mystères de la nature, nous prenions en permanence le risque de nous retrouver accusés d'hérésie et condamnés aux bûchers qui brûlaient présentement à travers toute la chrétienté. Si je suis tout à fait en faveur des gémissements, voire des cris, qui accompagnent une nuit de passion, ce sont ceux que l'on arrache aux malheureux condamnés à périr par le feu qui me tiennent éveillée la nuit.

Mais je digresse ; c'est une habitude que j'ai.

Nous avions pris pour nom Lux, telle la lumière que nous espérions apporter au monde. J'étais la plus jeune et la plus récente des membres du groupe, auquel mon père avait appartenu avant sa mort prématurée. Les autres étaient rassemblés autour d'une table à l'autre bout de la pièce. À ma surprise, il manquait un homme à l'appel : Rocco Moroni, le maître verrier aux doigts de fée qui m'avait ouvert les portes de Lux. Deux ans plus tôt, Rocco s'était mépris sur moi au point d'aller voir mon père pour lui demander ma main. À présent qu'il me connaissait beaucoup mieux, je me plaisais à croire qu'il était content d'avoir essuyé un refus, ce jour-là ; mais il restait un véritable ami pour moi, ainsi que l'objet inavoué de mes fantaisies amoureuses. Avant que mon esprit ne s'aventure à essayer de deviner la raison de son absence, mon attention fut captée par une grande carte que le groupe était en train d'examiner.

— C'est Juan de la Cosa qui l'a dessinée, expliqua d'Amico, nommant ainsi le capitaine de *La Santa Maria*, le navire qui s'était échoué sur le récif de l'île que Colomb avait nommée Hispaniola. Une copie de cette carte sera bientôt entre les mains de Leurs Majestés très catholiques, Ferdinand et Isabelle. L'autre se trouve ici.

— Inutile de demander comment tu as réussi à l'obtenir, dis-je.

Entendant ma voix, l'autre femme présente leva les yeux.

— Je crois que nous avons tous notre petite idée là-dessus, intervint-elle avec un sourire. On raconte que de la Cosa est pour le moins mécontent de la façon dont le grand Colomb l'a traité, et qu'il est déterminé à s'attribuer tout le mérite dans cette affaire.

Sofia Montefiore était une femme d'âge moyen à la solide carrure, dont les cheveux gris rassemblés en un chignon désordonné encadraient un visage ordinaire mais agréable. Elle était également apothicaire et juive. Nous étions devenues amies l'année précédente, en partie parce que nous exercions toutes deux un métier d'homme.

Je me penchai en avant tout en l'écoutant parler, afin d'étudier la carte. De la Cosa y avait représenté un littoral qui ne ressemblait en rien aux Indes tel qu'elles étaient décrites par ceux qui s'étaient aventurés si loin, en quête d'épices qui valaient leur pesant d'or en Europe. Dans le cas qui nous occupait, le rivage ne s'apparentait à aucun autre. S'il avait raison… Par le diable et tous les saints, tant de choses en dépendaient.

— De la Cosa est-il en bonne santé ? demandai-je.

— Pas de pustules, répondit Luigi gaiement, en faisant une référence implicite à l'agonie de Pinzón. Pour autant que nous le sachions. Il semble avoir toute sa tête. Par ailleurs… (Il baissa la voix, nous forçant à tendre l'oreille pour entendre sa confidence.) N'oublions pas les pêcheurs de morue.

Là résidait le cœur du problème. Je présume que vous mangez de la morue comme nous tous ici, que c'est même une part considérable de votre alimentation, et donc que vous saisissez l'importance de cette remarque. Mais au cas où vous appartiendriez à une espèce inconnue de moi, laissez-moi vous préciser que cela fait des centaines d'années que les Portugais vont pêcher dans une immense zone au nord de l'Atlantique, dont ils répugnent à discuter en détail, et d'où ils rapportent à chaque fois assez de morue pour nourrir une bonne partie de l'Europe.

Certains de ces pêcheurs, lorsqu'ils ont trop bu, prétendent qu'il existe une terre à l'ouest de cette zone. D'aucuns disent même avoir rencontré des sauvages normands qui leur ont parlé d'autres contrées plus lointaines encore. Des contrées qui selon eux auraient été peuplées il y a quelques siècles de cela, mais seraient tombées depuis entre les mains de féroces barbares qui auraient bouté les Normands hors de là, ce qui était plutôt surprenant au vu de leur réputation, loin d'être usurpée, de pillards belliqueux.

Tout cela n'aurait été d'aucune importance si, à ce qu'il paraissait, Colomb et son frère n'avaient pas effectué un voyage vers le nord il y avait plusieurs années de cela, lors duquel ils avaient bravé le froid en mangeant de la morue et en buvant une liqueur claire et puissante en compagnie des Normands, qui leur avaient raconté toutes sortes de légendes sur des terres situées à l'ouest, dont il fallait des jours et des jours de marche pour en voir le bout.

À ce qu'il paraissait.

Je me penchai plus encore, afin d'étudier les détails de la carte. De la Cosa avait fait un travail minutieux, représentant toutes les îles qu'il avait rencontrées lors de ses pérégrinations mais les plaçant clairement à l'écart de ce qu'il croyait être un véritable littoral.

S'il avait raison…

— C'est étonnant, soufflai-je. Si les calculs sont corrects…

Je faisais référence aux mesures établies par le grec Ératosthène dans l'Antiquité, dont les travaux bien connus des Arabes avaient été redécouverts par nous autres Romains et confirmés à maintes reprises depuis. Grâce à lui, toute personne instruite est capable aujourd'hui de connaître la circonférence du monde. Seule une poignée d'entre eux (dont Colomb) insiste pour dire que le monde est bien plus petit et que les Indes, par conséquent, doivent pouvoir être atteintes par l'ouest.

— S'ils sont corrects, Colomb a véritablement trouvé le Nouveau Monde.

Je levai les yeux vers l'homme qui venait de parler. Plus petit que d'Amico, il allait sur ses trente ans et portait une moustache et une barbe soigneusement taillées. Son expression était presque enfantine, tant il respirait la curiosité innocente. Et ce malgré le fait qu'il portait l'habit noir et blanc du plus craint des ordres de la sainte Église, les dominicains.

Frère Guillaume avait le plus grand mal à dissimuler son excitation. En prenant garde de ne pas toucher le parchemin, il longea le littoral de son doigt et en soupira de plaisir.

— Un nouveau monde, répéta-t-il. Cela défie l'imagination. Vraiment, la Création recèle bien plus de merveilles que nos pauvres esprits sont à même d'imaginer.

Si cela vous surprend qu'un dominicain soit membre de Lux, je vous confirme que Guillaume faisait figure d'exception chez les frères qui, comme vous le savez sûrement, ont été surnommés les « chiens du Seigneur », étant connus pour être les chasseurs assoiffés de sang de l'Inquisition. Toutefois, n'oublions pas que pour chaque amoureux du bûcher et du chevalet qu'ils ont engendré, les dominicains peuvent se targuer d'avoir dans leurs rangs des hommes tels que le grand saint Thomas d'Aquin, dont on peut dire sans trop exagérer que sur ses épaules reposent les fondations même de l'Église. De ces sommets d'intelligence aux passions enfiévrées du Grand Inquisiteur, l'ordre était tombé bien bas, ne diriez-vous pas ? Je vous en laisse juge.

Nous nous attardâmes quelques instants de plus sur cette carte, qui continuait à exercer une fascination presque irrésistible sur nous tous, avant de passer à table. Par la force des choses nous devions être partis de la maison avant la nuit tombée, afin que chacun puisse rentrer chez soi sans trop de difficultés.

Le dîner était, comme toujours lorsque nous nous retrouvions chez d'Amico, excellent. La conversation passa de la carte aux dernières expériences en date menées par les divers membres du groupe. Je fus en mesure de leur rendre compte des résultats que j'avais obtenus concernant la précipitation du nitrate d'argent à partir d'une solution. Je vous passerai les détails mais vous dirai tout de même qu'en toute modestie, mes compagnons trouvèrent ma présentation des plus intéressantes.

Nous étions en train de savourer figues fraîches et oranges

avec un verre d'hypocras au parfum épicé, pour clore le repas et favoriser la digestion, lorsque notre conversation fut interrompue par les aboiements des chiens, rapidement suivis par des cris.

Des intrus !

Je nous revois encore, tous figés autour de la table, juste avant que la signification de cet événement ne nous pousse à l'action. Luigi bondit de table, s'empara de la carte et l'enroula du mieux qu'il put en courant. Frère Guillaume fut tout aussi rapide, se précipitant pour soulever la tapisserie, qui dissimulait une porte. Quelques chaises tombèrent dans notre hâte mais hormis cela nous ne fîmes aucun bruit, au contraire des hommes dehors qui continuaient à crier (ils étaient plus proches maintenant), et des chiens qui n'en finissaient plus d'aboyer. Nous savions tous qu'une telle éventualité pouvait arriver un jour, et nous nous y étions préparés du mieux possible. Cela, ainsi que les sages précautions de Luigi, expliquent sans aucun doute notre calme apparent.

Mais je dois avouer tout de même que mon cœur battait la chamade quand nous nous pressâmes tous dans le passage qui descendait au sous-sol de la villa. De là, une seconde porte secrète donnait accès à un tunnel froid et humide. Luigi frotta un silex pour allumer une torche, nous donnant ainsi juste assez de lumière pour voir où nous allions.

Sofia était juste derrière moi ; sa présence me réconfortait, mais la savoir autant en danger que moi me poussait à avancer. J'imaginais les assaillants arriver au salon dans un grand fracas, découvrir que nous venions juste de quitter les lieux et redoubler d'efforts pour nous trouver. S'ils y parvenaient, une mort rapide serait ce que chacun de nous pourrait espérer de mieux, car sinon les salles de torture de l'Inquisition nous attendaient.

— Attendez, nous enjoignit frère Guillaume en levant une main. Le bout du tunnel était en vue. Devant moi j'apercevais les dernières lueurs du jour, derrière un écrin de verdure. J'avais le dos trempé de sueur. Je tendis la main derrière moi et attrapai celle de Sofia. Si nos attaquants connaissaient l'existence du tunnel… s'ils avaient posté des hommes à cette sortie…

Le frère avança avec précaution jusqu'à atteindre la grille qui barrait l'entrée. Il regarda à l'extérieur dans toutes les directions possibles avant, enfin, de faire un pas en arrière et de nous faire signe à tous de le rejoindre.

— La voie est libre, dit-il dans un sourire en ouvrant la grille pour nous laisser passer, à notre soulagement à tous. Faites vite, et que le Seigneur soit avec vous.

Nous partîmes deux par deux, Sofia et moi ensemble, non sans nous être auparavant étreints à la va-vite et avoir échangé quelques mots de réconfort. Nos attaquants étant certainement arrivés par le fleuve, nous prîmes la direction des champs. Le soleil couchant nous servit de boussole tandis que nous nous hâtions, attentives au fait qu'il ferait bientôt nuit.

Nous avions parcouru ainsi quelque distance lorsque Sofia se retourna. Elle s'arrêta alors net et me toucha le bras.

— Regarde, fit-elle simplement.

Je me retournai à mon tour et vis une épaisse fumée noire s'élever dans le ciel qui s'assombrissait. N'ayant pas réussi à nous trouver, les intrus avaient mis le feu à la villa. Le temps qu'il fasse de nouveau jour, il ne resterait plus que des ruines fumantes. Mais on n'y trouverait pas nos restes calcinés, ainsi que j'avais pu le voir à l'occasion sur le bûcher funéraire des condamnés. Pour cela tout au moins, j'essayai tant bien que mal d'être reconnaissante.

Nous ne pouvions nous attarder plus longtemps. La porte secrète derrière la tapisserie avait certainement été découverte, ainsi que le passage qui en partait. Cela mènerait nos poursuivants jusqu'au sous-sol, d'où ils auraient plus de mal à trouver le tunnel, mais en déduiraient que nous courions toujours. Nous devions donc nous attendre à ce qu'ils ordonnent une fouille des environs d'ici peu.

Gardant cela à l'esprit, Sofia et moi reprîmes notre course en chancelant. Elle tomba une fois, se prenant le pied dans une racine, mais je l'aidai tout de suite à se relever.

— Je vais bien, insista-t-elle quand elle lut l'inquiétude dans mes yeux. Il en faut plus pour secouer ma vieille carcasse.

Au vu du courage dont elle faisait preuve, je ne pouvais que l'imiter. Nous pressâmes le pas, guidées par le clair de lune, et arrivâmes enfin à un ruisseau où, hors d'haleine et épuisées, nous nous agenouillâmes pour boire. La villa était à des kilomètres derrière nous, et nous n'entendions aucun bruit indiquant une poursuite. Pour le moment tout au moins, il semblait que nous soyons hors de danger.

Alors que je prenais conscience de cela, le contrecoup de ce qui venait d'arriver me frappa de plein fouet, et ce fut pire encore lorsque je songeai aux possibles implications. Je m'effondrai littéralement à terre. À côté de moi, Sofia fit de même mais elle, au moins, avait encore la force de passer un bras autour de mes épaules.

Doucement, elle me dit :

— Nous sommes en vie, Francesca. Plus tard, nous essaierons de comprendre cc qui s'est passé, mais pour le moment rendons grâce à Dieu d'avoir survécu.

Elle avait raison bien sûr, et je le savais ; mais la peur m'écrasait. Tout contre son épaule, je soufflai :

— Guillaume, et les autres…

Elle me tapota gentiment le dos, comme une mère apaiserait un enfant agité. Je n'avais jamais connu la douceur de la main d'une mère, la mienne étant morte en me donnant la vie. Pourtant, j'avais déjà cru entendre sa voix me chanter une chanson douce, et apercevoir ce visage que j'avais perdu pour toujours.

Comme on peut être sot, parfois, à chérir la nostalgie qui demeure en nos cœurs.

— Ils sont en sécurité à présent, j'en suis sûre, répondit Sofia, et Luigi est bien trop malin pour qu'on puisse remonter à lui avec la villa. Ce n'est pas la fin de Lux, de cela tu ne dois pas douter, Francesca.

Je priai pour qu'elle ait raison tout en prenant conscience, assise dans la nuit qui m'enveloppait, que quelqu'un nous avait trahis. Quelqu'un qui connaissait suffisamment bien Lux pour savoir l'heure et le lieu d'un rendez-vous tenu secret, et avait cherché à nous détruire.

Et que ce même quelqu'un chercherait de nouveau à le faire, à moins que moi, Francesca Giordano, l'empoisonneuse du pape, je ne l'en empêche.

3

Sofia et moi restâmes cachées en dehors de Rome jusqu'à l'aube. Une fine bruine s'était mise à tomber lorsque nous rejoignîmes le flot des négociants, voyageurs, commerçants et badauds qui se dirigeait par la via Flaminia vers les portes de la ville. L'humidité ambiante ne suffisait pas à contenir la poussière qui s'élevait en tourbillons au passage de tant de chevaux, charrettes, bottes. Elle restait ensuite à un mètre au-dessus du sol, telle une brume rougeâtre, s'épaississant à mesure que nous approchions de la ville.

En bonne route romaine, celle que nous suivions était plate et bien droite, et longeait de gracieux peupliers et des ronces serrées bordant des champs de céréales en pleine maturation et des vignes qui seraient prêtes à être vendangées d'ici à quelques semaines. Le croassement des corbeaux se mêlait avec plus ou moins de bonheur au couinement des roues de chariots, au cliquetis des harnais, et même, s'élevant agréablement au-dessus de nous, à l'air de luth qu'un troubadour hardi avait décidé de nous offrir. Il était en train de nous chanter (quoi d'autre ?) une chanson d'amour, évoquant l'amour voué à la ruine de Troïlus pour Cressida, lorsque dans mes narines je sentis que nous étions arrivées à destination.

Comment vous décrire le parfum de Rome ? Il m'est arrivé d'en entendre parler en termes blessants, par des êtres qui cherchent à faire preuve de raffinement mais ne réussissent qu'à passer pour des malotrus. Pour moi c'est un parfum comme il n'en existe nul autre, composé à parts égales d'une odeur de bois brûlé, de limon, de fumier, de sueur et d'une note terriblement entêtante, que je n'arrive pas à identifier mais qui s'immisce jusque dans mes rêves.

Les rares fois où je suis obligée de quitter la ville (pour de brèves périodes, Dieu merci), je parviens à calmer mon inévitable mal du pays en reniflant l'un de mes vêtements qui, même nettoyé, garde la mémoire olfactive qui n'appartient qu'à *Roma*.

Avec la fin du Grand Schisme quelque huit décennies auparavant, la ville avait repris la place qui lui était due au centre de la chrétienté. La Rome dont les anciens se souvenaient comme d'un amas de taudis et de baraques branlantes était en train de se transformer à une vitesse étonnante en la plus grande métropole d'Europe. Tels des champignons, semblait-il, sortaient de terre de magnifiques palazzi de marbre travertin, dont la glorieuse palette de rose, de violet et de doré faisait oublier bien vite les nuances ternes du torchis. Quant à l'air saturé de poussière et de saleté, aux rues parfois totalement impraticables, à la cacophonie ambiante, quelle importance cela avait-il vraiment, dans le grand ordre des choses ?

Sofia et moi nous séparâmes près du pont Sant'Angelo.

— Sois prudente, me pressa-t-elle en m'étreignant.

Malgré les épreuves que nous venions de traverser, elle paraissait forte et déterminée, même si je sentais l'inquiétude pointer dans ses yeux. Nous savions toutes deux que notre répit serait de courte durée. Notre soif de connaissance, cet esprit moderne auquel nous autres membres de Lux étions entièrement dévoués, était à l'époque comme aujourd'hui farouchement combattu par des forces déterminées à ce que le monde reste empêtré dans le voile de l'ignorance et de la superstition. Elles frapperaient à nouveau, ce n'était qu'une question de temps.

— Toi aussi, répliquai-je en lui rendant son étreinte et en regrettant, non pour la première fois, de la voir retourner au ghetto juif. Le flot des réfugiés expulsés d'Espagne par Leurs Majestés très catholiques, le roi Ferdinand et la reine Isabelle, occupait à présent totalement le dédale de rues étroites et de passages sinueux construit sur des marécages que le Tibre venait régulièrement inonder. La propagation des maladies, ainsi que le sentiment de désespoir que l'on ressentait partout là-bas, me rappelaient à chaque visite certaines scènes de *La Divina Commedia* de mon cher Dante.

Avec la mort fort opportune d'Innocent VIII, les juifs avaient passé un marché avec Borgia. En échange d'une petite fortune (certains parlaient de quatre cent mille ducats d'argent versés), dont Borgia s'était servi pour acheter son élection à la papauté, ce dernier tolérait leur présence à Rome, et par extension, dans la chrétienté.

Plusieurs mois s'étaient écoulés depuis et les conditions de vie dans le ghetto s'étaient quelque peu améliorées, à mesure que des réfugiés étaient partis vers d'autres destinations, et que ceux restés là avaient enfin pu s'autoriser à se sentir en sécurité, tout en sachant pertinemment que leur situation pouvait changer du jour au lendemain. J'avais proposé à Sofia d'user du peu d'influence que j'avais pour lui trouver un logement en ville, mais elle m'avait opposé un refus catégorique, faisant observer qu'elle ne pourrait continuer à exercer son métier si elle allait s'installer là où la guilde des apothicaires chrétiens tenait le haut du pavé.

Elle resta dans mes pensées longtemps après que je l'eus perdue de vue, alors que je prenais la direction de mon propre appartement tout proche du Trastevere. Lorsqu'il était devenu pape, Borgia avait pris des dispositions pour que je sois logée au palazzo Santa Maria in Portico avec sa maîtresse Giulia, sa fille Lucrèce (qu'il avait eue d'une précédente liaison, de laquelle étaient également nés César et deux autres fils), et leurs domestiques. Mais cette situation avait perduré quelques semaines seulement, jusqu'à ce que je parvienne à le convaincre du fait que si un pape pouvait exhiber sa fille et sa maîtresse comme bon lui semblait, la logique voulait que son empoisonneuse vive au contraire avec un minimum dc discrétion. Je sais qu'il était d'accord avec moi, bien qu'il ne me l'ait jamais dit ouvertement, car il ne souleva aucune objection lorsque sur la suggestion de Luigi d'Amico j'emménageai dans cet immeuble récent, l'un des nombreux qu'il possédait en ville.

Pour la première fois de ma vie je vivais seule, une situation que je trouvais plutôt agréable. Une vieille femme venait faire le ménage, ainsi que la lessive. Pour le reste, j'appréciais les fréquentes visites à effectuer aux marchés qui, de par leur nombre et leur variété, constituent l'un des grands trésors de Rome. Me préparer à manger était à la fois plaisant et plus pratique, si l'on songe notamment que je devais me protéger des attaques contre ma personne avec le même zèle que pour la Famiglia Borgia. Lorsque comme moi on a une noire vocation, le chemin le plus sûr pour gravir les échelons est d'empoisonner un rival renommé. Il n'y a rien de tel pour asseoir rapidement votre réputation. J'étais bien placée pour le savoir, ayant moi-même emprunté cette voie l'année précédente. À n'en pas douter, eussent-elles osé, certaines personnes à Rome et au-delà m'auraient fait subir exactement le même sort.

Mais j'avais également une autre raison de vouloir être seule. Le cauchemar qui me hantait depuis toujours, me semblait-il, n'avait jamais perdu de son emprise avec le temps. À chaque fois je me réveillais étreinte par une peur indescriptible. Il n'était pas rare même que je crie et, l'espace de quelques instants après ce réveil brutal, sois complètement affolée. Je préférais qu'il n'y ait pas de témoin lorsque cela arrivait.

À proximité de mon immeuble je redoublai de prudence, toujours à l'affût de quelqu'un qui me guetterait. Mais ce n'était que les clercs à la mine soucieuse, domestiques en livrée, insolents apprentis, épouses de négociants à l'air impassible et téméraires voleurs que l'on avait coutume de voir, tout ce beau monde jouant des coudes pour se frayer un chemin dans la rue alors que nous étions dimanche, jour du Seigneur. Tout était donc parfaitement normal.

Comme nombre de bâtisses à Rome, la structure à deux étages et au toit de tuiles rouges qui était mon nouveau chez-moi présentait une façade presque nue, ponctuée seulement ici et là de petites fenêtres à barreaux, ainsi que d'une porte cochère par laquelle j'entrai. Mais le seuil franchi, cela changeait du tout au tout. Une vaste loggia donnait sur une cour qui servait à la fois de jardin et de cuisine d'été. Il était encore tôt et la concierge n'avait pas commencé sa journée. Soulagée de savoir qu'elle ne me verrait pas ainsi échevelée, j'empruntai l'escalier le plus proche et l'instant d'après j'étais dans mon appartement.

Situé au premier étage, il se composait de trois pièces : un salon, où j'avais installé mes instruments et mes livres, comme je recevais peu ; une chambre, avec un coin à part où me laver ; et un garde-manger, équipé de meubles de rangement aux portes grillagées pour décourager l'éternelle vermine, d'un évier en pierre muni d'un tuyau d'écoulement relié au mur extérieur, d'un petit poêle à charbon avec sa propre cheminée, qui rejetait la fumée dehors et sur lequel je pouvais me préparer des repas simples, et enfin d'une table de travail en bois épais, que je gardais propre à l'aide de sable et de vinaigre.

C'était un endroit conçu avec raffinement, grâce aux hautes fenêtres qui fournissaient une excellente ventilation et au balcon qui courait sur toute la longueur de l'étage. Les meubles que je possédais étaient plus que suffisants pour mes besoins. J'avais le grand lit aux montants ornés d'acanthes qui m'était revenu à la mort de mon père, ainsi que son coffre à double fond censé éloigner tout voleur en puissance, et pour finir le coffre de mariage de ma mère, orné de scènes de l'enlèvement des Sabines. Cela, ma table de travail, mes instruments, mes livres et mes vêtements sont tout ce que je possédais le jour de mon emménagement là. Mais comme cela arrive bien souvent, j'avais accumulé au fil des mois toujours plus d'effets personnels.

Lucrèce m'avait fait envoyer quatre bancs dans le nouveau style en vogue à Rome. Le cadre de chacun de ces *lectus* était en bois de châtaignier marqueté d'acajou et accueillait les lanières de cuir entrecroisées qui venaient soutenir le matelas en plumes, lui-même paré aux extrémités de coussins recouverts du plus beau des velours bleu profond et rehaussés de pompons dorés. Eussé-je été encline à recevoir, les invités se seraient trouvés fort à leur aise. Quelque temps après arrivèrent plusieurs fauteuils aux formes arrondies et aux accoudoirs ornés de volutes, ainsi qu'une table à large pied – un présent de Sa Sainteté elle-même. César, déçu d'apprendre que je possédais déjà un lit (souvenez-vous qu'il avait presque dix-huit ans à l'époque, et que par conséquent sa virilité le démangeait), se contenta de me faire livrer d'extravagants tapis mauresques, tellement superbes que j'hésitai à les poser là où j'étais censée le faire. Seuls les très riches ont l'habitude de se complaire dans un tel luxe, mais je dois admettre que chaque matin et soir, lorsque mes pieds nus s'enfonçaient dedans, je remerciais en pensée mon amant occasionnel.

Pour le reste, les fresques représentant des scènes bucoliques de dieux et de déesses qui décoraient les murs à mon arrivée me convenaient tout à fait, mais cela ne m'avait pas empêchée d'acquérir depuis plusieurs petites toiles du célèbre Pinturicchio (que Borgia avait fait venir pour décorer ses nouveaux appartements au Vatican), ainsi que de mon bien-aimé Botticelli, dont l'œuvre me fascinait depuis la première fois où je l'avais vue ornant la chapelle Sixtine. Je m'adonnais à ma passion pour les livres dès que j'en avais l'occasion, car j'étais bien déterminée à agrandir la bibliothèque que mon père m'avait laissée. J'avais même commencé à étoffer quelque peu ma garde-robe, en reconnaissance de mon nouveau statut mais également parce que Lucrèce m'avait harcelée sans relâche, jusqu'à ce que je lui cède.

Sur le balcon, j'avais fait pousser diverses plantes utiles dans mon métier. Avec l'arrivée du printemps, la balustrade en fer était envahie de digitales pourprées, de lauriers-roses, d'aconits et davantage encore. Je me demandais parfois avec une pointe d'amusement si mes voisins avaient jamais remarqué ce que je cultivais. Ces mêmes voisins qui gardaient leurs distances avec moi, bien que cela ne soit pas seulement dû à ma profession, songeais-je. Notre immeuble avait tendance à attirer des locataires qui, pour une raison ou une autre, chérissaient leur intimité. Je ne leur posais pas de questions, et eux non plus.

Pendant que j'attendais que l'eau chauffe dans une bassine en cuivre posée au-dessus d'un brasero, j'ôtai mes vêtements. Le liseré de ma robe était maculé de boue, et les petites feuilles et brindilles qui s'étaient collées là étaient autant de preuves de la course effrénée que Sofia et moi avions dû engager pour fuir la villa. Réticente à l'idée d'alimenter les ragots, je rangeai le tout au fond de mon armoire avec l'intention de les nettoyer moi-même lorsque j'en aurais le temps.

Après m'être lavée et avoir bu une tisane fortifiante à la camomille et aux feuilles de saule et d'ortie, je revêtis une chemise propre et une robe simple en lin bleu clair, toutes deux suffisamment bien coupées pour plaire à Lucrèce. Cette dernière avait beau essayer de me convaincre de mettre des tenues plus à la mode, je m'entêtais à porter des habits dans lesquels je me sentais bien et qui ne me gênaient pas dans mon travail. Très peu pour moi, les manches ridiculement longues, les corsets trop serrés, les chaussures pointues et les coiffures toujours plus recherchées qui semblaient faits pour que quiconque les portant soit incapable de marcher ou de lever une main sans gêne.

Tout en me préparant, je réfléchis à l'organisation de ma journée. L'on s'attendrait à me voir au Vatican mais il était encore tôt et, à moins que Borgia ne me demande expressément, j'avais quelques heures devant moi avant que l'on remarque mon absence. Si l'on me posait des questions par la suite, je pourrais toujours dire que j'étais occupée à inspecter le flot de fournitures, cadeaux, offrandes et autres flagrants pots-de-vin qui arrivait au Vatican chaque jour que Dieu faisait pour Sa Sainteté. En fait, je passais une bonne partie de mon temps à faire exactement cela.

Vous vous demandez peut-être pourquoi, à la suite de l'attaque contre Lux, je n'étais pas tout de suite allée voir Borgia pour lui demander instamment sa protection. Cette omission pourrait laisser à penser que je ne me fiais pas à lui, mais le fait était que je faisais totalement confiance à mon employeur : je savais qu'il agirait toujours et immanquablement dans son propre intérêt. Lorsque par le plus grand des hasards il coïncidait avec le mien, *bene*. Lorsque ce n'était pas le cas, mieux valait ne compter que sur moi-même.

Par conséquent je me mis en route pour le Campo dei Fiori, le marché le plus important de la ville où, d'après la légende, quiconque de passage à Rome finit par venir, ne serait-ce que pour les fréquentes exécutions qui ont lieu là. Les étroites rues pavées du Campo grouillaient de gens venus profiter de la dispense accordée par l'Église (valable seulement quelques jours saints dans l'année) pour acheter les marchandises considérées comme « essentielles ». Par rapport à l'an passé on voyait moins de voleurs, et par voie de conséquence moins de patrouilles, les commerçants louant les services des secondes pour décourager les premiers.

Certains, les plus sages parmi nous, estimaient que la paix relative que Borgia avait amenée à la ville ne durerait pas, qu'inévitablement elle finirait par être détruite sous le poids des ambitions dévorantes. Il s'avéra par la suite qu'ils avaient raison de penser ainsi, mais à l'époque je ne voulais pas le voir.

Pour l'heure j'étais passablement occupée à m'assurer que personne ne me suivait et je croisais les rues des marchands d'étoffes, des orfèvres, des tanneurs et des scribes sans guère leur prêter attention, jusqu'à enfin atteindre la via dei Vertrarari, la rue des verriers. Arrivée là, je ralentis le pas pour prendre le temps de lisser ma tenue et de vérifier ma natte enroulée à la va-vite autour de la tête. C'était une coiffure pratique pour moi, ainsi que je n'avais de cesse de le répéter à Lucrèce alors qu'elle me poussait à détacher mes cheveux sous le prétexte ridicule que c'était l'un de mes plus beaux atouts. Je ne suis pas esclave de la vanité mais j'avoue que je me souciais d'être bien mise pour l'homme qui, si j'avais été normale, serait devenu mon mari.

En lisant cela vous en conclurez sans doute que je suis une de ces créatures qui ne savent pas ce qu'elles veulent, et vous n'auriez pas tout à fait tort. Attirée comme je l'étais par César, j'étais encore tout à fait capable de languir après Rocco – après l'homme lui-même, après la vie que j'aurais pu avoir avec lui, après la femme que je ne pouvais être.

En approchant du modeste immeuble en bois qui au contraire des bâtisses adjacentes n'attirait guère la vue, je me fis du mal en songeant que dans une autre vie, j'aurais pu être assise devant cette échoppe avec un bébé sur les genoux. Ce n'était pas la première fois qu'une telle vision me tourmentait, et ce ne serait pas la dernière. Je pris une profonde inspiration en espérant que cela suffirait à contrer la douleur que je ressentais tout à coup dans la zone du cœur et continuai mon chemin, pour m'arrêter brutalement en voyant une petite boule de poils déchaînée s'élancer sur moi.

Plusieurs choses se produisirent en même temps : le chaton, car c'était bien de cela qu'il s'agissait, enfonça ses griffes dans mon jupon et entreprit de me monter dessus tout en miaulant férocement ; deux grands chiens de cette race imbécile, qui a toujours l'air sur le point de s'emmêler dans ses propres pattes, bondirent à sa suite et ne s'arrêtèrent qu'en voyant mon regard sévère ; et un petit garçon de sept ans à la tignasse brune, au visage parsemé de taches de rousseur et au sourire engageant se précipita hors de l'échoppe en criant : « Ne la laisse pas s'échapper, Donna Francesca ! Elle a déjà mis leur truffe en pièces et elle continuera ! »

À ce stade-là, le chaton s'était blotti dans mes bras tout en continuant à cracher ses avertissements aux deux chiens. La petite chatte, car ce n'était peut-être pas une surprise que ce soit une femelle, semblait ne pas voir du tout la taille qu'elle faisait, ni la facilité avec laquelle l'une ou l'autre de ses victimes en ferait son repas. Au contraire, elle avait l'air de simplement se servir de moi comme d'un perchoir sur lequel reprendre son souffle avant de retourner à l'attaque.

— Peut-être devrions-nous aller à l'intérieur, suggérai-je, moi-même quelque peu essoufflée car à cet instant-là un homme d'une trentaine d'années, grand et solidement charpenté, avec les mêmes yeux marron et cheveux bruns que son fils, sortit de l'échoppe.

Que dire de Rocco ? Que c'était un homme bon et mon ami ? Cela va de soi. Que la pensée de ce que nous aurions pu partager me hantait ? Je l'ai déjà évoqué avec vous. Admettrais-je que ses yeux n'étaient pas juste marron mais mouchetés d'or, et que lorsqu'il souriait le monde s'arrêtait de tourner ? Mais alors vous me prendriez pour une écervelée, ce qui serait une tromperie éhontée, pour vous qui êtes de si bons lecteurs ; de toute façon, vous reculerez bien assez tôt devant les révélations que j'entends faire sur ma vraie nature.

À moins bien entendu qu'elles ne vous attirent secrètement, mais cela ne concerne personne d'autre que vous, dans ce cas.

À proprement parler César était le plus beau des deux car il correspondait aux canons de la beauté classique, sans parler de ses autres atouts, tels qu'une fortune conséquente et un rang certain dans la société. Mais Rocco… il était l'îlot de calme dans la tempête qu'était ma vie, mon refuge.

— Francesca ? Qu'as-tu là ?

Il sourit en voyant les efforts que je devais faire pour contenir la minuscule boule de fourrure sale qui menaçait d'avoir le dessus sur moi aussi aisément qu'elle l'avait eu sur les chiens. Il me restait à espérer qu'il attribuerait le rose de mes joues à toutes ces gesticulations.

— Je n'en suis pas sûre. On dirait une petite chatte, mais elle-même n'a pas l'air de savoir qu'elle en est une.

Rocco éclata de rire et me regarda chaleureusement. Il n'avait jamais montré le moindre ressentiment envers moi qui l'avais rejeté. Il m'arrivait même de le soupçonner d'attendre simplement que je reprenne mes esprits et que j'accepte de l'épouser. Une meilleure femme que moi aurait fait ce qui était correct de faire en le détrompant sur l'heure.

Dieu merci, Nando nous ramena à la réalité. Il tenait la porte de l'échoppe ouverte. En montrant les chiens qui continuaient à tourner autour de nous en remuant la queue, toutes dents dehors, l'enfant m'exhorta :

— Dépêche-toi d'entrer avant qu'ils ne l'attrapent.

4

Je pénétrai à l'intérieur, Rocco sur mes talons. L'unique pièce du rez-de-chaussée, au plafond plutôt bas à cause du grenier, était typique des habitations d'artisans et de commerçants, à part que celle-ci était plus ordonnée que la moyenne, étant seulement occupée par Rocco et son fils et non par une famille chaque année plus nombreuse. Le sol en pierre était recouvert de nattes de jonc tissé, l'un des rares signes extérieurs de l'aisance croissante du verrier. Une cheminée agrémentée de deux énormes crochets d'où pendaient des marmites en fer fournissait la chaleur nécessaire à la pièce en hiver, mais à cette époque de l'année elle avait été soigneusement balayée de ses cendres et était donc vide. Quand il devait faire la cuisine Rocco se servait de son four extérieur, qui lui était indispensable dans son travail. La pièce était complétée par une table entourée de tabourets, des étagères où étaient exposés des échantillons de son art, et une échelle permettant de monter au grenier où ils avaient leur couche. À cela s'ajoutait le faux mur près de la porte de derrière, plus discret bien entendu mais dont je connaissais l'emplacement, à présent. Derrière se cachaient certains objets spéciaux que Rocco fabriquait pour des clients à part (dont je faisais partie), et qui comprenaient des alambics, des cornues, des vases à sublimation et d'autres appareils requis pour la pratique de l'alchimie.

S'il est vrai que Venise pouvait encore se vanter d'accueillir les plus grands maîtres, l'art du verre avait depuis longtemps dépassé les frontières de la cité lacustre, d'où était originaire Rocco. À Rome on se targuait d'avoir la famille d'Agnelli, qui était au service du pape et dont les objets en verre étaient prisés jusque dans la lointaine Angleterre et même à Constantinople, disait-on. Récemment ils avaient connu de tristes heures avec la mort prématurée du fils unique de la famille, mais ils gardaient toute leur influence au sein de la corporation des maîtres verriers, à la tête de laquelle se trouvait Enrico d'Agnelli, le patriarche.

J'avais toujours connu Rocco dans cette échoppe, où il vivait depuis son arrivée ici, sept ans plus tôt. Depuis lors il était parvenu à se constituer une clientèle discrète de connaisseurs et d'alchimistes, dont le nombre était en augmentation constante. S'il l'avait voulu il aurait certainement pu s'offrir un logement plus spacieux. Mais c'était un homme de nature modeste, doté de surcroît d'un sens aigu du droit à l'anonymat. Cet humble lieu, entouré de concurrents en apparence plus prospères, lui convenait très bien.

Il referma bien la porte derrière nous, et soudain tout fut calme. Je goûtai à la relative fraîcheur qui m'accueillit, humai le parfum agréable des herbes et du jonc frais en train de sécher au-dessus de nous sur les poutres et comme toujours, eus un pincement au cœur en songeant à tout ce que je manquais. Appelez cela de la malice, ou de l'hypocrisie, mais la vérité était que la certitude de ne jamais devenir son épouse ne faisait qu'accroître mon désir pour Rocco. Seule la crainte de baisser dans son estime me retenait de céder à la tentation, mais c'était parfois de justesse.

Ainsi plongée dans mes pensées, je dus sans le savoir serrer un peu trop fort la petite chatte car je l'entendis cracher et sentis une minuscule griffe se planter dans la chair de mon bras.

Le visage de Nando s'éclaira.

— Elle n'a vraiment peur de rien, tu ne trouves pas ? Comme Minerve, toujours prête pour la bataille.

— Minerve, mais oui, dit Rocco en souriant. La déesse qui ne renonce jamais. C'est parfait comme nom, n'est-ce pas, Francesca ?

Sentant son regard sur moi, je me détournai quelque peu.

— Oui, si elle doit en avoir un, dis-je en regardant le petit chaton qui, toujours dans mes bras, avait entrepris de faire sa toilette en mettant visiblement du cœur à l'ouvrage. Allez-vous la garder ?

— On peut, papa ? demanda Nando.

Rocco hésita.

— Je croyais que tu voulais un chien.

— C'est vrai, mais…

— Pourquoi est-ce que tu ne la garderais pas, toi ? m'exhorta Rocco. Elle a l'air de bien t'aimer.

Je regardai la frêle créature, prête à expliquer pourquoi ce n'était pas possible. Un ronronnement sourd, sans aucun doute bien trop sonore pour un si petit animal, se dégageait d'elle. Elle cligna ses yeux étonnamment bleus, et ouvrit une bouche minuscule pour bâiller.

— Je n'ai jamais eu d'animal domestique.

Dans mon enfance, mon père avait découragé tout penchant pour un animal en particulier, afin de mieux m'endurcir lorsque viendrait le moment de tester des nouveaux poisons sur des chats et chiens errants. Cela le peinait de devoir se servir d'eux ainsi, mais il disait qu'il n'avait pas le choix. Au départ il avait été horrifié de me voir insister pour que l'on pratique nos tests sur des êtres humains à la place, mais au bout du compte il avait fini par se ranger à mon avis qu'un homme ou une femme condamnés à la torture et au bûcher accepterait avec joie de mourir plus vite et de façon plus humaine. Les discrètes dispositions qu'il avait alors prises avec certains officiers en prison m'ont depuis servie à chaque fois que j'en ai eu besoin – ce qui, je vous rassure, n'est pas très fréquent. Loin de moi l'idée de vous donner une trop mauvaise opinion de moi.

— Alors, il est grand temps, en conclut Rocco, qui Dieu merci n'avait aucune idée de mes sombres pensées. C'est ainsi que la question fut réglée. Je pouvais lui refuser une demande en mariage, mais s'agissant des petits riens de la vie (qui pour certains sont bien plus importants qu'on ne pourrait le croire), j'étais incapable de dire « non » à Rocco.

Il tira un tabouret de sous la table et m'invita à m'asseoir. À cet instant, Nando se mit devant nous et tendit la main, paume vers le ciel. Je remarquai ses doigts tachés d'encre. Depuis plusieurs mois, son père lui apprenait à lire et à écrire. Arriver à ce que l'enfant se concentre sur ses leçons n'était pas chose facile, car Nando ne voyait guère à quoi servaient un papier et un crayon, hormis à dessiner. J'avais déjà vu plusieurs de ses croquis et trouvais qu'il était très prometteur.

— Je sais, papa, dit-il avec un grand sourire, je dois dire à Donna Maria que tu veux un pain particulièrement bon.

En voyant l'air perplexe de son père, Nando nous regarda tous deux et éclata de rire.

— À chaque fois que Donna Francesca nous rend visite, tu m'envoies à la boulangerie acheter du pain frais.

Je suis convaincue que nous rougîmes alors de concert, mais Rocco ne dit rien, se contentant de sortir une pièce de sa poche et de la jeter en l'air. Nando l'attrapa au vol et déguerpit.

À l'exception de la petite chatte qui s'était endormie sur mes genoux, nous étions désormais seuls, ne serait-ce que pour un bref moment. Il s'assit sur le tabouret en face de moi et m'annonça sans détour :

— J'ai reçu une mystérieuse note de Luigi, disant que nous allions devoir repousser nos prochains rendez-vous d'affaires jusqu'à ce que l'horizon s'éclaircisse. Sais-tu de quoi il s'agit ?

Je soupirai de soulagement en comprenant que le banquier était sain et sauf, et lui expliquai prestement :

— Je suis justement venue te dire que la villa avait été attaquée pendant notre réunion. Sofia et moi nous en sommes tirées, et les autres aussi, je pense. Tu n'as pas eu de soucis, de ton côté ?

Rocco avait pâli dès que je m'étais mise à parler. À présent il secouait la tête, en marmonnant :

— Non, tout va bien… Je ne savais pas. Tu n'as rien ?

Lorsque je lui assurai que tel était le cas, il continua :

— Raconte-moi ce qui s'est passé.

Quand j'eus fini de décrire les événements de la veille, Rocco prit une profonde inspiration et expira lentement. Je voyais bien qu'il était en proie à une lutte intérieure, déchiré entre la colère et une profonde inquiétude, car tout cela ne présageait rien de bon.

— Sais-tu qui étaient les assaillants ? demanda-t-il. As-tu vu leur visage ?

Je secouai la tête.

— Ce sont les chiens qui nous ont alertés, et nous sommes partis trop précipitamment pour voir quiconque. Mais ils ne nous ont pas vus non plus. Peut-être ne connaissent-ils pas notre identité.

J'avais bon espoir que ce soit le cas, mais nous devions tout de même prendre les précautions qui s'imposaient.

— S'il s'avère qu'ils nous connaissent, nous entendrons reparler d'eux bien assez tôt, en conclut-il. (Son visage s'assombrit à mesure qu'il cernait l'ampleur du problème). Tu aurais pu te faire tuer.

Tout comme Sofia, Luigi, Guillaume et les autres, mais c'était à moi qu'il avait pensé et j'admets que cela me fit plaisir. Ce qui ne m'empêcha pas de répondre sans ménagement :

— J'aurais eu de la chance d'être tuée plutôt que capturée et soumise à la question. Mais passons. Quelqu'un nous a trahis ; il n'y a pas d'autre explication. Nous devons trouver qui se cache derrière cet assaut.

Le regard de Rocco s'attarda sur moi un instant encore, puis il acquiesça d'un signe de tête.

— Guillaume pourra peut-être nous aider. Il devrait être en mesure de découvrir si les inquisiteurs sont impliqués.

Je ne suis pas lâche mais l'idée de me retrouver face aux hommes en robe noire, ces soi-disant arbitres de l'âme, me fit frissonner. Même si à Rome l'on nous avait épargné (pour l'heure) le spectacle délirant de la chasse aux hérétiques qui était en vogue en Espagne, ici comme là-bas on avait confié à l'ordre dominicain la tâche de faire des « enquêtes », comme on les nomme platement, concernant les cas suspectés de défaillance de foi. Ils furetaient où bon leur semblait et avaient toute latitude d'user de la torture pour obtenir ce qui selon eux était la vérité. J'avais moi-même aidé à déjouer un complot impliquant le Grand Inquisiteur d'Espagne, le détestable Tomás de Torquemada, qui avait cherché à provoquer une éruption de violence antijuive à Rome au moment de l'élection du pape, un an plus tôt. On ne pouvait donc écarter totalement l'idée qu'il connaissait peut-être mon engagement auprès de Lux, et s'était tourné vers ses frères pour obtenir vengeance. Malheureusement, il était loin d'être le seul à avoir des raisons de frapper ceux que d'aucuns considéraient comme défiant le pouvoir de la sainte Église.

— Si ce sont les chiens du Seigneur, repris-je, quelqu'un les a forcément lâchés contre nous.

— Borgia ?

— Cela m'étonnerait, il les méprise. Il Papa ne dédaigne pas se servir d'hommes qu'il hait pour parvenir à ses fins, mais pour lui les inquisiteurs sont des éléments dangereux qui auraient bien besoin d'être maîtrisés. À mon avis il ne ferait rien qui puisse les encourager.

— Alors qui ? demanda Rocco.

Il semblait sur le point de répondre à sa propre question lorsque je le coupai dans son élan :

— Nous étions en train d'examiner une copie de la carte que de la Cosa a dessinée. Peut-être que quelqu'un a su qu'elle serait là, et a voulu la faire disparaître. Quelqu'un qui aurait un intérêt à dissimuler la preuve que Colomb a réellement découvert une autre contrée que les Indes. Et puis nous ne devrions pas oublier que certains d'entre nous ont peut-être des ennemis. Luigi, par exemple ; il s'est élevé très haut et très vite. De tels hommes sèment bien souvent les germes de la rancœur sur leur passage.

Si vous avez dans l'idée que j'avais interrompu Rocco pour ne pas entendre le nom qui, je le devinais, allait sortir de sa bouche, vous n'avez pas tort. Pourtant, je savais que la réalité de notre situation ne pouvait être ignorée plus longtemps.

Il s'avança par-dessus la table et recouvrit mes mains des siennes.

— Nous ne devons écarter aucune possibilité. Je sais que c'est difficile pour toi de parler de lui, Francesca, mais si Morozzi est encore en vie…

— Il l'est, dis-je. À ma grande honte.

En présence de Rocco, je regrettais encore plus d'avoir échoué dans ma mission, car l'année précédente le prêtre avait bien failli tuer Nando. Le fait que j'avais réussi à le sauver de justesse ne me rachetait pas pour autant : j'étais seule responsable du danger auquel le garçonnet avait été exposé.

— Si c'est bien Morozzi, reprit Rocco, ou bien les inquisiteurs, ou quelqu'un d'autre, penses-tu que Borgia pourrait être au courant ? Et pour être plus précis, crois-tu que tu pourrais te renseigner auprès de lui ?

— Je peux essayer, mais l'information est au pape ce que l'or est à d'autres. Il sera peut-être disposé à l'échanger contre autre chose de même valeur, mais jamais il ne m'en fera simplement cadeau.

Sur ce, Nando revint, écourtant de fait notre conversation. Nous parlâmes de choses bien plus gaies autour d'un festin de vin, de pain et de bon fromage du Piémont. C'est seulement lorsque je l'eus quitté que je me rendis compte d'une chose : j'avais oublié de demander à Rocco la raison pour laquelle il avait raté le rendez-vous à la villa.

Et il ne s'en était pas expliqué non plus.

5

Après avoir quitté Rocco, je profitai de passer devant la via dei Pescatori pour acheter le repas de Minerve chez un poissonnier, avant de retourner brièvement chez moi. Alors que je passais le porche de mon immeuble, une toute petite femme apparut à une porte dont la partie supérieure seulement était ouverte, et d'où elle pouvait voir toutes les allées et venues des résidents. Elle avait gardé la taille d'une enfant (et était donc obligée de se hisser sur un tabouret pour observer par cette ouverture), mais arborait un air d'autorité que n'aurait pas renié une géante.

— Qu'avez-vous là, Donna Francesca ? demanda-t-elle en montrant le chaton.

Portia, le seul nom que je lui connaissais, était notre *portatore*, notre concierge, un métier qui oscillait entre domestique et despote. Elle et elle seule recueillait les plaintes, réglait les différends, prévoyait les réparations et encaissait le loyer trimestriel – ce qui en disait long sur la confiance que Luigi d'Amico plaçait en elle. Outre cela elle guidait les invités, prenait les paquets, et de manière générale gardait un œil discret sur toute chose. La rumeur voulait que dans sa jeunesse elle ait fait partie d'une troupe de nains acrobatiques très populaire à Rome pendant un temps. Je ne savais comment elle en était arrivée à travailler pour Luigi, mais étant donné son bon sens extrême j'imagine qu'il savait ce qu'il faisait le jour où il l'avait embauchée.

— Elle s'appelle Minerve, annonçai-je en indiquant la petite chatte qui semblait avoir repris son somme.

— Avez-vous l'intention de la garder, Donna ?

Il ne faisait aucun doute que Portia connaissait ma profession, bien qu'elle n'y fasse jamais allusion. Rien que pour cela, elle avait toute ma gratitude. Je me dépêchai de la rassurer quant au sort de l'animal.

— Il semblerait que oui. Elle a l'air de s'être prise de sympathie pour moi, et j'avoue que c'est réciproque.

— C'est bien. (De l'une des nombreuses poches de son immense tablier qui la recouvrait quasiment des pieds à la tête, Portia sortit un message sous pli qu'elle me tendit.) On a porté ceci pour vous, il y a peu.

Je calai Minerve dans le creux de mon coude puis entrepris de décacheter le message avant de le parcourir rapidement. Il émanait de Vittoro Romano, le capitaine de la garde personnelle de Borgia. Il me demandait des nouvelles de ma santé et suggérai que nous ayons un entretien dans les meilleurs délais. Le *capitano* étant l'image même de la discrétion, j'en conclus qu'il n'aurait pas eu recours à un message écrit si un événement d'importance n'était en préparation.

— Je dois y aller, dis-je en glissant la note dans ma poche. (Avec un sourire d'excuse, je lui tendis Minerve.) Cela ne vous dérangerait pas de l'installer dans ses quartiers pour moi ?

La *portatore* prit le chaton avec un léger soupir seulement.

— Bien sûr, Donna, ne suis-je finalement pas là pour ça ?

— J'essaierai de vous ramener de ces cerises qui vous plaisent tant, lui proposai-je. Sa Sainteté en raffole également. Nous venons tout juste de recevoir une nouvelle cargaison en provenance de Vignola. Rien que de la très bonne qualité.

Ainsi apaisée, Portia m'accorda un sourire et se mit à gratter Minerve derrière l'oreille, provoquant un ronronnement retentissant qui me suivit jusque dans la rue.

La journée était agréable grâce à la brise qui nous venait de la mer, et je décidai de marcher plutôt que de prendre par le fleuve ou de me faire transporter dans l'une de ces chaises à porteurs dont les rues bondées regorgent. Rome est une ville parfaite pour marcher, du moment que l'on n'a rien contre les montées. Au-delà du fait que j'avais quasiment la garantie de croiser en chemin quelque chose de nouveau et d'intéressant, être à pied me donnait l'occasion de jauger l'humeur de la rue, une préoccupation de tous les instants pour qui était chargé de protéger une famille noble.

J'admets que ce jour-là je fus encore plus attentive à mon environnement que d'habitude, cherchant le moindre indice qui me mènerait aux artisans de l'attaque contre Lux. Y avait-il réellement davantage de dominicains sur la place devant Saint-Pierre, où était-ce mon imagination ? Le prêtre blond que j'avais cru apercevoir au loin ressemblait-il vraiment à Bernando Morozzi, ou étaient-ce mes yeux qui me jouaient des tours ? Avait-on déployé davantage de gardes que d'habitude en ville, ou bien étais-je à bout de nerfs à cause de la frayeur de la veille et de la nuit blanche que je venais de passer, au point de voir des ennemis partout ?

Je m'accordai un soupir de soulagement en voyant la caserne, un long bâtiment en pierre de plain-pied construit quelques décennies plus tôt seulement dans l'enceinte même du Vatican, et encore en parfait état. La garde pontificale, dont faisaient partie la plupart des hommes qui avaient servi Borgia lorsqu'il était cardinal, jouissait d'un confort digne d'elle. Ils avaient leurs propres cuisines, des écuries spacieuses, un vaste terrain d'entraînement, ainsi que, disait-on, accès à certains des meilleurs bordels de la ville, tout cela avec l'aimable autorisation de Sa Sainteté le pape Alexandre VI.

Or, en dépit de ces privilèges, ils maintenaient un niveau admirable de discipline et d'empressement, en grande partie grâce à l'homme chargé de les commander. De carrure et de taille moyenne, Vittoro Romano avait une cinquantaine d'années mais en paraissait beaucoup moins. Si son métier de soldat était quasiment toute sa vie, il avait tout de même trouvé le temps de dénicher une épouse et de faire des enfants, uniquement des filles, qui depuis s'étaient toutes bien mariées et lui avaient donné des petits-enfants qu'il vénérait.

Il était en train de parler à l'un de ses subalternes lorsque je l'aperçus, ce qui me donna l'occasion de l'observer de plus près. Les deux hommes auraient tout aussi bien pu discuter des chances de pleuvoir, des aptitudes d'une nouvelle recrue ou bien de l'imminence d'une guerre. Vittoro gardait toujours son calme, et était étranger à toute forme d'excitation. Un astrologue attribuerait ce genre de tempérament à une naissance sous le signe de Saturne, même si l'on serait bien en peine de confirmer une telle assertion : comme presque tout le monde à notre époque, il n'avait aucune idée de sa date de naissance, encore moins de l'heure. Je me demande si les astrologues auraient l'air aussi sages que cela, si l'on ne laissait pas le commun des mortels dans une telle ignorance.

En me voyant approcher, Vittoro prit congé de son homme. Je n'eus pas le temps d'ouvrir la bouche qu'il secouait la tête et me montrait d'un geste les écuries toutes proches, afin de parler en toute discrétion. Mais même une fois là, il parla à voix basse. Intriguée malgré moi, je lui accordai toute mon attention.

— Je suis heureux de voir que tu vas bien, Francesca. Je pensais que nous pourrions discuter un peu, avant que tu ne commences ta journée.

Je pris le compliment pour ce qu'il était, la gentillesse d'un ami. Après les événements de la veille au soir et le manque de sommeil, on ne pouvait pas exactement dire que j'étais à mon avantage.

— Bien entendu, Vittoro. Que puis-je pour toi ?

Il regarda autour de lui pour s'assurer que nous n'étions pas observés, puis se pencha un peu plus près.

— Le cardinal della Rovere est arrivé à Savone. D'après ce que j'ai entendu dire, il y rassemble des hommes dans l'intention de faire route vers la France.

J'en eus le souffle coupé. Depuis le conclave qui avait élu Borgia à la papauté un an plus tôt, toutes sortes de folles rumeurs circulaient à propos de la rivalité acharnée entre ce dernier et della Rovere (un homme plus jeune mais tout aussi ambitieux), qui menaçait, disait-on, de se transformer en guerre ouverte d'un jour à l'autre. À Savone, fief de la famille della Rovere, le cardinal serait comme un faucon dans son aire : inattaquable. Et s'il partait vraiment pour la France et les bras accueillants de son jeune roi belliqueux, tous les complots ourdis par Borgia n'y suffiraient peut-être pas pour nous sauver. Si l'on ajoutait à cela le problème posé par Naples, la nouvelle était de bien mauvais augure.

— Que compte faire Sa Sainteté ? m'enquis-je.

— Il a ordonné que l'on renforce la sécurité ici. Je suis en train de faire venir des hommes des autres propriétés pontificales. Mais pour sûr, la protection de Sa Sainteté serait grandement facilitée s'il n'avait pas depuis peu pris une fâcheuse habitude.

Étant donné les innombrables peccadilles commises par le pape, j'avais du mal à imaginer quel nouveau vice il pouvait avoir, et en dis autant au capitaine.

— En ce moment, il a la manie de disparaître, m'expliqua Vittoro.

Ma première réaction fut l'incrédulité. Certes, Borgia restait parfois longtemps *in camera*, avec interdiction de le déranger. Mais ce n'était un mystère pour personne que le Vicaire de Jésus-Christ sur Terre était doué d'un solide appétit charnel.

— Il s'éclipse certainement pour aller voir La Bella ou une autre femme, expliquai-je.

Il n'y avait aucune raison de croire que Borgia se contentait d'une seule maîtresse, aussi ravissante soit-elle, quand on songeait au nombre de femmes séduisantes à Rome qui l'accueilleraient avec joie.

— Eh bien figure-toi que non, rétorqua Vittoro. Quand cela arrive, il n'est ni dans les appartements de La Bella, ni dans les siens, ni dans les quartiers des invités, et il ne quitte pas non plus l'enceinte du Vatican. Il se trouve ailleurs, dans un lieu inconnu de moi.

— Il y a quantité d'accès discrets pour entrer et sortir du Vatican…

— Quarante-sept tunnels et autres passages, pour être précis. Du moins c'était le cas avant. J'en ai fait sceller quarante-cinq peu après l'élection de Borgia, avec son approbation. Les deux restants sont sous garde rapprochée.

— Dans ce cas, où se rend-il ?

— Ses secrétaires prétendent ne pas le savoir. Ils disent qu'il disparaît depuis l'intérieur même de son bureau. Il y a bien deux portes secrètes dans cette pièce, mais les passages sur lesquels elles ouvrent mènent soit à ses appartements soit au palazzo Santa Maria in Portico. On ne sait tout simplement pas où il va.

— Ni ce qu'il y fait, ajoutai-je lentement. Les implications d'une telle nouvelle étaient considérables, si l'on songeait que Borgia était un intrigant-né. Cet état de fait était en partie dû à sa soif de pouvoir, mais j'étais d'avis que pour lui la vraie vie aussi était un jeu d'échecs, avec simplement des enjeux plus importants.

— Exactement, renchérit Vittoro. Comment suis-je censé le protéger si je ne sais pas ce qu'il mijote ?

— Je vais essayer d'en apprendre un peu plus.

Le capitaine acquiesça d'un signe de tête, visiblement soulagé de voir que j'avais saisi l'importance de cette affaire. Au bout d'un moment, il annonça :

— Quand Sa Sainteté a reçu la nouvelle de la présence de della Rovere à Savone, elle t'a fait mander et tu n'étais nulle part.

Je haussai les épaules, espérant donner l'impression que mon absence n'avait aucune signification particulière.

— Il valait probablement mieux qu'Il Papa prenne le temps de la réflexion, de toute façon.

Le *capitano* comprenait fort bien, tout comme moi, que le plus fidèle des serviteurs doive parfois faire la sourde oreille. Sans quoi, ce qui est dit dans le feu de l'action peut vite devenir incontrôlable. Mais Vittoro n'était pas homme à se laisser distraire aussi facilement.

— Est-ce que tout va bien, Francesca ?

La familiarité avec laquelle il s'adressait à moi n'avait rien de choquant. Il me connaissait depuis que j'étais arrivée, enfant, au palazzo de Borgia sur le Corso. Lorsque j'avais succédé à mon père, bien loin de condamner mes méthodes un peu spéciales, Vittoro m'avait proposé son soutien et plus encore. Je savais que je pouvais compter sur lui en toute chose, et pourtant j'hésitais encore à me confier à lui. Lux était trop important à mes yeux et, je le craignais, trop vulnérable pour prendre le moindre risque.

— Eh bien, voyons voir, fis-je dans un sourire. Il Papa est peut-être sur le point de donner les Indes aux Portugais, ce qui provoquera une levée de boucliers en Espagne. À moins bien entendu qu'il ne les donne aux Espagnols, auquel cas ce seront les Portugais qui chercheront la bagarre. Il y a aussi la question de Naples… sans oublier toutes ces tentatives de meurtres sur la personne de Sa Sainteté depuis quelque temps… et voilà que maintenant son pire ennemi semble vouloir se préparer à la guerre. Pour couronner le tout, notre maître trouve le moyen de disparaître mystérieusement. Tout bien considéré, je dirais que la situation est telle que nous autres au service de la Famiglia devrions l'escompter.

Vittoro rit de bon cœur.

— Et il s'agirait de ne pas perdre de vue les noces de Madonna Lucrezia, qui vont arriver plus vite qu'on ne le croit.

— C'est vrai, suis-je bête.

En mon for intérieur, je n'aurais pas parié à plus de cinq contre trois que ce mariage aurait vraiment lieu. Lucrèce avait d'ores et déjà été fiancée officiellement une ou deux fois – selon la rumeur que l'on choisissait de croire. En quoi serait-ce un problème, si Borgia devait rompre des vœux sacrés pour la troisième fois ?

Sauf que dans ce cas précis, les fiançailles et le mariage censé suivre impliquaient la maison des Sforza, dont les membres étaient fiers comme des paons, et dont le soutien à Borgia avait été déterminant lors de son élection à la papauté. Rien que pour cela, il se sentirait peut-être obligé d'honorer sa promesse.

— Parfois, reprit Vittoro d'un air songeur, j'imagine que lorsque je serai vieux, je prendrai place au jardin pour regarder mes petits-enfants jouer. Le soleil brillera mais ne sera point trop éclatant, je sentirai une douce brise embaumant le citron et la lavande, j'entendrai le roucoulement des pigeons nichés sous l'avant-toit, et je ne penserai à rien si ce n'est au plat savoureux que ma tendre épouse m'aura préparé pour le souper.

— Et tu ne t'ennuieras pas ? Tout cela ne te manquera pas ?

— Comme je te l'ai dit, je serai vieux.

Nous évitâmes d'évoquer l'avenir que j'imaginais pour moi, car Vittoro savait qu'il valait mieux se garder de le demander. Le passé me hantait par trop pour songer à un quelconque futur.

Je m'attardai quelques instants de plus ; puis, le devoir m'appelant, je pris congé. Des provisions arrivaient en permanence pour les cuisines, quartiers de bœuf et paniers de poissons, piles de fruits et de légumes, meules de fromage, barils de vin et de bière, et tout cela sans compter celles qui commençaient à être livrées en prévision du dîner de noces.

Je goûtai à tout, plongeant ma main au fond des sacs et des paniers, ouvrant les carcasses, et ainsi de suite. Chacun sait que les aliments frais sont difficiles à empoisonner, car tout agent extérieur qui sera introduit y laissera des traces d'odeur, de goût et de couleur que l'œil expérimenté ne manquera pas de voir. De la même façon il est difficile de frelater du vin ou de la bière sans troubler le liquide, bien que parfois la différence soit infime, mais grâce à Dieu et à l'excellente formation que mon père m'a donnée, j' arrive sans problème à m'en apercevoir. Les aliments préparés me donnent en revanche plus de mal : saucisses, viandes fumées, poisson séché et plats épicés sont l'endroit idéal où dissimuler un poison. Pour cette raison, j'ai demandé que toutes les denrées de cette nature soient confectionnées sous ma direction.

Il ne restait ensuite plus que le cas des poisons de contact, qui dans l'arsenal de l'empoisonneur étaient les substances les plus rares et les plus difficiles à manipuler de toutes. J'en étais passablement familière, ayant accompli l'exploit d'appliquer un tel poison sur l'extérieur d'une cruche en verre afin de tuer celui qui devait venir en remplacement de mon père, et de revendiquer pour moi-même sa succession. Ayant toujours cet incident à l'esprit, j'inspectais systématiquement tout ce qui pourrait entrer en contact avec Borgia ou sa famille – le moindre bout de tissu mais également d'autres matériaux, dont le verre, l'or ou encore l'argent. De nouveau, la date prévue pour les noces approchant à grands pas, les cadeaux commençaient à arriver et chacun d'entre eux devrait impérativement être vérifié.

Mais à peine m'étais-je attelée à la tâche considérable qui m'attendait qu'un page vint me chercher. Sa Sainteté requérait ma présence. Je me lavai les mains dans une bassine en cuivre, les séchai sur un torchon amené par une jeune soubrette qui resta tête baissée tout ce temps-là et déguerpit dès que j'en eus terminé, et suivis le page dans l'escalier de pierre qui montait de la cuisine, à travers un dédale de corridors, de nouveau dans des escaliers mais cette fois-ci dorés – pour, enfin, être en présence du Vicaire de Jésus-Christ sur Terre, le pape Alexandre VI.

6

— Bon Dieu ! tonna Borgia. Sa voix fit vibrer les dorures au mur et menaça de fêler les hautes fenêtres donnant sur la place. Secrétaires et clercs tremblaient comme des feuilles, et cherchaient visiblement une issue, tout en s'efforçant de rester discrets.

— Par la Sainte Vierge et tous les saints, redis-moi pourquoi je n'ai pas tué cet homme quand j'en avais l'occasion ?

Tout à coup, il me faisait face. Moi qui avais espéré que le gros de sa colère serait passé, maintenant, je m'étais trompée.

— Tu aurais dû me convaincre de le faire, insista Borgia. C'est ton travail, non ?

Sous le regard pressant de notre auditoire, à n'en pas douter soulagé de ne pas être la cible de l'ire papale, j'avançai de quelques pas. Je m'efforçai de paraître calme, en dépit du nœud qui s'était soudain formé dans mon ventre, et de la moiteur de mes mains qui n'avait rien à voir avec cette matinée étouffante. De tels accès de colère n'étaient pas fréquents chez Borgia, qui préférait les réserver aux occasions où il se sentait particulièrement provoqué. Mais lorsque cela arrivait, c'était vraiment à voir. Pour être tout à fait franche, je soupçonnais parfois ses emportements de relever davantage de l'artifice que de la véritable émotion, mais pour l'heure il n'y avait pas de doute, il était vraiment furieux.

Au vu des nouvelles que Vittoro m'avait données, l'objet de la colère de Borgia n'avait rien de mystérieux, et j'aurais difficilement pu faire mine de mal comprendre. Je n'avais donc d'autre choix que d'endosser le rôle de l'ingénue. Lui parler avec sincérité aurait été d'une inconvenance totale, et soulevé toutes sortes de problèmes.

Mais les faux-semblants étaient un art consommé entre les murs sacrés du Vatican, voire, quand on y songe, en tout lieu où se retrouvent ceux qui goûtent au pouvoir.

— Vraiment ? Je croyais que mon travail consistait à veiller sur votre sécurité, répliquai-je d'un ton dégagé, comme si à la vérité ce n'était guère important, en tout cas certainement pas assez pour exploser de rage et tout dévaster sur son passage, à commencer par la pauvre créature que j'étais.

Comme si cela me venait après coup, j'ajoutai :

— Et, à l'occasion peut-être, vous débarrasser d'un fardeau. Je ne me souviens pas vous avoir entendu mentionner le nom du cardinal à cet effet.

— Et j'ai été bien sot, marmonna Borgia sur un ton plus calme, déjà. Son admirable intelligence et l'impression d'ordre qui émanait en général de lui étaient de nouveau visibles. Il regarda autour de lui, comme s'il se rendait compte tout à coup que nous étions observés.

— Dehors ! Dehors ! Des bons à rien, tous autant que vous êtes ! Dehors ! cria-t-il.

Tous s'exécutèrent. Nous restâmes seuls, ainsi que Borgia l'avait prévu assurément, car maintenant tout le monde allait se demander ce qu'il pouvait bien avoir à dire à son empoisonneuse en privé. J'admets que moi-même, j'étais curieuse de le savoir.

Sans autre cérémonie, il s'écroula sur la chaise à haut dossier qui se trouvait derrière l'immense bureau de bois incrusté de marbre, et me fit signe de prendre place sur l'un des fauteuils plus petits en face de lui. C'était un insigne honneur que d'être assis en sa présence, et il me l'accordait seulement lorsque nous étions seuls ou tout comme. Une telle intimité vous interpelle peut-être (il m'arrivait de l'être aussi, parfois), mais au fil des années passées ensemble je finis par comprendre tout au moins en partie ce qui poussait Borgia à se confier à moi, lors de ces nuits que nous passions en compagnie d'une carafe de vin, parfois. La Bella et les autres femmes qu'il eut dans sa vie prenaient une place importante, mais je ne crois pas qu'il les autorisa jamais à entrevoir les zones d'ombre de son âme. Quant à son confesseur, le malheureux prêtre à qui revenait cette tâche symbolique devait certainement remercier Dieu tous les jours que le pape n'ait jamais ressenti l'envie de mettre sa conscience à nu devant lui.

Mais malgré l'armure d'invincibilité qu'ils se forgent, les grands de ce monde n'en restent pas moins hommes, et on sent en eux un besoin impérieux de s'épancher auprès d'au moins une personne capable, si la fin du monde devait advenir, d'attester de leur humanité. La coutume veut qu'ils choisissent quelqu'un en marge de la société pour un tel rôle – un bouffon, un nain ou, même si c'est douloureux pour moi de le reconnaître, un être comme moi, mis à l'écart par ma sombre vocation.

Mais je ne me faisais pas d'illusions. Quels que soient les besoins de son âme, Il Papa jouait à un jeu plus subtil encore, dans lequel je n'étais qu'un pion de plus.

— Ce couillon de della Rovere conspire pour me déchoir du trône de Saint-Pierre, dit-il. Sans compter qu'il pourrait fort bien être derrière les récentes attaques contre moi, mais comment en être sûr, n'est-ce pas, puisque pour l'instant tu as échoué à le découvrir. Dans tous les cas, je veux que le problème qu'il représente soit résolu une bonne fois pour toutes.

— Votre Sainteté…

J'avais l'intention d'invoquer des problèmes d'ordre pratique pour atteindre della Rovere, maintenant qu'il se trouvait à près de cinq cents kilomètres de là dans son fief familial, voire les doutes que je pouvais avoir sur le fait qu'il soit mêlé aux récentes tentatives d'assassinat contre Borgia, mais ce dernier n'en avait que faire.

— Tu as fait preuve d'imagination par le passé pour trouver des solutions, me coupa-t-il. Ne me déçois pas maintenant.

La conversation étant close, du moins pour lui, le pape tendit la main vers une carafe de vin posée sur un plateau en argent, remplit une coupe vénitienne incrustée de pierres précieuses et but longuement. J'avais remarqué qu'il buvait plus tôt et plus souvent qu'il en avait l'habitude avant de devenir pape. La Bella avait dit à Lucrèce (qui me l'avait répété) que ces temps-ci il dormait mal et se réveillait parfois en sursaut, le corps en sueur. Je me demandais si les complots tramés depuis des décennies pour servir ses ambitions s'avéraient être à présent davantage un problème qu'autre chose.

J'étais sur le point de me lever, supposant que par ce geste il me congédiait, lorsqu'il reprit la parole.

— Quelles nouvelles as-tu de César ?

Étant toujours en proie à une lutte intérieure vis-à-vis de l'ordre qu'il venait juste de me donner, je répondis évasivement.

— Il semble aller bien.

J'étais d'avis que les lettres que m'envoyait César étaient interceptées et lues bien avant qu'elles n'arrivent entre mes mains. Ce que Borgia voulait de moi, ce n'était pas tant que je lui fasse un résumé du contenu de ces missives, mais bien plutôt que je lui en livre une interprétation personnelle, chose que j'hésitais à faire.

— Content de son sort, dirais-tu ? Satisfait de suivre mes ordres ?

César, content ? Satisfait ? L'homme était lunatique, entièrement dominé par la passion et l'ambition. Une émotion comme le contentement n'entrait pas dans une telle équation. Assurément son père le savait, lui qui n'était guère différent ?

— Il vous est dévoué, répondis-je, car en fin de compte n'était-ce pas tout ce qui comptait, tout au moins pour Borgia ?

Le pape passa une main lasse sur ses joues. Un observateur extérieur aurait pu le prendre pour un vieil homme résigné devant les fantaisies qui sont l'apanage de la jeunesse. Mais rien n'aurait pu être plus éloigné de la vérité.

— Ah vraiment ? Il se répand en injures contre moi pour lui avoir imposé une telle vie. Il raconte à qui veut l'entendre qu'il va partir et se faire embaucher par le premier mercenaire venu. Il dit que c'est par l'épée qu'il gagnera sa vie, et que jamais il n'acceptera de revêtir l'habit rouge.

— Il est encore jeune…

Honnêtement, moi-même j'avais du mal à imaginer César en robe de cardinal, même si Borgia avait la ferme intention que son fils aîné en devienne un, et peu importe s'il n'était pas encore entré dans les ordres. Hormis les quelques vieillards qui s'accrochaient à leur mission ecclésiastique, les princes de l'Église étaient tous des intrigants ambitieux et rusés, faits pour exercer le pouvoir depuis leurs somptueux bureaux. César, au contraire, était taillé pour le champ de bataille. Il suffisait d'être en sa présence le temps d'un Pater pour comprendre cela.

— C'est mon fils ! Et par le diable, il fera ce que je lui dirai de faire.

Mon propre père aurait voulu que je me marie et que je lui donne des petits-enfants, mais il avait eu la sagesse de reconnaître que j'étais maîtresse de moi-même, pour le meilleur ou pour le pire, et non une simple extension de sa volonté. Peut-être était-ce parce qu'il avait fait montre d'une telle considération à mon égard de son vivant que j'étais si déterminée à l'honorer dans la mort.

— Dans ce cas, quelle différence cela vous fait-il, ce que lui pense ? en conclus-je.

Borgia prit une autre gorgée de vin. Il reposa ensuite la coupe et sembla l'examiner attentivement, avant de me regarder dans les yeux. Brusquement, il m'interpella :

— Va-t-il me trahir ? Dis-le-moi, l'empoisonneuse. Mon fils te confie-t-il ses envies de parricide sur l'oreiller ?

J'étais consternée. Qu'il envisage la possibilité que son fils aîné soit un traître était déjà suffisamment fâcheux comme cela, mais qu'il me considère comme sa complice potentielle parce que je partageais sa couche était tout à fait impensable, pour ne pas dire plus si l'on considérait la chose strictement du point de vue de ma survie. En tant que fille unique d'un père qui m'adorait, je ne prétends pas connaître grand-chose aux mécanismes subtils des liens familiaux, mais même moi je savais qu'à cette question il ne pouvait y avoir qu'une réponse possible.

— Avez-vous pris le temps de dormir, cette nuit ?

Je cherchais à gagner du temps, bien sûr, suffisamment pour que mon esprit affolé ait le temps de formuler la réponse qu'il attendait de moi de la manière la plus crédible possible. Mais j'étais aussi vraiment inquiète pour lui, quelque part, Dieu m'en est témoin.

— Giulia s'est-elle plainte ? rétorqua-t-il d'un air renfrogné.

— Elle se soucie de vous. Comme nous tous. Si vous vous mettez à parler comme cela, les gens vont dire que vous avez l'esprit qui commence à s'embrouiller.

Une bien dure façon d'admonester un pape, mais cela parut calmer Borgia. Il avait déjà dit par le passé apprécier mon audace, même si j'en avais toujours douté. J'étais plutôt d'avis qu'il me jaugeait en permanence, attendant le moment où je deviendrais davantage une source de problèmes qu'un bienfait. Mais en cet instant-là j'avais encore mon utilité, ne serait-ce que pour le garder en vie et, accessoirement, lui permettre de communiquer avec un fils par trop rétif.

Il reprit d'un ton quelque peu adouci :

— Je sais bien que je peux compter sur César, au bout du compte. Il est peut-être beaucoup de choses, mais certainement pas un coucou qui se serait glissé par erreur dans mon nid. Si c'était le cas, je serais obligé de l'en déloger, même si cela voudrait dire qu'il s'écraserait à terre.

— Quelle chance dans ce cas qu'il soit aiglon, en digne fils de son père, lui rétorquai-je avec le plus grand sérieux.

Borgia pouffa de rire ; il était aussi lunatique que son fils, d'humeur toujours changeante. Mais je ne fis jamais l'erreur de le croire capricieux – ceux qui le pensaient eurent tous amplement l'occasion de le regretter.

— Vous vous faites du souci pour rien, continuai-je. Seriez-vous plus heureux si César était un incapable acceptant docilement tout ce que vous décidiez pour lui ? C'est un homme robuste, qui a du caractère. Réjouissez-vous de cela, mais sachez qu'au bout du compte il agira toujours selon vos souhaits.

Borgia éructa discrètement derrière sa main chargée de bagues, puis émit un soupir.

— Une bonne nuit de sommeil ne me ferait pas de mal.

Sa manière bien à lui de s'excuser pour ses propos quelque peu extrêmes.

— Je connais un bon apothicaire, si d'aventure vous recherchez un traitement plus efficace que le vin.

Il prit un air faussement interloqué.

— Vous êtes vraiment une femme surprenante, Francesca. En bon chrétien, on s'abstient normalement de donner l'occasion à autrui de pécher.

Ce fut à mon tour de soupirer. Parfois je craignais réellement qu'il connaisse les moindres recoins de ma vie, même si je m'accrochais désespérément à l'espoir que Lux avait jusque-là échappé à sa surveillance.

— Sofia Montefiore n'a aucune raison de vous faire du mal, Votre Sainteté.

— J'espère que non, les juifs m'adorent. Ne leur ai-je pas tendu la main de la tolérance ?

Main dans laquelle ils avaient déposé un colossal pot-de-vin, n'est-ce pas, même si je gardai cela pour moi. Borgia me scruta un instant de plus, avant d'ajouter :

— La prochaine fois que tu vois mon fils, rappelle-lui de se tenir correctement au mariage. Je ne tolérerai aucune imbécillité de sa part ce jour-là.

— Je ne compte pas le revoir d'ici peu.

Ou de sitôt, avais-je envie de dire, car au vu de son humeur du moment il valait peut-être mieux qu'il reste à l'écart de Rome jusqu'à ce que Lucrèce ait vraiment célébré ses noces.

Borgia se contenta de sourire et de me faire signe de le laisser. Je m'exécutai, mais j'avais encore du mal à accepter ce qu'il m'avait ordonné de faire. Si l'on mettait de côté les obstacles matériels, je n'étais pas convaincue qu'envoyer Giuliano della Rovere dans l'autre monde servirait véritablement à quoi que ce soit. L'Église serait encore et toujours dévorée par l'ambition et la vénalité. Et le commun des mortels, me direz-vous ? Ils seraient encore et toujours distraits par le combat quotidien pour leur survie, et bien trop las pour se soucier véritablement des agissements des puissants de ce monde. À moins que quelque chose ne se passe, qui parvienne à percer le brouillard d'apathie dans lequel ils étaient plongés et ainsi à capter leur attention. La mort d'un cardinal, par exemple ? Cela suffirait-il à faire descendre les gens dans la rue ?

Je n'eus pas le temps d'y réfléchir plus avant, car Renaldo m'attendait dans l'antichambre. L'intendant m'indiqua de la tête l'endroit où nous avions eu une petite conversation au coin du feu la veille. Je l'y rejoignis. L'humeur de Borgia était telle que je n'avais pas osé le questionner sur ce qu'il savait de l'incendie à la villa, mais il n'en allait pas de même pour Renaldo : je n'aurais aucune hésitation à essayer de le faire parler.

J'allais ouvrir la bouche lorsqu'il me confia : « Il a signé la bulle. » À l'air qu'il arborait, il avait dû empocher une belle somme.

J'acquiesçai d'un signe de tête, moi-même soulagée de voir la question réglée ; mais j'étais toujours déterminée à en apprendre davantage.

— C'est très bien tout cela, mais comme vous le savez sans aucun doute déjà, Sa Sainteté est préoccupée.

L'intendant me regarda soudain avec intérêt. À n'en pas douter, il avait bon espoir que je lui révèle le contenu de la conversation que Borgia avait jugé bon d'avoir en privé avec son empoisonneuse. Les paris à ce sujet allaient être acharnés ; d'ailleurs, il était probable que l'on ait déjà commencé dans les tavernes à estimer mes chances d'être envoyée à Savone pour tuer della Rovere et, pour les plus aventureux, à parier sur la probabilité que j'avais de réussir.

— Je me demandais si vous saviez pourquoi, continuai-je, ôtant toute illusion à Renaldo tout en le flattant par mon apparente foi en son opinion. Le fait est que l'intendant aurait pu devenir un homme immensément riche (au lieu de simplement vivre dans l'aisance), s'il avait choisi de monnayer ce qu'il savait de Borgia. On présume toujours que les secrets sont dissimulés dans des messages codés ou révélés dans le creux de l'oreille, alors qu'en vérité la meilleure façon de comprendre les agissements d'un grand homme est de regarder ses livres de comptes. En voyant comment et où il dépense son argent, vous saurez tout ce qu'il importe de savoir de lui.

C'était Renaldo qui s'acquittait de cette tâche pour Borgia, avec un soin tout particulier. Il savait combien le pape dépensait en bouillie de flocons d'avoine pour les tournebroches en cuisine, mais aussi en petits jouets à caractère licencieux destinés à La Bella, sans oublier tout le reste.

— Il y a récemment eu toute une vague de paiements, murmura-t-il. Comme tout bon gardien des richesses de son maître, cela peinait grandement Renaldo de s'en défaire. Ces temps-ci, il paraissait avoir souffert davantage qu'à l'accoutumée.

— À quelqu'un en particulier ?

L'intendant secoua la tête.

— À une foule de gens, plutôt. Argos est un amateur, à côté de notre maître.

Je souris en entendant cette référence au géant de la mythologie grecque doté de cent yeux. Mais je me demandais également qui Borgia faisait espionner – et pourquoi.

— Il a eu de la visite ce matin, continua Renaldo. Il n'était même pas encore levé que l'un de ses « yeux » venait au rapport. La Bella était très mécontente, m'a-t-on dit. On raconte qu'elle serait de nouveau enceinte.

Je n'étais pas au courant et fus contente de l'apprendre. Cela me faisait d'autant plus plaisir pour La Bella qu'elle avait perdu un bébé l'an passé, et que je me sentais en partie responsable de ce drame même si ce jour-là j'avais réussi à lui sauver la vie.

— Qu'y avait-il de si urgent ?

Renaldo s'approcha. Il prit le temps de jeter un regard furtif par-dessus son épaule pour être absolument certain que personne d'autre n'allait l'entendre, puis me chuchota :

— Les membres d'Il Frateschi sont à Rome.

Je dus me retenir de ne pas frissonner. La « Fraternité », comme elle se faisait appeler, était un groupe de disciples fanatiques du frère Jérôme Savonarole, un fléau apparu à Florence trois ans plus tôt, et qui depuis n'avait cessé d'exhorter le peuple à la haine. À en croire les rapports que Borgia recevait presque quotidiennement, les sermons délirants du fougueux dominicain contre les riches et les puissants (qu'il accusait de tous les maux) et les juifs (leurs complices) attiraient toujours plus de gens. L'un de ses chevaux de bataille était les Médicis et ce qu'ils avaient fait de leur opulente cité où, comble de l'horreur, art et tolérance régnaient en maître ; les premiers étaient dénigrés à tout-va, la seconde qualifiée de creuset du diable. L'impuissance, jusque-là, de la grande famille florentine à le réduire au silence ne faisait qu'ajouter à son aura d'autorité divine.

Mais plus important, Savonarole et ses *frateschi* représentaient pour moi les ennemis jurés de la cause à laquelle les membres de Lux s'étaient voués. S'ils devaient l'emporter un jour (que Dieu et tous les saints nous en gardent), nous serions les premiers à aller au bûcher.

— Tout de même, ils n'oseraient pas venir ici.

Tout en disant cela, j'évaluai la probabilité que j'avais de me tromper. Si Savonarole croyait que Borgia était véritablement sur le point d'être destitué, il pourrait fort bien vouloir ses disciples au plus près du siège de la papauté, pour être sûr que l'un des leurs soit élu.

Et si cela arrivait, ce serait la fin de tout – plus particulièrement, toute chance de voir la lumière de la connaissance tirer l'humanité de la fange dans laquelle nous nous vautrions depuis si longtemps serait anéantie. Nous retomberions dans les ténèbres, peut-être pour ne plus jamais en sortir. Malgré tous ses défauts (dont je commençais seulement à soupçonner l'ampleur), Borgia était notre meilleur rempart contre les Savonarole de ce monde.

Par ailleurs, pour autant qu'Il Papa soupçonnât son rival della Rovere d'être derrière les tentatives d'empoisonnement contre lui, il était tout aussi possible que ce soit Il Frateschi, les coupables. Comment savoir jusqu'où de tels fanatiques étaient capables d'aller, ou avec qui ils s'associeraient pour parvenir à leurs fins ?

— Qui est vraiment à même de dire ce qu'ils osent et n'osent pas faire ? rétorqua Renaldo. Tout ce que je sais, c'est que notre maître est assailli de toutes parts par les problèmes. Certes, beaucoup sont de son fait mais le reste n'est que pure calomnie, orchestrée par des hommes prêts à toutes les bassesses pour s'élever.

Je n'aurais su mieux le dire. Assurément Borgia était loin d'être un ange, mais ses ennemis étaient bien trop souvent des hommes qui n'hésiteraient pas à acculer le monde à la ruine si, ce faisant, ils pouvaient en tirer quelque profit.

— Dans ce cas, nous devons nous assurer qu'ils n'y parviendront pas, Maître d'Marco.

Sous ses airs de furet, Renaldo n'en était pas moins un homme courageux. Il se redressa, me regarda droit dans les yeux et déclara :

— Vous avez raison, Donna Francesca, c'est notre devoir. Il compte sur nous.

— À ce propos… (Je baissai la voix encore d'un cran, forçant l'intendant à se pencher plus près.) Savez-vous où Sa Sainteté va se cacher, ces temps-ci ?

— Je ne suis pas sûr de vous suivre…

— Ses secrétaires disent qu'il lui arrive de disparaître depuis son bureau.

— La Bella…

— Il n'est ni avec elle, ni dans aucun autre lieu connu de nous. Vous comprendrez que cela pose un problème de sécurité.

J'espérais bien que c'était le cas, et davantage encore. Ce serait pour le moins fâcheux que Borgia soit impliqué dans quelque affaire dont nous, ses fidèles serviteurs, n'étions pas au courant. Dès lors, comment garantir son confort et son bien-être ?

Sans parler du nôtre.

— Je vais essayer d'en savoir plus, me promit l'intendant.

À peine eus-je le temps de le remercier qu'un secrétaire faisait son apparition : Renaldo était appelé dans le saint des saints. Il me quitta en arborant l'air affairé de circonstance. De mon côté, je m'en retournai d'un pas lent aux cuisines, où je continuai mon inspection des dernières livraisons de denrées. C'était bien beau de réfléchir au meilleur moyen d'empoisonner della Rovere, mais au vu de la situation catastrophique dans laquelle nous nous trouvions, il me fallait redoubler de précautions pour être sûre que ce n'était pas plutôt Borgia qui allait l'être.

Le temps que j'en termine avec tout cela, l'après-midi touchait à sa fin. Je me sentais lasse, et songeai à rentrer à mon appartement pour me reposer, car j'en avais grand besoin. Mais je n'avais pas la conscience tranquille : soudain se rappelait à mon bon souvenir un devoir que j'avais trop longtemps négligé d'accomplir. Je n'ai jamais eu ce sens de l'amitié qu'ont certains, mais je pouvais toujours remédier à cette défaillance sur l'instant. C'est ainsi que je pris la direction du palazzo Santa Maria in Portico.

7

Lucrèce était assise dans une sorte de nid douillet fait de brocart orné de pierreries, de velours chatoyant, de drap d'or et d'argent filé, tel un splendide oiseau de paradis dans son habitat naturel.

Elle était en pleurs. Son teint, qui en temps normal évoquait l'albâtre avec une nuance de rosé, était présentement marbré et bouffi de larmes. Elle était tout échevelée, ses cheveux dorés, d'habitude coiffés en anglaises retombant autour de son beau visage, n'ayant pas été peignés. Son expression, son corps tout entier, respiraient la tristesse et la souffrance.

Ses dames de compagnie rôdaient autour d'elle en arborant divers degrés d'anxiété et d'ennui. Borgia avait récemment décrété qu'en tant que fille d'un pape régnant, Lucrèce devait être dotée d'un entourage digne de ce nom. Les grandes familles s'étaient montrées réticentes à l'idée de sacrifier leurs filles, veuves ou nièces pour une telle cause, mais dans les rangs des arrivistes et des négociants ambitieux, l'on avait été plus obligeant. À ce que j'en voyais, à eux tous ils n'avaient pas été capables de fournir une seule jeune femme à même de gérer une crise domestique, aussi mineure fût-elle.

— Il me hait ! s'exclama Lucrèce quand elle me vit. C'est insupportable ! Comment peut-il se montrer aussi cruel, surtout en ce moment, quand il sait combien je m'inquiète ?

Je ne tentai même pas de répondre, préférant m'agenouiller sur les étoffes abîmées pour l'étreindre. Ses pleurs redoublèrent pendant plusieurs minutes, tandis que je lui tapotai le dos et lui murmurai des paroles apaisantes.

— Là, là, lui susurrai-je, ou quelque chose d'analogue.

Une telle scène peut paraître étrange, au vu de notre statut social éloigné, mais sachez que la fille du pape et moi nous connaissions depuis des années. À l'époque de notre rencontre, j'étais une petite fille innocente et Lucrèce sortait à peine du berceau. Malgré nos différences, nous avions en commun le fait d'être les filles uniques d'hommes puissants qui, tout en faisant uniquement preuve d'amour et d'attention à notre égard (du moins, c'est ce que nous aimions à croire), instillaient chacun à leur manière, et chez la plupart des gens, la peur. C'était un lien que même les plus dures contraintes de nos vies n'avaient jamais réussi à briser.

Au bout d'un moment sa détresse laissa place à des sanglots, qui s'espacèrent de plus en plus, jusqu'à ce qu'enfin vienne le silence. Elle se redressa quelque peu et me regarda, les yeux rouges et gonflés.

Dans un murmure teinté d'incrédulité, elle me demanda :

— Comment *ose*-t-il ? Dis-moi juste ça.

Une lettre, dont le sceau de cire rouge avait été ouvert, gisait sur le sol à côté d'elle. Je la ramassai, et après l'avoir parcourue en fis une boule que je glissai dans la poche de ma robe. Les quelques lignes que j'avais lues me rendaient furieuse, mais je ne pouvais certes pas l'admettre.

— Mais enfin, dis-je d'un ton aussi léger que possible, vous savez combien César peut être versatile, parfois. Votre frère est comme le vent d'automne qui souffle en tempête et le moment d'après est déjà retombé.

En emportant dans son sillage toutes celles et ceux assez sots pour se soucier de ce qu'il pense d'eux.

— Il dit que je suis déloyale de me marier, quand notre père dit que j'y suis obligée ! Il dit que je finirai par regretter amèrement le jour où j'ai posé les yeux sur Giovanni Sforza ! Il le traite de faible, de fainéant, de… de sodomite !

Je levai les sourcils à la mention de cette dernière qualification, car c'était la première fois que j'entendais dire que le seigneur de Pesaro aimait les garçons. Je soupçonnai même César d'avoir inventé cela de toutes pièces, auquel cas c'était de la calomnie. Quant au reste… il y avait du vrai.

— Il dit même que c'est un bâtard, ajouta Lucrèce, plus calmement. Cela lui aurait-il échappé que c'est également notre cas ?

— César ne voit que ce qui l'arrange, résumai-je en me forçant à sourire. (Doucement, j'essuyai ses larmes, puis me levai et lui tendis la main.) Allez venez, vous allez vous rendre malade. Et regardez comment vous traitez toutes ces belles étoffes. Vos servantes vont passer le reste de leurs jours à essayer de les défroisser et à tamponner les traces faites avec vos larmes.

Elle se leva, et voyant le gâchis qu'elle avait causé, eut la grâce de prendre un air penaud.

— C'était bête, je sais…

Ayant dit ce que j'avais à dire, je passai à l'étape suivante en la flattant :

— N'importe qui aurait été bouleversé, à votre place. Mais vous devez comprendre, César est un homme…

En fait il aurait dix-huit ans dans quelques mois, et à mes yeux tout au moins il restait un garçon, même s'il avait su être là pour moi au moment où j'en avais eu le plus besoin. Apparemment, il était incapable d'en faire de même pour sa sœur.

— … et les hommes, continuai-je, ne sont pas à même de saisir ce que cela signifie pour une femme de se marier.

Moi non plus à vrai dire, ayant fait tout mon possible quand mon père était encore en vie pour le convaincre que je n'étais pas faite pour le mariage. Ce n'est pas que je n'apprécie pas les hommes ; ainsi que je vous l'ai déjà révélé, j'ai une faiblesse pour certains d'entre eux. Mais je chéris mon indépendance par-dessus tout, en grande partie car ce n'est qu'en maintenant une certaine distance entre moi et les autres que je peux espérer dissimuler la noirceur qui m'habite, celle qui m'a amenée à exercer ce métier pour le moins singulier.

— Il dit qu'il ne viendra pas au mariage, reprit Lucrèce en reniflant une dernière fois. Le fait qu'elle ait baissé la voix était bon signe. À présent que le pire de la crise était passé, ses dames de compagnie s'étaient insensiblement rapprochées. À n'en pas douter, elles espéraient glaner quelque remarque piquante qu'elles pourraient ensuite brandir comme un trophée et clamer à la face du monde.

— Bien sûr qu'il viendra, la rassurai-je. Nous savons toutes les deux que jamais il ne vous ferait du mal ainsi.

— Mais, et s'il faisait une scène ? demanda-t-elle en prenant un air consterné. Et s'il… *attaquait* Giovanni ?

Cette idée n'était pas aussi saugrenue qu'elle en avait l'air. Mais quoi que vous puissiez imaginer, ce comportement n'était pas dû à un quelconque amour contre nature entre César et Lucrèce. Oui, je sais, on a raconté des choses terribles sur eux. Mais je sais aussi que tous deux étaient incapables d'agir comme on a pu les en accuser.

Par ailleurs, je partageais suffisamment la couche de César pour être certaine qu'aucune pensée anormale envers sa sœur ne s'y était égarée.

— Il pourrait être tenté de faire quelque chose d'inconsidéré, je l'admets. Mais au bout du compte, il n'osera pas s'opposer au pape.

Me prenant par la main, elle m'emmena au jardin. Dans le même temps elle fit signe à ses dames de compagnie de rester à l'intérieur, à leur grande déception, visiblement.

Nous fîmes quelque pas sur l'une des allées de gravier passant entre des plates-bandes débordant d'œillets sauvages, de géraniums en pleine floraison et de délicates pensées se dressant vers le soleil. Les allées se rejoignaient au centre du jardin, au pied d'une fontaine en pierre d'où jaillissaient de fins jets d'eau irisés de la bouche d'un chérubin nu.

— Comme je prie pour que tu aies raison, s'exclama Lucrèce lorsque nous fûmes assises sur un banc en pierre non loin de la fontaine. Mais tu dois savoir, j'en suis sûre, que César est très mécontent de *papà*. Il a été furieux d'apprendre que c'était notre frère Juan, et non lui, qui allait être fait duc, et qu'on lui avait promis une armée en plus d'un mariage somptueux. C'est la vie que César rêve d'avoir, même si notre père a autre chose en tête pour lui.

L'idée de Borgia était qu'en temps voulu César devienne pape, à la tête non seulement de la chrétienté mais aussi d'une dynastie régnant sur une Italie unifiée, dans laquelle les grandes familles et les puissantes communes seraient enchaînées au trône de Saint-Pierre.

Aujourd'hui cela ressemble surtout à un rêve fiévreux, mais à l'époque je vous assure que cela paraissait envisageable. Borgia était peut-être le seul capable d'une telle vision, et le seul doté de la volonté nécessaire pour concevoir une si vaste réorganisation de notre monde, mais aucun être sensé n'aurait écarté la possibilité qu'il puisse véritablement y arriver.

Sauf César qui, s'il paraissait s'incliner devant son père en public, semblait bien déterminé à le défier partout ailleurs.

— Tout de même, fis-je, il ne gâcherait pas le jour de votre mariage.

César avait beau être un jeune homme fougueux, j'étais relativement certaine qu'il était à même de se contrôler le temps de quelques heures. Quant à ce qui arriverait après… je préférais ne pas y penser.

Lucrèce semblait partager mon avis, car elle esquissa un faible sourire.

— Je suis sûre que tu as raison. De toute façon, il serait temps que j'arrête de m'inquiéter pour César et que je pense à des choses plus gaies.

Elle se pencha vers moi et ajouta, sur le ton de la confidence :

— Je connais enfin la date à laquelle je deviendrai une femme mariée – ou, tout au moins, à laquelle j'en aurai le nom.

Voilà une nouvelle pour le moins alléchante. La date du mariage de Lucrèce avec Giovanni Sforza était au cœur de tous les débats et paris depuis des semaines. Moi-même je m'étais abstenue de miser de l'argent là-dessus, mais cela m'intéressait grandement de le savoir.

— Et quand aura-t-il lieu ?

— Les astrologues du cardinal Sforza ont décrété que le douzième jour du mois prochain était le plus propice.

— Tiens donc…

Borgia n'allait pas être content, car il voulait que les noces aient lieu plus tard, plus précisément à un moment où il espérait être en meilleure posture pour déterminer s'il voulait qu'elles aient lieu tout court. Par ailleurs, il ne supportait pas les astrologues. Il Papa avait déjà suffisamment de difficultés comme cela à accepter que notre Père céleste ait son mot à dire sur son sort personnel. L'idée que l'alignement des étoiles au moment de sa naissance déterminait d'une certaine manière sa destinée le choquait énormément.

Lucrèce confirma d'un signe de tête. Elle paraissait sincèrement heureuse.

— Giovanni arrivera deux jours avant, expliqua-t-elle. Il y aura une grande fête de bienvenue : une messe à Saint-Pierre suivie d'un banquet, d'une course de chevaux et d'autres jeux encore. Bien entendu tout le monde y sera sauf moi, mais *papà* a dit que j'aurai le droit de me mettre au balcon pour regarder mon mari passer à cheval.

Elle plongea la main dans le corsage en filigrane d'argent de sa robe et en retira un petit médaillon, qu'elle ouvrit délicatement pour me montrer le portrait d'un jeune homme.

— Ne le trouves-tu pas beau ?

C'était loin d'être la première fois que l'on me demandait de commenter l'apparence de Giovanni Sforza. J'étouffai un soupir, et répondis ce que je répondais toujours en pareille occasion :

— Il est très bien.

En fait, à l'âge de vingt-six ans, le seigneur de Pesaro et Gradara avait quasiment le double de l'âge de Lucrèce, et de surcroît était veuf. Il n'était que l'enfant naturel de Costanzo Sforza, mais avait reçu en legs les distinctions honorifiques de son père, puisque celui-ci n'avait eu aucun héritier légitime. Dépendant totalement de la branche milanaise de la famille Sforza (bien plus puissante) pour assurer sa progression dans la vie, il n'était pas précisément le grand seigneur que Lucrèce avait dû rêver d'épouser. Mais il avait tout de même des traits plutôt agréables (dont un long nez bien droit), une barbe à la mode, des cheveux noirs et souples. Il avait également une nature aimable, à ce qu'il paraissait, bien que tous les futurs mariés qui ne sont pas de vrais ogres soient qualifiés pareillement, en toute honnêteté.

— Pesaro est une ville tout à fait charmante, paraît-il, fit observer Lucrèce en remettant le médaillon là où était sa place, près de son cœur.

— J'ai entendu dire de même.

Le fief de son fiancé était une agréable petite ville sur la côte adriatique, célèbre pour ses fêtes religieuses. Son unique intérêt résidait dans sa position stratégique sur la via Emilia, la route que les Romains avaient construite dans l'Antiquité afin de relier la côte orientale aux riches régions agricoles du Nord. À Rimini, elle était reliée à la via Flaminia, qui menait ensuite directement à Rome. Mais tout cela n'intéressait pas Lucrèce le moins du monde. Ce qui lui importait vraiment, c'était tout ce que Pesaro n'était pas – Milan, Florence, Naples, Venise, ou Rome elle-même. Il était on ne peut plus évident que cette petite ville provinciale ne convenait guère à une jeune femme ayant vécu toute sa vie au plus proche du siège du pouvoir.

J'étais en train de méditer là-dessus lorsqu'un page approcha, mains croisées dans le dos, regard détourné mais vigilant, prêt à répondre au moindre désir de Madonna Lucrezia.

Elle lui fit signe de s'éloigner, ce qui voulait dire que nous n'en avions pas fini.

Lorsque nous fûmes seules de nouveau, sa tête nimbée d'or

s'approcha de la mienne et elle me chuchota :

— Mon père t'a-t-il dit… quoi que ce soit ?

Je saisis tout de suite le sens de sa question : elle voulait savoir si elle allait encore devoir subir l'affront d'une rupture de fiançailles. Lucrèce savait que je me trouvais souvent en présence de son père, et se demandait si j'aurais pu surprendre une conversation à ce sujet.

Mais que pouvais-je lui dire ? Les problèmes entourant cette union étaient si évidents. Tout reposait sur le refus du chef de la famille Sforza de céder le riche duché de Milan à son souverain légitime. Ce dernier était le petit-fils du roi de Naples, ce qui laissait présager un conflit sanglant entre deux des familles les plus puissantes d'Italie. Borgia, qui était en théorie allié à Milan mais ne tenait spécialement pas à affronter la colère de Naples (qu'il avait lui-même réussi à agacer, souvenez-vous), comptait sur les monarques espagnols pour arranger une situation qui, de fait, lui permettrait d'avoir le beurre et l'argent du beurre.

— Il paraît évident, répondis-je en pesant mes mots, que votre père tient à son alliance avec les Sforza.

Une jeune femme moins avisée aurait pu se satisfaire de cela, mais Lucrèce connaissait son père mieux que quiconque ou presque, bien que je ne croie pas que l'intéressé s'en soit jamais rendu compte.

— C'est le cas aujourd'hui, répliqua-t-elle. Mais je crains qu'il soit comme César, à penser qu'aucun homme ne sera jamais assez bon pour moi.

Ma théorie personnelle était que Borgia doutait plutôt qu'aucun homme ne soit jamais assez bon pour lui. S'étant hissé à la fonction suprême, l'on aurait pu croire qu'il allait se détendre quelque peu et se contenter d'observer le monde des nobles hauteurs du trône de Saint-Pierre. Mais au lieu de cela, son esprit agité cherchait à remporter des victoires toujours plus grandes – donc, fatalement, à contracter les alliances nécessaires pour y parvenir.

Le tact n'était pas une de mes qualités, mais je fis de mon mieux pour en faire preuve en cet instant-là.

— Une année peut paraître bien longue, mais vraiment ça ne l'est pas. Elle passera sans que vous vous en rendiez compte.

Lucrèce me lança un regard pour le moins sceptique, que l'on se serait attendu à voir chez quelqu'un de bien plus âgé qu'elle. Mais j'oubliais toujours que malgré son jeune âge, elle avait grandi dans une maison où l'innocence avait très peu sa place.

— Viens, me dit-elle en se levant du banc. J'ai un nouveau singe adorable que je veux te montrer, et tu restes dîner, bien sûr. Je serais trop triste si tu t'en allais.

Plus probablement, elle se sentirait seule et désœuvrée. Jusqu'à son mariage, et à sa consommation (qui d'un commun accord ne devait pas avoir lieu avant un an, d'où ma remarque), Lucrèce devait vivre comme toutes les jeunes femmes de son rang, à savoir enfermée dans une belle cage dorée. Les ambitions de son père lui imposaient de faire attention à ses moindres paroles et gestes, même avec ses dames de compagnie. J'étais l'une de ses rares relations avec qui elle pouvait être vraiment elle-même.

Qu'elle le reconnaisse ainsi tacitement était flatteur pour moi, bien sûr, car cela voulait également dire que notre amitié faisait fi des différences qui existaient pourtant de fait entre nous. J'aurais pu m'en sentir gratifiée, eussé-je été une âme servile. Mais au-delà de moi je voyais une jeune femme, solitaire et inquiète, que je m'étais engagée à protéger en vertu d'une profession pourtant très peu vertueuse.

— Je serais ravie de rester, lui annonçai-je, ce qui était considérablement enjoliver la vérité, mais en valait la peine à voir le sourire que cela fit naître sur le visage de Lucrèce.

Ainsi, je restai. J'admirai le singe – un petit animal bien sale, à mon humble avis, qu'il aurait mieux valu laisser à l'état sauvage dans son pays d'origine, quel qu'il soit. Je dînai avec elle seule, sur une petite table, dans sa chambre (à leur grande consternation, ses dames de compagnie avaient pu disposer).

Alors que nous étions en train de déguster du perdreau au fenouil et aux pommes, je la taquinai :

— Vous savez que votre insistance à vouloir dîner en privé avec quelqu'un comme moi va donner lieu à bien des conjectures.

À ce stade-là nous avions passablement bu, et nous nous mîmes à ricaner comme deux sottes en songeant aux folles rumeurs qui allaient circuler... ou circulaient déjà. Tout était un peu flou, je dois dire.

— Ils vont se demander, proposa Lucrèce en léchant ses os de perdreau, si par hasard je ne t'aurais pas demandé ton avis de professionnelle. Peut-être bien que j'aimerais connaître les mesures à prendre contre mon futur époux s'il ne s'avérait pas aussi satisfaisant qu'il le devrait.

Elle avait bu autant que moi, je vous le jure, et pourtant l'espace d'un instant son regard fut d'une sobriété déconcertante. Et sérieux, aussi.

— Êtes-vous en train de me demander comment se débarrasser d'un mari pénible ? demandai-je en plaisantant à moitié. L'autre moitié de moi priait pour que ce ne soit pas vrai. Elle n'était même pas encore allée à l'autel ; elle ne pouvait tout de même pas déjà ressentir le besoin de se libérer des liens sacrés du mariage ?

Mais c'était la fille de Borgia, et je me dis que je ferais mieux de ne pas l'oublier.

— Bien sûr que non, répliqua-t-elle promptement. J'ai la plus grande affection pour Giovanni, tout au moins je suis sûre que ce sera le cas lorsque je l'aurais enfin rencontré. C'est juste que l'on entend toujours dire tellement de choses. Par exemple qu'il existe des moyens d'empêcher une grossesse, ou de faire qu'un homme soit incapable de s'acquitter de son devoir conjugal, et même de...

Elle s'arrêta alors, voyant peut-être à mon expression qu'il valait mieux ne pas s'aventurer sur ce terrain-là.

— Je vois que mes paroles t'ont troublée, ma chère Francesca, dit-elle en me resservant du vin elle-même, étant donné que ses domestiques avaient eux aussi été congédiés. Loin de moi l'intention de te contrarier pourtant, ajouta-t-elle avec une apparente sincérité.

Vous songerez peut-être que c'était le vin, mais je pense pour ma part que ce fut le souvenir de la toute petite fille qu'avait été Lucrèce, faisant quelques pas hésitants vers moi, mais parfaitement en confiance, qui me mit du baume au cœur – pour différent que le mien fût des autres.

— Il existe toutes sortes de moyens de parvenir à ses fins, rétorquai-je. Et il paraît évident que je les connais, sinon de quelle utilité serais-je à votre père, n'est-ce pas ?

Il lui restait suffisamment d'innocence pour rougir et détourner le regard l'espace d'un instant. Mais elle était également résolue (ou peut-être désespérée) au point de finir par mettre de côté ses scrupules et me demander, en me regardant droit dans les yeux :

— Si jamais un jour j'avais besoin de les connaître, m'aiderais-tu ?

Ah, combien Giovanni Sforza aurait-il donné pour savoir que sa fiancée avait posé une telle question ? Et pour connaître la réponse que je lui fis ?

— Je ferai tout ce qui est nécessaire pour vous protéger.

Je m'attardai quelques instants de plus dans les appartements de Lucrèce, mais déclinai son invitation à rester pour la nuit. À cette heure avancée, je me sentais si fatiguée que je n'étais plus capable de mettre un pied devant l'autre. C'est ainsi que je cédai à la tentation de me faire ramener à mon appartement dans une chaise à porteurs.

Il ne me restait plus qu'une tâche à accomplir avant de pouvoir rejoindre mon lit, en espérant que je ne ferais pas de cauchemar. M'arrêtant chez Portia pour lui donner le panier de cerises que j'avais dérobées pour elle, je levai la main pour frapper, avant de voir que la porte était légèrement entrouverte. De l'intérieur, dans l'obscurité de l'appartement, j'entendis un faible gémissement.

Je posai le panier sur le seuil et entrai avec précaution. Par-dessus tout je craignais que Portia se soit mise en travers de leur chemin, si d'aventure ceux qui se trouvaient derrière l'attaque contre Lux étaient venus me chercher.

Je glissai une main sous ma robe pour prendre le couteau que je portais dans un fourreau de cuir tout près du cœur. C'était César qui me l'avait offert, à cause de ma propension (avérée selon lui) à m'attirer les ennuis. Je ne saurais dire pourquoi il pensait cela mais pendant plusieurs nuits, alors que nous étions rassasiés de vin et de plaisirs charnels, il m'avait montré comment m'en servir. Pour ne pas vous distraire, je ne vous inviterai pas à l'imaginer nu, à la lumière des bougies, en train de me montrer comment égorger correctement un homme ; mais sachez que d'après lui j'étais tellement douée que c'en était alarmant.

Je serrai fermement le manche des deux mains pour tenter d'en arrêter le tremblement. J'étais sur le point d'appeler la *portatore* quand soudain, un mouvement à ma gauche m'alerta d'un danger. Je me tournai et vis dans le noir la forme d'un homme venant à pas de loup vers moi. Je n'eus que très peu de temps pour me faire une impression de lui : plus grand que moi, les épaules larges, agile. La lueur froide de l'acier dans sa main m'ôta toute autre pensée.

L'assaillant s'approcha encore, émergeant lentement de l'obscurité. J'entraperçus un visage jeune, à la mine sévère, puis…

Puis, je ne fus plus moi-même. Telle une vague qui surgirait tout à coup après une tempête, poussée par des forces invisibles en profondeur, la noirceur en moi se réveilla. Elle vint accompagnée d'une colère irrésistible, qui balaya tout sur son passage. La femme que j'ai la prétention d'être disparut alors, au profit d'une rage vorace que je n'aurais pu ni ignorer, ni maîtriser.

Au plus profond de moi j'entendis mon cœur battre la cadence, gravement. J'eus soudain l'impression de pouvoir déceler le moindre mouvement dans l'air, qui semblait onduler autour de moi. Je pivotai sur un pied, reproduisant instinctivement le geste que César m'avait appris, et tendis brusquement le bras, ajustant le coude exactement comme il me l'avait dit. J'étais aux prises avec les ténèbres mais tout était d'une éclatante clarté, tout à coup. J'étais au-delà de la peur, dans un royaume où rien d'autre n'existait que le moment unique, parfait, de la libération à venir.

Je vis mes mains, et le couteau qui était devenu leur extension, comme si je n'étais plus qu'une spectatrice observant un combat dont l'issue semblait déjà décidée. Assurément, je n'eus aucune hésitation en plongeant la lame dans les tissus mous du bas-ventre, même en sentant l'écho de mon geste se réverbérer dans mes bras.

L'homme eut un cri étranglé, un grognement presque, davantage de surprise que de douleur. Mes deux mains serrant toujours le manche, j'orientai le couteau tranchant comme un rasoir vers le haut, creusant au passage un profond sillon à travers la peau et les muscles. Du sang rouge foncé jaillit de la plaie béante. L'inconnu hurla et tenta de me saisir à la gorge, mais manqua son coup car au lieu de chercher à lui échapper, je m'enfonçai plus avant encore dans ma victime, tel un boucher cherchant à ouvrir une carcasse en deux.

Tout ce sang, chaud et écœurant par son odeur de cuivre, qui coulait sur mes mains et mes bras, m'éclaboussait le visage, s'étalait en flaque à mes pieds. Tous ces cris mais aucun venant de moi, car les ténèbres qui m'habitent avaient outrepassé toutes les limites, avec une allégresse féroce.

Un voisin qui entrait dans l'immeuble entendit ce qu'il se passait. Il ressortit sans tarder, avant que j'aie l'occasion de lui parler, mais comme je le sus plus tard il fit venir la patrouille, qui regarda brièvement la scène avant elle-même de se retirer pour appeler les condottieri les plus proches. Vittoro se trouvait toujours à la caserne lorsqu'il reçut l'appel. Reconnaissant mon adresse, il décida de mener la garde. Je ne m'avancerai pas sur ce qu'ils trouvèrent à leur arrivée, mais une chose est sûre, aucun de ces hommes ne m'a regardé dans les yeux depuis, à part Vittoro. Quant à moi j'étais égarée dans les entrailles rouge sang de la mort, où aucune lumière ne pénètre et la conscience, Dieu merci, n'existe pas.

Lorsque je revins à moi j'étais assise dans un fauteuil, dans mon salon. Minerve était à côté de moi et m'observait. En la regardant, je fus surprise de constater que son pelage était blanc, et non pas gris comme je l'avais cru. Cette découverte me parut soudain de la plus haute importance. Je me concentrai dessus à l'exclusion de toute autre chose, et ne sortis de ma rêverie qu'en sentant le contact léger de la main de Vittoro sur mon épaule.

— Francesca ?

Je levai les yeux, rencontrai les siens, et la mémoire me revint.

— Portia ?

Il sembla soulagé de voir que je retrouvais mes esprits – le sot.

— La *portatore* ? Elle a été rouée de coups, mais elle s'en remettra. J'ai parlé brièvement avec elle. Tout est arrivé parce qu'elle a ouvert la porte à cet homme. Il était venu poser des questions sur toi, elle ne voulait pas y répondre, et apparemment il a cru pouvoir la convaincre.

— Est-il… ?

— Mort ? Oui. Comment te sens-tu ?

Je regardai mes mains, remarquant que seules subsistaient quelques traces de sang autour de mes ongles. Ma robe avait disparu ; je ne la revis plus jamais. Quant au couteau, il s'était lui aussi volatilisé.

— J'ai très soif.

Vittoro me laissa un instant et revint avec une coupe. Je bus avidement. Mes mains tremblaient, et il dut la tenir pour moi. Lorsque j'en eus fini, je me laissai aller en arrière avec un long soupir.

— Sais-tu qui c'était ? demanda Vittoro. Il avait approché un tabouret pour s'asseoir près de moi. J'entrouvris les yeux et vis qu'il m'observait attentivement.

— C'est à peine si j'ai vu son visage. (L'idée me vint que je devrais m'armer de courage et voir si je ne reconnaîtrais pas mon agresseur – ou ce qu'il en restait.) Je pourrais…

— Il ne vaut mieux pas, rétorqua Vittoro promptement. J'ai bonne mémoire pour les visages, et celui-là m'était inconnu. Nous pouvons repousser sa mise en terre si tu insistes, mais vraiment je ne vois pas l'intérêt.

Je m'aperçus avec horreur qu'une larme était en train de couler le long de ma joue. En la voyant, Vittoro fit claquer sa langue. Cet homme bon (ce mari, ce père, ce grand-père, peu importe qu'il ne compte plus le nombre d'hommes qu'il avait tués de ses mains) me dit doucement :

— Francesca, tu as agi ainsi pour vous protéger, toi et la *portatore*. Tu n'as rien fait de mal.

Je fermai les poings pour que mes ongles s'enfoncent dans la chair, mais ne pus empêcher mes larmes de tomber, chaudes, cuisantes, et n'offrant pas le moindre apaisement. Je ne regardai pas Vittoro, effrayée comme je l'étais à l'idée de ce que je verrais dans ses yeux. De la peur ? Du dégoût ? Ou pire encore, de la pitié ? Je ne pouvais supporter rien de tout cela. En fait, en cet instant-là, j'avais l'impression de ne plus pouvoir rien endurer.

Mes paupières étaient incroyablement lourdes, mais je me forçai à les garder ouvertes. Si je dormais, le cauchemar reviendrait me hanter de plus belle, et j'avais peur de me noyer dans tout ce sang avant d'arriver à me réveiller. Mais si je ne dormais pas, je serais tout bonnement incapable de réfléchir, et au vu du danger qui m'entourait de toutes parts il était vital que je conserve toutes mes facultés.

— Tu trouveras un petit sachet dans le tiroir de la table de nuit, lui expliquai-je. Veux-tu bien me l'apporter, s'il te plaît ?

Lorsque j'avais dit à Borgia qu'il existait un remède plus efficace que le vin pour dormir, je parlais d'expérience. Même si j'essayais de m'en servir avec parcimonie, la poudre que Sofia me fournissait m'accordait un répit dans les rêves de toute nature que ce soit. Pour ce tour de force, je la chérissais autant que je la craignais.

Suivant mes instructions, Vittoro la mélangea avec de l'eau chaude. Je l'avalai en une seule gorgée. Une fois cela fait, je pris appui sur son bras fort pour me lever.

— À moins que tu n'aies envie de me porter, je devrais me mettre au lit tout de suite.

Juste avant de sombrer, je vis Vittoro qui mettait une fine couverture sur moi. Puis je l'entendis dire, comme de très loin :

— Ne t'inquiète pas pour Borgia. Je le tiendrai à distance.

Et peut-être y arriverait-il, mais pas complètement, et pas pour longtemps. Je dormis, louée soit Sofia, mais en ayant conscience que le temps s'écoulait implacablement, comme les gouttes dans une clepsydre, leur chute inexorable venant me rappeler que la chance sourit à ceux qui sont prêts et tendent la main pour saisir l'occasion.

Le lendemain matin au réveil, je me sentais bien mieux que je ne l'aurais dû. Minerve avait réussi à se hisser sur le lit à un moment donné de la nuit et s'était blottie contre moi. Ce fut le ronronnement sonore qu'elle émettait en se léchant qui me réveilla. Après avoir moi-même fait un brin de toilette, je la pris dans mes bras pour l'emmener dans le jardin, où elle parut comprendre ce que j'attendais d'elle. À notre retour, je vis que le livreur de lait était passé. Je lui en donnai un peu, avec un morceau de morue séchée que je trempai dedans. Au moment de passer la porte, je la vis perchée sur le rebord de la fenêtre, d'où elle pouvait embrasser du regard son nouveau domaine.

En chemin, je m'arrêtai chez Portia pour prendre de ses nouvelles, m'armant de courage face à la réaction qu'elle aurait à n'en pas douter en repensant au monstre qu'elle avait vu en moi. Pourtant, elle m'eut l'air parfaitement réjouie lorsque j'appelai son nom et qu'elle me répondit.

— *Entri* !

Je m'exécutai, et la trouvai étendue sur un banc garni de coussins, sous une fenêtre ouverte qui accueillait la douce brise. Son petit appartement était aussi ordonné qu'à l'habitude ; il n'y avait aucune trace de la lutte à mort qui s'était jouée ici quelques heures plus tôt seulement.

Voyant comme je regardais autour de moi, elle me dit :

— Le capitaine Romano a envoyé des hommes. Ils se sont chargés de tout.

J'acquiesçai d'un signe de tête et tournai mon attention vers elle, soulagée de voir qu'en dépit des contusions sur son visage et de son bras gauche en écharpe, elle avait l'air en bonne forme. Les cerises que je lui avais apportées se trouvaient dans un bol posé sur une petite table à côté d'elle. Elle les montra d'un geste.

— Puis-je vous en offrir ?

L'idée même de manger me soulevait l'estomac, mais j'en pris une par courtoisie.

— Comment vous sentez-vous ?

Elle s'efforça de sourire.

— Je suis surprise d'être en vie, à dire vrai, Donna. C'est à vous que je le dois.

Robuste et prosaïque comme elle l'était, elle ne paraissait pas du tout perturbée par ce que j'avais fait ; et pour cela je manquai de défaillir tant je lui en savais gré. Mais je me sentis tout de même obligée de faire remarquer ce qui assurément devait être l'évidence même :

— Sans moi, jamais vous n'auriez été en danger.

Elle ne chercha pas à le nier, se contentant de dire :

— Vous avez un ennemi, ça c'est sûr, mais j'imagine que vous le savez déjà.

— J'aimerais en savoir davantage. Le capitaine Romano n'a pas reconnu notre agresseur, et il pensait qu'il en irait de même pour moi.

— Il aurait pu être n'importe quel homme que l'on croise dans la rue tous les jours. Ni jeune ni vieux, ni grand ni petit, ni gros ni mince, ni beau ni laid, juste ordinaire. Il n'y avait rien qui le distinguait du tout, à part peut-être…

Elle s'arrêta, soudain hésitante.

La description qu'elle en avait faite écartait Morozzi, dont le visage angélique dissimulait une nature démoniaque, mais restait toujours la possibilité qu'il ait envoyé quelqu'un à sa place.

— À part quoi ? insistai-je. Même si ce n'est qu'un détail, cela pourrait s'avérer utile.

— Vous comprendrez que je n'étais pas vraiment moi-même, n'est-ce pas ? Je ne peux pas vraiment me porter garante de ce que je crois avoir vu.

J'espérais qu'elle songeait également à moi en disant cela.

— Essayez quand même…, l'incitai-je.

— Il portait un pourpoint très ordinaire, qui devait être marron, je crois, et ses chausses et chaussures n'avaient rien de remarquable.

Mais sous le pourpoint, sa chemise… je n'ai fait que l'apercevoir, mais…

— De quoi avait-elle l'air ?

— Elle était bleue, d'un bleu éclatant, et dorée. Il y avait un dessin dessus, je n'ai pas bien vu mais c'était peut-être un arbre.

Je ne doutais pas un instant que Portia comprenne exactement la portée de ses paroles. Tous les Romains savent reconnaître les blasons montrant fièrement les armoiries de nos familles nobles. Cela peut être très utile lorsque l'on a affaire à des gens d'armes bien décidés à faire du grabuge, si leur maître en a décidé ainsi. Les armoiries de Borgia, par exemple, étaient un taureau sur fond rouge et or, jusqu'à ce qu'il devienne pape et fasse ajouter au dessin originel les clés croisées et la couronne afférentes à sa nouvelle charge. Celles du cardinal della Rovere, au contraire, n'avaient jamais changé : il s'était toujours agi d'un champ bleu agrémenté d'un chêne doré.

— Vous ne parlerez de cela à personne d'autre, n'est-ce pas ? la priai-je.

Pour la première fois depuis que j'étais entrée chez elle, je vis Portia froncer les sourcils.

— Je ne suis pas une sotte, Donna. Et avec tout le respect que je vous dois, j'espère que vous ne vous comporterez pas comme telle non plus. Nous avons là une affaire sérieuse.

Je ne pouvais qu'abonder en son sens. Je restai quelques instants de plus pour m'assurer qu'elle était confortablement installée et avait tout ce dont elle avait besoin, puis je pris congé. Il faisait bon, mais la journée promettait d'être chaude. Les balayeurs étaient déjà à l'œuvre, mais au lieu de nettoyer la rue ils tentaient d'effacer les dessins qui étaient apparus dans la nuit, sur les murs d'un immeuble. Rome regorgeait de ces inscriptions, plus crues et grivoises les unes que les autres. J'eus le temps d'apercevoir ce qui semblait être une croupe féminine se faisant pénétrer par un sexe masculin d'une taille pour le moins saugrenue, puis le tout disparut à grand renfort de savon et de coups de brosse en soie de sanglier.

Je fis l'effort d'acheter un *cornetto* au miel auprès d'un jeune colporteur pour apaiser mon estomac, et le mangeai en marchant. Il n'y avait pas long à aller de là au Vatican, mais j'eus tout de même le temps d'absorber ce que je venais d'apprendre et de décider de la meilleure façon de procéder.

Je venais de finir mon petit-déjeuner et ôtais les miettes de mon corsage lorsque je vis Vittoro qui sortait de l'habitation où il vivait avec sa femme, juste à côté du palais du Vatican. Donna Felicia me fit signe depuis le seuil de chez elle et me sourit chaleureusement, ce qui m'amena à la conclusion que le capitaine n'avait pas raconté à son épouse ce qui l'avait retenu si tard la veille.

— Quand avais-tu l'intention de m'en parler ? lui lançai-je tandis que nous traversions tous deux la place.

Vittoro eut la gentillesse de ne pas feindre de mal comprendre.

— Je pensais attendre que tu aies retrouvé tes esprits, ce qui est le cas comme je le constate avec plaisir.

J'acceptai son explication et poursuivis :

— Et qu'en penses-tu ?

— Pour être honnête, j'ai du mal à croire que della Rovere ait cherché à t'attaquer. Il a un mobile, certes, en particulier s'il est également responsable des tentatives d'empoisonnement contre notre maître, ou s'il soupçonne que l'on t'ait donné l'ordre de le tuer. Mais tout de même, il se serait arrangé pour t'éliminer de façon plus subtile.

J'étais d'accord avec lui.

— Pour sûr il a commis des erreurs par le passé, mais il est loin d'être idiot. Et puis vraiment, quel assassin revêt le blason de son maître pour commettre son acte ?

— C'est exactement ce que je me disais, mais avant que tu en tires des conclusions hâtives…

— Était-ce Borgia ?

Vittoro devait certainement redouter que j'envisage cela, car si c'était vrai je devenais instantanément l'ennemi le plus dangereux de Sa Sainteté.

— J'ai déjà réfléchi à cette hypothèse, poursuivis-je. S'il avait vraiment envoyé quelqu'un pour m'inciter à lui obéir concernant della Rovere, il lui aurait fallu être sûr que je survive à l'assaut.

Auquel cas le pape connaissait même mes secrets les plus sombres, une éventualité qui m'était insupportable.

— Notre maître apprécie bien trop tes services pour te faire courir un tel risque, rétorqua Vittoro.

— Il parle quand même de m'envoyer à Savone, où il est évident que je mourrai de la plus vilaine façon.

— Je suis sûr qu'il n'est pas sérieux. Tu sais comme moi, ajouta-t-il doucement, que cela ne laisse qu'une seule possibilité.

C'est ainsi que pour la seconde fois en autant de jours, j'entendis le nom de l'assassin de mon père sur les lèvres d'un ami :

— Morozzi.

9

Une seule personne, à ma connaissance, était à même de me confirmer si le prêtre fou était de retour à Rome. Le quartier juif se situait pas très loin du Vatican, à un kilomètre de marche peut-être. Je pressai le pas, contournant les tas de déjections (animales comme humaines) qui encombraient les rues. Si la menace d'une crise, d'une guerre – voire d'un nouveau schisme – se rapprochait de plus en plus, Rome n'en restait pas moins une ville florissante. Ses exubérants habitants paraissaient toujours prompts à suivre le vieil adage prôné par Horace, « *Carpe diem* », en « cueillant le jour présent ». Toutefois, j'aurais été fort étonnée que la majeure partie de ceux que je croisai ce matin-là n'aient pas déjà pris leurs dispositions pour trouver refuge à la campagne en cas de problème, sous la forme d'un parent un peu rustre qui pouvait être persuadé, voire forcé si nécessaire, de les héberger. Aux premiers signes d'une crise grave tous ceux qui le pourraient fuiraient à la hâte, encombrant ainsi un peu plus encore les routes de chariots et le fleuve de barques. Seules les personnes âgées, très pauvres ou honnies seraient abandonnées là. J'allais de ce pas rendre visite à un membre de la dernière catégorie.

L'échoppe d'apothicaire de Sofia Montefiore se situait dans une ruelle étroite non loin de la piazza Portico d'Ottavia, le cœur du ghetto, où se dressent encore les vestiges d'un ancien forum nommé en l'honneur d'Octavie, la sœur du grand empereur Auguste. Si le quartier juif n'était pas entouré de murs (bien qu'il y ait toujours quelqu'un pour suggérer d'en construire un), la plupart des rues qui y menaient étaient bloquées par des tas de pierres et de gravats clairement destinés à compliquer l'accès à la zone. Borgia avait promis de les faire enlever, mais jusque-là rien n'avait été fait.

Les conditions de vie dans le ghetto étaient rendues difficiles notamment par la montée des eaux du Tibre, qui venait régulièrement inonder échoppes et habitations et amenait dans son sillage une véritable plaie pour ses habitants : les moustiques. Seuls les riches (et ils existaient) s'en sortaient mieux en vivant un peu plus en hauteur, dans des sortes de *palazzetti* fortifiés. Que ce soit pour protéger leurs biens ou simplement parce qu'ils ne voyaient pas d'autre option, les négociants s'étaient depuis longtemps alliés aux rabbins pour mener une politique de coopération avec les autorités – ce qui était loin de plaire à tout le monde.

En passant la porte, je vis Sofia en train de mettre un pansement sur le bras d'un garçonnet.

— Assieds-toi, me pria-t-elle. J'en ai pour un instant.

Je souris au petit garçon et obtempérai. L'avant de l'échoppe ne comptait que quelques tabourets et un simple comptoir en bois derrière lequel l'apothicaire distribuait ses poudres, teintures, lotions et cataplasmes, dans le but de soulager ne serait-ce qu'un peu les maux qui affectaient tant de gens. Au contraire de certains de ses collègues, elle ne prescrivait que les remèdes qu'elle savait être efficaces. Ils n'étaient d'ailleurs pour la plupart pas en évidence, car elle préférait les garder dans des vitrines fermées à l'arrière de l'échoppe, pour plus de discrétion.

La pièce fleurait bon le thym, le romarin et la lavande, qui tous séchaient suspendus aux poutres au-dessus de nous. Plusieurs barils de vinaigre étaient alignés le long d'un mur. Sofia croyait grandement aux vertus de ce liquide pour prévenir les infections et maintenir un bon niveau de propreté générale. Elle s'en servait donc quotidiennement mais ce n'était pas sans dommage pour la peau de ses mains, qui était en permanence rouge et durcie.

Pour autant elle était toujours aussi douce dans ses gestes, ainsi que je pus le constater avec le garçonnet qui, bien que pâle, resta calme pendant toute la durée des soins. En ayant terminé, elle s'approcha de lui et murmura quelques mots à son oreille. Bondissant sur ses pieds, il lui fit un signe de tête et la remercia vivement avant de se sauver en courant.

Lorsque nous fûmes seules, elle se lava les mains à la bassine et les sécha soigneusement avant de m'observer avec attention. Ses yeux noirs étaient impénétrables. Je réprimai mon envie de me dérober à son regard.

— Comment te sens-tu ? s'enquit-elle.

— Bien. J'ai vu Rocco, hier. Il s'inquiète de ce qui s'est passé à la villa, mais rien n'indique que l'un d'entre nous ait été pris…

J'aurais préféré que personne d'autre ne soit au courant de ce qui s'était passé chez Portia, mais je ne pouvais raisonnablement y songer. La dure vérité était que les dangers auxquels était exposé Lux commençaient peut-être avec moi – et donc se terminaient de la même manière. Il était raisonnable de penser que ce soit moi et personne d'autre qui ait été la cible des deux attaques. Si c'était le cas, les autres membres du groupe avaient le droit de savoir, ne serait-ce que pour mieux se protéger.

Sofia m'écouta en silence. Je vis la consternation se peindre sur son visage en m'entendant dire que j'avais tué mon assaillant, mais elle attendit que j'en aie vraiment fini pour parler :

— Es-tu vraiment sûre de n'avoir mal nulle part ?

— Absolument certaine. J'ai même réussi à dormir cette nuit, grâce à ta poudre.

Jamais je n'aurais pu évoquer avec elle cette créature que j'étais devenue la veille au soir, qui avait réclamé du sang et n'avait été rassasiée qu'à grand-peine.

— Regarde-moi, lui lançai-je en me levant et en tournoyant sur place, bras écartés, telle une jeune écervelée paradant dans sa nouvelle robe. N'ai-je pas l'air d'aller parfaitement bien ?

C'était un peu ridicule de faire cela, comme je m'en rendis compte assez vite. Mais on aurait dit que je ne pouvais m'arrêter.

J'étais visiblement déterminée à faire comme si les événements de la veille ne m'avaient absolument pas atteinte, ou mieux encore, étaient arrivés à une autre que moi.

— Si, et tu m'en vois désolée.

Je cessai alors mes gesticulations, laissai retomber mes bras et la regardai fixement. Pourquoi Sofia, entre tous, me souhaiterait-elle du mal ?

Voyant mon expression, elle me prit les mains et son air se fit grave.

— J'ai déjà vu des personnes réagir comme toi après avoir vécu une expérience atroce. Elles refusaient de voir que cela les avait affectées. Mais ce que nous croyons oublié et enterré revient parfois nous hanter avec une force décuplée.

Que pouvais-je lui dire ? Qu'elle ne devrait pas se faire tant de souci pour moi, dès lors que j'avais pris plaisir à tuer mon agresseur ? Que loin d'être terrassée par la peur, je savourais encore maintenant l'euphorie que mon acte m'avait procurée ?

Mais j'avais dans l'idée que Sofia ne voudrait pas entendre cela. À la place, je lui répondis donc :

— Je te remercie de ta sollicitude, mais je dois rester forte pour affronter ce qui va suivre. Je crains que toute cette affaire soit loin d'être terminée.

Elle sembla comprendre cela, tout au moins.

— Ton courage est admirable mais s'il te plaît, entends ce que je te dis. Je te considère comme une amie très chère, et si jamais tu avais besoin de parler, je serais heureuse de t'écouter.

Oh non, elle ne le serait pas ! Après tout, de quoi pourrions-nous bien discuter ? Certainement pas de la vague de pouvoir qui m'avait submergée au moment où j'avais tué, comme si un démon enfoui dans les tréfonds de mon être s'était libéré de ses chaînes ; ni de la foule d'idées, toutes plus inventives les unes que les autres, que je caressais pour écourter le passage de Morozzi sur terre : et encore moins du cauchemar qui, je le savais, allait revenir me hanter très bientôt, au vu des récents événements…

La vérité était que jamais je ne pourrais faire tomber le masque, ni avec Sofia, ni avec personne d'autre. Aux yeux de tous il me fallait être Francesca Giordano l'empoisonneuse, une femme à craindre mais pas si différente que cela, finalement, de tous ceux qui tous les jours sont obligés de faire des choix difficiles pour survivre dans un monde difficile. En revanche, si l'on venait à découvrir ma vraie nature, les gens s'attaqueraient à moi comme des chiens enragés et m'écartèleraient, je le savais.

J'étais en train de me demander quoi lui répondre, n'importe quoi susceptible de détourner son attention, lorsque la porte à l'arrière de l'échoppe s'ouvrit. L'homme qui entra était jeune, à peine plus âgé que moi, grand et large d'épaules. Avec ses cheveux bruns et frisés, ses traits marqués et ses yeux noirs, on aurait facilement pu le prendre pour un Espagnol. Mais David ben Eliezer était un juif, l'un des premiers que j'avais rencontrés après avoir découvert que feu mon père avait lui aussi été de cette confession, à la naissance. Jusqu'à récemment il avait vécu à Rome, mais ayant fait le vœu l'année précédente de pourchasser Morozzi où qu'il aille, il avait quitté la ville. Le voir là me rendit nerveuse, car je savais ce que sa présence signifiait probablement.

David prit un tabouret de sous la table et s'assit auprès de nous. Il avait l'air fatigué, mais aussi résolu. En nous saluant toutes deux de la tête, il lança à Sofia :

— Devrais-je m'inquiéter ? Le petit m'a retrouvé bien vite, je trouve.

— Je lui ai dit où chercher, et d'autre part c'est un bon garçon, je sais qu'il nc dira rien, répliqua l'apothicaire.

J'en conclus que les responsables du ghetto n'étaient pas au courant du retour de David parmi eux ; ce qui était tout aussi bien, vu qu'ils le considéraient comme un dangereux agitateur.

— Francesca, m'interpella-t-il avec un léger sourire, comme si nous nous étions séparés la veille. Tu as l'air fatiguée.

Avant que je puisse répondre, Sofia se chargea de lui expliquer :

— Quelqu'un a tenté de la tuer hier soir. La seconde attaque qu'elle subit en autant de jours.

David leva les sourcils.

— Je n'ai rien entendu à ce propos. Que se passe-t-il ?

Je lui fis un résumé de la situation en passant le plus possible sur les détails. Cela ne l'empêcha pas de saisir sans mal l'ampleur du problème, au vu de sa connaissance du contexte dans lequel ces événements s'inscrivaient. David s'était donné pour mission d'être au fait de tout incident susceptible de compromettre la sécurité des juifs à Rome et dans la chrétienté. Le conflit qui couvait entre Borgia et della Rovere n'était donc pas un secret pour lui.

— Est-il possible que Borgia soit responsable ? s'enquit-il. Serait-il prêt à aller jusque-là pour te convaincre de tuer le cardinal ?

En pesant mes mots, je lui répondis :

— Cela semble un peu extrême, même pour lui. Il est plus probable que ce soit Morozzi qui se cache derrière tout ça. Du moins, s'il est de retour à Rome.

David soupira, et l'espace d'un instant j'eus un aperçu de l'effet néfaste que ces derniers mois avaient eu sur lui. Il avait visiblement perdu du poids, et ses yeux étaient marqués par de profonds cernes. Mais il se ressaisit bien vite :

— C'est peut-être le cas, même si je n'en ai pas la certitude. Depuis qu'il s'est enfui de Rome l'an dernier, il a été très occupé à nourrir sa haine des juifs avec ceux qui la partagent et ne demandent qu'à se joindre à lui pour précipiter notre extermination. Il y a une quinzaine de jours, il a discrètement quitté Florence. J'ai réussi à suivre sa trace jusqu'à Ostie, mais ensuite il m'a échappé.

— Aurait-il pu deviner que tu l'espionnais ? le coupai-je, songeant tout à coup que David lui-même se trouvait peut-être en danger.

— En dépit de tous mes efforts, je pense que c'est possible. Il a de puissants alliés parmi Il Frateschi, maintenant. Il ne fait aucun doute qu'ils l'aident. Dans tous les cas j'ai la conviction qu'il était en chemin pour Rome, et je suis venu ici dans l'espoir de retrouver sa piste. Malheureusement jusque-là j'ai fait chou blanc.

— S'il est ici, l'interrompit Sofia, que cherche-t-il ?

— Ça, ce n'est pas vraiment un mystère, rétorqua David. Il cherche à obtenir ce qu'il a toujours voulu, à savoir l'élection d'un pape qui anéantira le peuple juif.

— Dans ce cas, il a un problème, m'exclamai-je. Della Rovere ne vous porte pas dans son cœur mais s'il s'assoit sur le trône de Saint-Pierre, il aura bien d'autres problèmes à régler que celui posé par les juifs.

Je n'aurais certes pas parlé ainsi si nous avions eu cette conversation un an plus tôt, car si della Rovere était parvenu à l'époque à se faire élire pape à la place de Borgia comme il le souhaitait, il aurait probablement signé l'édit condamnant les juifs sans guère songer à autre chose que les profits à se faire en saisissant leurs biens. Mais les circonstances avaient changé, depuis. Avec la découverte de ce qui pourrait fort bien s'avérer un Nouveau Monde, tout le monde retenait son souffle. Ils étaient bien peu désormais, les souverains impatients d'expulser des hommes comptant dans leurs rangs nombre d'individus aptes à financer l'exploitation des terres vierges. Pire encore, ces mêmes hommes seraient probablement les bienvenus chez les Turcs, dont le sultan pourrait décider de s'intéresser à son tour à ces nouvelles contrées, pour peu qu'il y soit encouragé. Quelle ironie, n'est-ce pas, si dans un effort pour « nettoyer » la chrétienté, l'Église gratifiait au final l'Islam d'une *Novi Orbis*.

Quels que soient ses défauts, della Rovere était suffisamment intelligent pour comprendre cela.

— Morozzi pourrait fort bien voir ses plans encore contrariés, ajoutai-je, en espérant très fort dire vrai.

— Dans ce cas, qui voudrait-il voir pape ? demanda David.

Au moment où il posait la question, la même pensée nous

traversa tous trois l'esprit. À contrecœur, je pris la parole pour les deux autres :

— D'après ce que je comprends, Savonarole est un véritable fanatique.

David acquiesça.

— Pire, il a le soutien du peuple puisqu'il prétend vouloir purifier l'Église de sa vénalité.

— Peut-être dit-il vrai, rétorquai-je. Quel meilleur moyen de nettoyer notre Mère la sainte Église qu'en en prenant la tête ?

— Mais tout de même, jamais les cardinaux n'éliraient pareil homme ? s'alarma Sofia. Cette idée la terrifiait visiblement, et à raison. Au moins, les papes corrompus pouvaient être achetés. Mais un vrai fanatique, ayant la conviction sans faille que Dieu agit à travers lui… Il était impossible de présager ce qu'un tel homme serait capable de faire.

— Ils y viendront s'ils sentent qu'ils n'ont pas d'autre choix, objectai-je. Si jamais il arrive à faire descendre suffisamment de gens dans la rue comme à Florence, tout peut arriver.

Dans le meilleur des cas, un conclave était un événement retentissant. Une foule de gens affluait de partout à Rome, où le temps semblait alors comme suspendu, et l'on sentait dans l'air que la situation pouvait dégénérer à tout moment. Ajoutez à cela l'inévitable tension que les gens ressentent lorsqu'est tranchée pour eux une question susceptible d'avoir une telle influence sur leur bien-être, et de là à mettre le feu aux poudres il n'y avait qu'un pas. Si l'Église et ses princes étaient plus respectés – non, disons-le différemment : si le commun des mortels était donné de les voir autrement que comme des hypocrites cupides, les choses ne se passeraient peut-être pas ainsi. Mais de fait…

— Ils doivent être arrêtés, trancha Sofia. (Elle serrait si fort les mains que ses articulations en devinrent blanches.) Nous ne pouvons rester sans rien faire.

— Tu as raison, renchéris-je. Mais si nous voulons avoir ne

serait-ce qu'un maigre espoir d'empêcher Morozzi de triompher, nous devons commencer par trouver sa cachette et l'en déloger.

Nous discutâmes alors de la meilleure façon de procéder. Avec l'expansion rapide de Rome depuis la fin du Grand Schisme, la ville était devenue un encore plus vaste labyrinthe de quartiers, rues, venelles. Morozzi pouvait être partout ; à nous trois, jamais nous ne réussirions à le dépister. Nous allions avoir besoin d'une aide considérable.

— Il va falloir prévenir Rocco, suggéra Sofia.

— Et nous devons mettre son fils en sécurité, ajoutai-je. Je m'en charge.

Je n'avais pas besoin de leur expliquer la nécessité de trouver un refuge à Nando avant de pouvoir me concentrer sur Morozzi. Sofia et David étaient tous deux parfaitement conscients de la culpabilité que je ressentais encore pour avoir mis la vie de l'enfant en danger, un an plus tôt.

Quelques instants après nous dûmes mettre un terme à notre conversation, car le soleil allait bientôt se coucher et les rues menant au ghetto être fermées. David partit devant en sortant par l'arrière de l'échoppe, et disparut aussitôt dans le labyrinthe de ruelles qui rendait possible à quiconque le souhaitait de circuler en toute discrétion dans cette partie de la ville. Je savais qu'il trouverait un endroit où loger chez ceux qui, comme lui, croyaient que chaque peuple devait être prêt à se battre pour sa propre survie plutôt que de compter sur une tolérance marchandée.

Sofia me raccompagna, et fit même quelques pas avec moi. Puis elle me demanda :

— Sais-tu pourquoi Rocco n'était pas au rendez-vous ?

— Il ne m'a rien dit, mais je suis sûre qu'il avait une bonne raison.

Avec tout ce qui s'était passé je n'avais pas eu l'occasion d'y réfléchir plus avant, à dire vrai.

Sofia m'escorta jusqu'à l'entrée de la place. David n'étant plus là, son inquiétude pour moi revenait. Avant de me laisser, elle me dit :

— Tu te souviendras de ce que je t'ai dit, n'est-ce pas Francesca ? Si un jour tu souhaites parler de certaines choses qui te pèsent, tu trouveras ici une oreille attentive.

Réticente à l'idée de lui donner de faux espoirs tout autant que de la blesser, je me contentai de lui offrir un sourire et une étreinte. En quittant le ghetto, je résistai à l'envie de me retourner pour voir si elle m'observait toujours.

10

Avant de rentrer, je m'arrêtai pour acheter de quoi faire un repas simple : un peu de *culatello*, le jambon que les charcutiers italiens trempent dans du vin jusqu'à ce qu'il prenne une jolie teinte rouge rosée, une petite miche de pain saupoudré de romarin, une poignée de ces grosses olives des Pouilles et enfin une bonne bouteille de vin. Devant chez Portia, je posai mes paquets et frappai doucement afin de ne pas la déranger si d'aventure elle dormait. Je fus agréablement surprise de voir la partie haute de sa porte s'ouvrir. Se hissant sur son tabouret, Portia me fit un large sourire.

— Vous voici enfin, Donna. Comment s'est passée la journée ?

Pour une raison qui me semblait bien mystérieuse, Portia arborait un air pour le moins satisfait. Ses yeux noirs étaient brillants et ses joues toutes roses, sous les contusions.

Ne comprenant pas ce qui lui prenait tout à coup et, je dois le dire, enviant presque sa gaieté, je lui rétorquai :

— Bien, en somme… Je venais voir comment vous alliez.

— Ne vous inquiétez pas pour moi, Donna. Je me porte comme un charme. Allez, montez chez vous maintenant, et bonne soirée surtout !

Ayant l'intention de la passer seule avec Minerve, je ne sus que répondre et me contentai de hocher la tête. Je repris mes affaires et montai les escaliers en me demandant quelle mouche avait piqué Portia. Pour ajouter à ma perplexité, je l'entendis pouffer de rire derrière moi.

J'ouvris la porte, entrai et me dirigeai vers le garde-manger où je posai mes paquets en soupirant d'aise. Minerve était assise à côté de l'évier en pierre. Elle cligna des yeux et s'écarta lorsque je tentai de la caresser, son regard bleu azur fixé sur quelque chose derrière moi.

Je crois que je sus qui était là avant de me retourner, le sentant d'une manière que je ne saurais définir, pas plus que je ne pourrais l'ignorer. Peut-être sentis-je son odeur. Aussitôt, mon corps se tendit et une vague de chaleur m'envahit.

— César, m'exclamai-je en m'efforçant vainement de prendre un air sévère, car vraiment, de quel droit avait-il enjôlé ma concierge pour s'introduire chez moi ? À la vérité, il était décourageant de constater que même un être sensé tel que Portia ne résistait pas aux charmes du fils aîné de Borgia.

Il avait un verre à la main – l'une de mes meilleures coupes, remarquai-je inutilement. Il avait détaché ses cheveux bruns aux très légers reflets roux, qui lui retombaient aux épaules. De visage il ressemblait bien plus à sa mère (la redoutable Vannozza Cattanei) qu'à son père, ayant hérité de son long nez droit et de ses grands yeux en amande. Il avait été encore plus que d'habitude au soleil, et était très bronzé. En public il portait les vêtements que l'on attendait d'un jeune homme de haute naissance, mais ce soir-là il s'était mis à l'aise et n'avait plus qu'une ample chemise et des chausses.

Apparemment cela faisait un petit moment qu'il était chez moi, car outre sa tenue et la bouteille de vin qu'il avait dénichée, il était pieds nus.

— Laisse-moi te regarder, fit-il en posant la coupe.

Il me déshabilla là, dans le garde-manger, ôtant mes habits l'un après l'autre. Je ne l'aidai pas, mais n'opposai pas non plus de résistance. Les toilettes féminines n'avaient aucun mystère pour lui ; il en eut vite terminé. Lorsque je fus nue, il recula d'un pas et m'observa longuement, des pieds à la tête.

— Tu es couverte de bleus.

— Ah bon ? Je n'avais pas remarqué.

— Lucrèce dit que tu as achevé cette canaille.

Ainsi la fille du pape était-elle au courant de mon agression ; cela ne m'interpella même pas. En dépit de sa jeunesse, Lucrèce comprenait fort bien la valeur de l'information et avait ses propres espions.

Les mains de César tremblaient. Des mains calleuses, brunies par le soleil, faites pour empoigner une épée ou une lance, mais qui tremblaient au contact de ma peau laiteuse.

Quelque chose se brisa alors en moi. Sofia croyait que je ne m'autorisais pas à ressentir les choses, mais elle avait tort : je les ressentais par trop. La terreur, lorsque le cauchemar revenait me hanter, comme il le faisait bien trop souvent ; le plaisir, quand je tuais ; et, toujours, ce désir déchirant pour la vie qui aurait pu être mienne si seulement j'avais été quelqu'un de différent, un sentiment qui m'enfermait dans un paradoxe où jamais je n'obtiendrais ce que je désirais sans provoquer en même temps ma propre extinction.

Tous ces sentiments montèrent en moi au moment où je touchai César, fis glisser ma main le long de son bras musclé, entrecroisai mes doigts dans les siens et m'avançai tout à coup, sans penser à rien, pour prendre sa bouche dans la mienne. Mon amant ténébreux se laissa faire, car en bon chasseur il paraissait comprendre et accepter mes besoins.

Je crois même, à la vérité, qu'une partie de lui en était très fière. Peut-être songez-vous qu'au vu de sa naissance, tout lui était apporté sur un plateau d'argent ; mais le fait est que ce qui comptait vraiment pour lui, il devait s'en emparer par la seule force de sa volonté. Tout, sauf moi. Même cette première fois, sous le regard indiscret de Calixte, c'était moi qui l'avais pris et non le contraire.

Je le revois encore, un moment plus tard, me relever du sol d'ardoise du garde-manger (où nous nous étions couchés, oublieux des désagréments) en éclatant de rire, et me porter dans ses bras jusqu'à ma chambre. Nous tombâmes sur le lit, nos membres s'entrelaçant, nos bouches se cherchant. Droguée de plaisir, c'est à peine si je sentis les larmes qui se mirent à couler sur mes joues, jusqu'à ce que César les recueille sur sa langue et me fasse partager leur goût salé sur la mienne.

— Me diras-tu un jour ce qui te tourmente ?

Je détournai la tête, laissant mes larmes rouler sur l'oreiller tout en resserrant mon étreinte et en l'attirant plus profondément encore. Il gémit alors et ferma les yeux, sa question oubliée, ainsi que tout le reste, ne serait-ce que pour le moment.

Plus tard, alors que je m'attardais dans le lit, la respiration lente et régulière, l'esprit (par bonheur) vide, César se leva et alla dans le garde-manger. Il en revint avec du vin, du pain, du fromage, de la saucisse et Minerve. Cet homme qui avait vécu toute sa vie entouré d'une foule de domestiques prêts à répondre à ses moindres désirs, mais qui jusqu'à la fin de cette même existence préféra de loin partager un repas simple avec ses hommes ou bien dans le lit d'une amante, me fit le service.

Nous mangeâmes, nous donnant la béquée l'un à l'autre, buvant dans la même coupe et riant des pitreries du chaton jusqu'à ce qu'elle s'endorme blottie à nos pieds.

— Sais-tu qui t'a fait ça ? me demanda César finalement, en se relevant sur un bras pour mieux me contempler.

Je m'attendais à la question. Les liens que nous entretînmes pendant toutes ces années n'étaient pas simplement charnels. Car ne vous méprenez pas, malgré son tempérament versatile César était doté d'une rare intelligence. En attestent les louanges de ses précepteurs en latin et en grec alors qu'il n'était encore qu'un enfant, puis ses prouesses aux universités de Pérouse et de Pise, d'où il sortit avec les honneurs. Je n'irai pas jusqu'à dire qu'il faisait preuve de clarté d'esprit me concernant, mais pour le reste cette qualité rendit toujours nos échanges satisfaisants. Jusqu'au bout (ou presque), nous fûmes alliés.

— Il portait les couleurs de della Rovere, l'informai-je.

Il leva un sourcil, me mettant à l'épreuve d'en tirer la conclusion qui s'imposait.

— Tu y vois la main de ton père, vraiment ? me risquai-je.

— Qui d'autre que lui souhaite plus ardemment la mort du cardinal ? Cela fait des années qu'ils sont rivaux mais aujourd'hui c'est pire, bien pire.

Pour sûr il avait raison, mais je n'allais certainement pas avouer à César que son père m'avait ordonné de trouver une solution définitive à ce problème. Qu'il le découvre par lui-même.

— Il y a une autre explication, plus plausible, repris-je.

Le temps que je raconte à César tout ce que je savais sur Morozzi, notre intermède amoureux plein de langueur semblait bien loin. Il était tout ouïe, ses instincts aiguisés, cet homme qu'Il Papa destinait à l'habit rouge et au travail de bureau.

— Es-tu certaine de toi ? me pressa-t-il.

J'acquiesçai d'un signe de tête.

— Il a été suivi jusqu'à Florence et observé là-bas, et il semblerait bien qu'il soit revenu à Rome. Il se serait allié à Savonarole.

César se redressa en poussant un juron et sortit de la chambre, nu. L'instant d'après, il revenait avec nos habits.

— Lève-toi, m'ordonna-t-il en me lançant les miens. Mon père doit être mis au courant. Il voudra te poser des questions.

Il m'était arrivé par le passé d'omettre de livrer certaines informations à Borgia au moment opportun, et je n'avais aucune intention de commettre de nouveau cette erreur. Je rejetai les couvertures et m'habillai prestement.

— Je n'ai pas exactement hâte de le lui raconter, je dois dire…

C'est que pour nécessaire qu'elle fût, l'idée ne m'enchantait pas pour autant. Sa dernière colère en date était par trop récente pour que j'aie envie de renouveler l'expérience aussi vite.

Tout en enfilant son pantalon, César me fit un grand sourire.

— Ne t'inquiète pas, c'est moi qui parlerai. En entendant ce que j'ai à lui dire, il se rendra compte qu'il a besoin de moi à ses côtés.

Mon bel amant savourait cette situation, compris-je alors, car elle lui donnait l'occasion d'être au service du pape selon ses termes à lui, et peut-être Borgia se laisserait-il enfin convaincre de laisser son fils aîné gérer sa vie comme il l'entendait. Bien entendu, rien de tel n'arriverait en définitive. Je le savais, et d'une certaine manière César aussi, je pense. Mais ce soir-là, il avait encore suffisamment espoir pour tenter quelque chose.

Il patienta juste le temps pour moi d'être plus ou moins présentable, et nous nous mîmes en route.

Si Rome était une ville plus sûre depuis que Borgia était devenu pape, j'aurais pour autant évité de sortir la nuit si je le pouvais. César, lui, ne semblait pas s'en soucier ni voir non plus l'utilité d'une escorte. En revanche, il n'aurait pas couru le risque d'être vu en train d'arpenter la ville à pied, d'ordinaire. Il possédait une écurie remplie de magnifiques chevaux, pour l'entretien de laquelle il dépensait sans compter, et n'avait jamais l'air plus à l'aise que juché sur l'une de ses montures. Mais les circonstances exigeaient la discrétion, d'où sa disposition à renoncer pour un soir à la dignité due à son rang.

Cette nuit-là il y avait beaucoup de vent, le sirocco comme on l'appelle, qui souffle d'un désert lointain par-delà les mers. Avec lui vient l'habituelle moiteur oppressante qui embrume le cerveau tout en piquant la peau comme avec un millier d'épingles. Pour certains ce sont des démons étrangers qui déclenchent ce vent incessant, et c'est pour cela qu'il rend fou – mais je reste sceptique.

Nous étions à cette heure où le dernier ivrogne a regagné son lit et le premier marchand n'est pas encore sorti du sien, et par conséquent il n'y avait aucun mouvement dans les rues, hormis les éternels rats qui détalaient devant nous. J'imaginais ces créatures comme autant de témoins de la grandeur et de la décadence d'une civilisation, depuis l'illustre époque des empereurs Auguste et Constantin ; ils la voyaient à présent renaître de ses cendres – jusqu'à ce que Dieu Tout-Puissant frappe à nouveau. Oh vraiment, déesse Fortuna, tu finis toujours par nous trahir.

Minuit était passé depuis longtemps lorsque nous montâmes les marches menant au palais du Vatican. Un garde était en train de somnoler appuyé contre la porte d'entrée, sa hallebarde sur le point de lui glisser des mains. Il se redressa brutalement lorsque César lui donna un coup de pied dans les jambes.

Son indignation (justifiée, selon moi) se changea en horreur quand il reconnut le fils du pape. Ayant toute son attention à présent, nous l'entendîmes marmonner :

— Toutes mes excuses, Signore, vraiment. Je n'avais pas vu que c'était vous.

Me prenant par le coude, César passa sans ménagement devant le pauvre homme et monta l'immense escalier de marbre qui menait aux bureaux du pape. À cette heure tardive quelques malheureux secrétaires à moitié endormis sur leurs tabourets traînaient encore là, prêts à bondir au moindre signe d'Il Papa qui, lorsque ses insomnies le prenaient, n'hésitait pas à les faire mander en pleine nuit.

César en réveilla un avec un autre coup de pied bien placé.

— Où est mon père ?

Il n'était pas, comme nous le pensions, avec La Bella. Au contraire, il se trouvait encore dans son bureau – et il n'était pas seul.

Dès que je vis la chevelure brune dépasser du siège en face de lui, mon instinct me dit de partir. Je n'avais rencontré le fils cadet de Borgia que très peu de fois, et n'avais pas d'opinion à proprement parler sur lui, si ce n'est qu'il ne possédait pas l'esprit brillant de son frère. Mais César et lui dans une même pièce, ce n'était pas une bonne idée, surtout au vu de la situation déjà tendue.

César n'était pas du même avis, visiblement. Il entra dans le bureau à grandes enjambées et avec le sourire, s'exclama :

— Quelle bonne surprise ! Mon frère, tu te portes bien, j'espère ?

Le légendaire charme des Borgia était de sortie, mais les apparences étaient trompeuses. Alors que son père était un homme ouvert, pétulant et plein d'entrain, César était par nature secret et taciturne. Il était enclin à la méfiance et à la rancune, même s'il faisait de son mieux pour le dissimuler. Au fil du temps il était passé maître dans l'art de renvoyer à son père l'image qu'il attendait de lui, à savoir une version plus jeune de lui-même – le seul moyen qu'avait trouvé Borgia pour tromper la mort et accéder à l'immortalité.

Mais le prix à payer pour un tel simulacre était élevé. J'étais l'une des rares personnes à savoir que César était sujet à des périodes de léthargie et de désespoir durant lesquelles il n'avait même plus la force de sortir du lit.

Juan, devenu très récemment duc de Gandie, se leva. Lorsqu'il parla, son ton, pour cordial qu'il fût en apparence, était froid. La volonté (la sagesse ?) de dissimuler son inimitié envers César lui faisait visiblement défaut. Cela se voyait à son regard, et encore davantage quand il regarda dans ma direction, avant d'aussitôt se dérober.

— Plutôt bien, mon frère. Nous étions justement en train de parler de toi.

Je reculai d'un pas, fascinée malgré moi à l'idée d'observer les fils de Borgia ensemble. Ils étaient grands comme leur père, bien que César soit mieux fait de sa personne – et je dis cela malgré le faible que j'avais pour lui. Le hasard avait voulu qu'ils héritent tous deux de la beauté de leur mère, dont on disait qu'elle avait badiné avec le jeune Giulio della Rovere juste avant qu'il ne devienne prince de l'Église. Leur liaison avait apparemment pris fin lorsque Vannozza s'était fait remarquer de Borgia, mais d'aucuns disent encore aujourd'hui que la rivalité entre les deux hommes est née dans la couche de la belle.

Les deux fils de cette dernière se tenaient donc debout, dos bien droit, épaules carrées, mains frôlant la poignée de leur épée sans vraiment la toucher. Avaient-ils jamais été amis ? Peut-être dans leur petite enfance ; après tout guère plus d'une année les séparait l'un de l'autre, et ils auraient été naturellement attirés par les mêmes jeux. Mais depuis certainement pas, attendu qu'ils étaient des pions dans la grande partie d'échecs qu'avait entamée leur père des années auparavant.

Des pions à présent mécontents, rebelles, constatai-je, mais je ne songeais pas seulement à César, car Juan semblait lui aussi bouillonner. Étant l'éternel second en vertu de sa naissance, et goûtant depuis peu au plaisir d'être le premier, ne serait-ce que dans les yeux de son rival, il serait à n'en pas douter réticent à l'idée de céder la moindre avancée dans la lutte qui paraissait inéluctable entre eux. Moi-même j'étais presque encline à croire la rumeur qui circulait alors en ville, selon laquelle Juan était allé jusqu'à menacer César de mort si celui-ci osait prétendre aux honneurs et avantages que son frère cadet considérait comme lui revenant de droit.

Borgia paraissait ne rien voir de tout cela, ou peut-être serait-il plus juste de dire qu'il n'en avait cure. Juan et César étaient ses fils ; ils lui obéiraient. Comme pour le leur rappeler, sa voix claqua comme un fouet dans l'air nocturne embaumé des orangers et citronniers environnants.

— Asseyez-vous, tous les deux. (Quand à contrecœur ils lui eurent obéi, il tourna son attention vers moi.) Et toi Francesca, ne fais donc pas la timide, joins-toi à nous.

À peine m'étais-je assise sur le siège indiqué qu'il m'apostropha :

— Es-tu venue comme garante de la conduite de mon insoumis de fils ?

Avant que je puisse répondre, César intervint :

— Elle est venue pour répondre aux questions que tu ne manqueras pas d'avoir lorsque je t'aurais révélé ce que je viens d'apprendre.

Une certaine exaspération monta en moi. Ce n'était pas tant que César se tressait des lauriers alors que sans moi il n'aurait eu aucune révélation à faire ; du moins pas complètement. Il s'agissait plutôt d'une lassitude caractérisée devant les habiles manœuvres dont tout être cherchant à se placer semblait condamné à user en présence de Borgia. Moi-même je m'en rendais coupable parfois, mais j'aimais à penser que de ce point de vue là tout au moins je n'en abusais pas, contrairement à d'autres.

— Tu te souviens de ce prêtre, Bernando Morozzi, continua-t-il, qui a causé tant de problèmes par le passé ? Il est revenu à Rome, et maintenant il est à la solde de Savonarole.

Borgia se rassit dans son fauteuil doré, joignit délicatement ses mains devant son visage et observa son fils aîné.

— Oui, je suis au courant.

Je me forçai à respirer calmement. Jusqu'à cet instant, j'avais hésité à réellement ajouter foi à cette hypothèse. Ainsi, après avoir passé des mois à me fustiger d'être restée à Rome au lieu de partir à sa recherche, il était de nouveau à ma portée. C'était presque trop beau pour le croire.

— C'est vrai ?

En d'autres circonstances, l'expression de César aurait pu être comique. Mais j'étais par trop plongée dans mes pensées pour ressentir davantage qu'une éphémère compassion en voyant son air dépité.

Il n'en allait pas de même pour son frère, néanmoins.

— Bien sûr qu'il est au courant, s'écria Juan, qui ne boudait visiblement pas son plaisir. Notre père possède le meilleur réseau d'espions de toute la chrétienté. Comment as-tu pu supposer qu'on ne l'en informerait pas ?

— Et toi Juan, tu le savais ? le questionna vivement César. Il ne comptait pas se laisser faire, et c'était tout à son honneur. Mais l'inquiétude s'empara de moi quand je vis sa main glisser de nouveau vers la poignée de son épée et ses doigts s'en saisir avec la même avidité que lorsqu'il me touchait.

— Tu le savais ? insista-t-il.

— Ça suffit, coupa Borgia. Vous me fatiguez, tous les deux. (Il se tourna vers moi.) J'imagine que tu vas vouloir être de la partie de chasse contre Morozzi.

Je me contentai d'observer mon maître sans répondre. Je ne saurais dire pourquoi, mais je songeai à l'assaut contre la villa et soudain, la lumière se fit en moi : telles ces substances lorsqu'elles sont mises en présence des agents idoines, certaines pensées restées un peu floues jusqu'à présent se figèrent brusquement dans mon esprit.

— Je croyais être déjà impliquée, répliquai-je enfin. La question est de savoir à quel point.

En homme colérique qu'il était, Juan tonna :

— Qu'entend-elle par là ?

Je l'ignorai et m'adressai directement à Borgia.

— Depuis combien de temps êtes-vous informé de la présence de Morozzi à Rome ? L'étiez-vous déjà lorsqu'une certaine villa a été attaquée, récemment ?

Je jouais gros en le défiant ainsi, mais que ce soit l'heure indue, la présence de César à mes côtés ou bien ma nature contrariante, je n'étais tout simplement plus disposée à avancer comme une somnambule sur l'échiquier de Borgia. Il savait ce que Morozzi signifiait pour moi. Il *savait*. Le fait qu'il n'ait pas jugé bon de me prévenir immédiatement pour me laisser prendre les choses en main et faire le nécessaire était inexcusable. Pire, je n'y voyais qu'une seule raison possible : il avait gardé le silence pour mieux se servir de moi à ses propres fins.

Ce n'était pas dans les habitudes d'Il Papa de rendre compte de ses actes. Qu'il choisisse de le faire à ce moment-là fut pour moi le signe qu'il avait compris combien il m'avait blessée.

— En partant du principe que Morozzi te tient pour responsable de son échec cuisant l'an passé, j'ai pensé qu'il n'y avait pas de meilleur moyen pour le faire sortir de son trou que de t'utiliser comme appât. Je me suis donc servi de toi pour l'attirer à cette villa, dans l'espoir qu'il se fasse capturer ou tuer. Mais jamais, au grand jamais, je n'ai voulu qu'il t'arrive malheur. Pourquoi aurais-je souhaité pareille chose ? Tu sais aussi bien que moi qu'en ce moment, je ne suis pas vraiment en mesure de me passer de tes services.

Cela allait tellement de soi qu'il m'aurait été bien malaisé de le contester. J'avais quantité d'autres questions à lui poser – comment avait-il su que je serais à la villa, par quel biais avait-il fait prévenir Morozzi ? Mais j'estimais être allée aussi loin que la prudence me l'autorisait pour le moment.

— Tu ne me demandes pas ce qu'il en est s'agissant de la seconde agression dont tu as fait l'objet, constata-t-il.

Pour la simple et bonne raison que je n'en avais aucune intention. L'attaque contre Lux était pour le moins fâcheuse, mais au vu des circonstances (la présence des chiens qui nous avaient alertés, et du tunnel qui nous avait permis de fuir), il était raisonnable de penser que j'aurais réchappé à Morozzi.

Mais le guet-apens chez Portia était une tout autre affaire. Sans ce démon qui s'était éveillé en moi, cela aurait fort bien pu très mal se terminer pour moi. Si je croyais vraiment, ne serait-ce qu'un instant, que Borgia l'approuvait…

— C'est que je n'ai pas besoin de le faire, Votre Sainteté. L'assassin portait les couleurs du cardinal della Rovere.

— Et cela suffit à te convaincre de sa culpabilité ?

L'idée que je puisse être aussi naïve l'amusait, manifestement.

Juan inspira avec emphase et se tourna vers moi, le visage sombre.

— Es-tu en train de suggérer que mon père aurait… ?

— Par pitié ! l'interrompit César. Elle dit seulement qu'elle sait que papa n'a rien à se reprocher. Et della Rovere non plus. Le cardinal ne ferait jamais une chose aussi stupide. Pourrais-tu au moins faire l'effort d'écouter, ou mieux encore, t'abstenir de tout commentaire ?

Ce fut au tour de la main de Juan de s'agiter au-dessus de son épée, mais il fut coupé dans son élan par son père.

— Les choses vont bien mal, pour que les seules paroles de sagesse proférées dans cette pièce viennent d'une femme. César, explique-toi. Que fais-tu à Rome alors que je t'avais ordonné de surveiller Savone ?

C'était une nouvelle pour le moins intéressante car César était censé avoir été envoyé à Spoleto, dans l'une des propriétés pontificales, cela dans l'unique but de démontrer que même devenu pape, Borgia comptait poursuivre sa politique de discrétion vis-à-vis de ses enfants en refusant de faire preuve d'un népotisme éhonté à leur égard. N'ayant auparavant jamais assisté à une telle retenue de sa part, je fus bien aise de constater que mon scepticisme était justifié.

Toutefois, j'avais également supposé que César aurait une explication toute prête quant à sa présence ici. Je fus donc prise au dépourvu lorsqu'il annonça :

— J'ai su que Francesca avait été agressée.

Jésus, Marie, Joseph ! Quelques heures plus tôt seulement, Borgia se demandait à voix haute si son fils et moi n'étions pas en train de conspirer contre lui. D'apprendre à présent que César avait abandonné la mission que son père lui avait confiée parce qu'il s'inquiétait pour moi…

— Votre Sainteté, ce n'est pas ce qu'il veut dire…, commençai-je, ne voyant que trop le sourire triomphant qu'affichait Juan.

— Ce qui ne signifie pas que je n'étais pas déjà en chemin. Si j'étais resté à Savone, tu serais déjà en train de me reprocher de me fier trop aux messagers.

— Qu'y a-t-il de si urgent pour que tu te sentes obligé de porter la nouvelle en personne ? s'enquit Juan, tout en ravalant sa déception puisque visiblement son frère n'allait pas subir l'ire paternelle.

À son tour, César l'ignora et s'adressa exclusivement à Borgia.

— Della Rovere a reçu des émissaires du roi français. Le bruit court que Charles VIII va donner son soutien au cardinal pour tenter de s'emparer de la papauté. Le roi pense avoir ainsi trouvé le moyen de saper l'influence de l'Espagne, que tu favoriserais aux dépens des autres pays. Pour cela, les Français sont prêts à envahir les États pontificaux avec une armée suffisante pour te déposer.

Le visage du Vicaire du Christ sur Terre s'empourpra. Il frappa du poing sur le bureau, projetant dans les airs un gros encrier en or et argent et manquant presque d'en faire autant de la pile de papiers qui attendaient d'être lus et signés à côté. Je sursautai, mais remarquai que Juan en fit de même. César, au contraire, n'eut aucune réaction notable, accueillant la rage paternelle avec un remarquable stoïcisme.

— *Bastardo* ! s'écria Borgia. C'est à peine si nous avons retrouvé l'unité de la sainte Église, et il voudrait qu'on recommence à s'entredéchirer ! Mais qu'est-ce qu'il croit ? Que je m'en irai sans mot dire ? Par le diable, il se fourvoie bougrement ! S'il veut la guerre, il en aura une telle que la chrétienté n'en a jamais connu !

Il parlait en partie par bravade, mais ses paroles contenaient tout de même suffisamment de vérité pour que cela me donne froid dans le dos. Della Rovere s'était trouvé un allié pour le moins puissant en la personne du roi de France, mais de son côté Borgia pouvait invoquer l'aide de l'Espagne *et* du Portugal en cas de besoin – du moment que leurs monarques croyaient chacun de leur côté qu'il allait leur donner les Indes. Ensemble, ils seraient à même d'engager une guerre totale, qui aurait de terribles répercussions, bien au-delà de la péninsule italienne. Et ce ne serait pas non plus n'importe quel conflit car inévitablement, au vu de sa nature, il prendrait des accents de guerre sainte dans laquelle chacun des belligérants prétendrait avoir Dieu à ses côtés. Au-delà des pertes humaines, toujours tragiques, les armées marcheraient sur les villes et brûleraient tout sur leur passage. À n'en pas douter, les précieuses bibliothèques et universités partiraient elles aussi en fumée. Tous les vœux que les membres de Lux et moi avions pu former d'un monde meilleur seraient réduits à néant.

À moins que je ne trouve le moyen d'éliminer della Rovere de l'échiquier, semblait me dire Borgia. Mieux vaut avoir la mort d'un homme sur la conscience, plutôt que celle d'une multitude.

La discussion se prolongea, César et Juan se disputant les faveurs de Borgia pour savoir à qui il devrait confier la résolution de ce problème. Le second semblait visiblement décidé à nous convaincre de sa niaiserie, vu comment il s'obstina à répéter que son frère avait dû mal interpréter les intentions du cardinal. Quant à moi, j'étais distraite par des pensées qui m'importaient davantage encore, à savoir où pouvait bien se cacher Morozzi maintenant. Pour dément et malfaisant qu'il fût, j'avais appris (à mes dépens) qu'il était au moins mon égal en intelligence, si ce n'était davantage. Il ne serait pas là où je l'attendrais ; de cela j'étais certaine, mais c'était à peu près tout.

Il était tard, je me sentais fatiguée. La dispute, car c'en était devenue une à ce stade, ne montrait aucun signe d'abattement. César et Juan semblaient tous deux farouchement déterminés à obtenir la faveur de leur père, sans se soucier aucunement de l'autre. Quant à Borgia, je ne pus m'empêcher d'en arriver à la conclusion qu'il encourageait cette rivalité fraternelle, voire qu'elle lui plaisait.

Cherchant quelque distraction de toute cette tension, je regardai autour de moi. Le bureau papal était surchargé de meubles ornés de dorures, de colonnes en marbre, de tableaux (tous biens temporels auxquels Sa Sainteté accordait sa préférence), au point qu'il aurait pu convenir au plus noble des rois ou des empereurs ; ce qui, à n'en pas douter, était exactement la façon dont Borgia se voyait.

Sur l'un des murs recouverts de brocart, non loin des doubles portes sculptées par lesquelles nous étions entrés, se trouvait un *spioncino*, un tout petit trou par lequel on pouvait regarder discrètement à l'intérieur du bureau pour éviter de déranger son occupant à un moment inopportun. L'existence de ce *spioncino* n'était pas nécessairement connue de tous, mais n'était pas non plus un secret pour ceux d'entre nous qui servaient Sa Sainteté. De même, je savais où se trouvaient les deux portes dérobées que Vittoro avait mentionnées. Si Borgia ne s'en servait réellement pas, comment s'y prenait-il exactement pour tromper la vigilance de ses secrétaires ?

Et surtout, pour quelle raison ?

Prétextant d'être harassée, je laissai César en compagnie de son père et de son frère quelques instants après, et acceptai l'offre d'escorte pour rentrer chez moi. Malgré l'heure tardive, je caressai l'idée d'aller voir Rocco, mais l'épuisement me guettait. D'autre part, avant de pouvoir lui parler du danger potentiel que courait Nando, il me fallait un plan. Sans compter que jusqu'à présent tout au moins, Morozzi avait dirigé son attention uniquement sur moi ; je n'avais aucune raison de penser que cela change subitement.

Une fois chez moi, je me déshabillai au plus vite et me glissai dans mon lit, aux côtés de Minerve. Le sommeil se déroba à moi, comme toujours. Je restai éveillée, à songer au prêtre fou, à tenter d'anticiper où il allait aller, ce qu'il allait faire. Par-dessus tout, j'étais déterminée à ce que cette fois-ci lorsque, inéluctablement, viendrait l'heure de l'affrontement, les gens que j'aimais soient en sécurité.

À la longue, je m'endormis enfin. Et comme je le pressentais, le cauchemar vint me visiter.

11

Je me trouve dans un tout petit espace, derrière un mur. Par un minuscule trou, je regarde à l'intérieur d'une pièce dans laquelle je sens des ombres bouger. Les ténèbres sont entrecoupées à intervalles réguliers d'éclairs de lumière ; d'où ils viennent, je ne sais. Il y a du sang partout, un véritable océan de sang dont le niveau monte dangereusement contre les murs et menace de m'emporter. Je tente de crier mais ma gorge est paralysée : aucun son ne sort de ma bouche. Mes mains poussent contre le mur pour le faire reculer, en vain. Je suis piégée là, seule, avec pour uniques compagnons tout ce sang et une sensation de pure terreur.

Je me réveillai brusquement, en nage et le cœur battant. Mes poings serraient les draps comme si c'était une corde que l'on aurait jetée pour me sauver des eaux bouillonnantes de mon esprit. À force d'entraînement, je savais que la meilleure chose à faire était de me forcer à rester allongée et respirer calmement. Au bout d'un moment, je me sentis assez forte pour me lever et aller d'un pas chancelant jusqu'au garde-manger, où je me tins sans bouger, la tête au-dessus de l'évier en pierre, en attendant que passent les vagues de nausées provoquées par la peur.

Lorsqu'elles aussi se furent estompées, je pris une aiguière et me versai de l'eau dans une coupe, que je bus tout en regardant par la fenêtre du salon. L'aube grise commençait tout juste à se lever sur la ville, révélant ses toits de tuiles rouges parsemés çà et là de cheminées en terre cuite. De son nid sous l'avant-toit, une alouette entama un chant hésitant.

Il était hors de question que je me recouche. Heureusement pour moi, je n'ai jamais eu besoin de plus de quelques heures de sommeil pour que mon cerveau fonctionne correctement, du moins c'est ce que je choisis de croire. Je m'habillai prestement, m'occupai de Minerve et sortis. À cette heure matinale, Portia n'avait pas encore ouvert sa porte. Je me promis de lui rendre visite plus tard, pour voir comment elle allait.

Dehors, dans la fraîcheur du petit matin, les balayeurs étaient occupés à arroser les pavés et à les brosser avec des balais à longs manches. Ils suivaient de près les ramasseurs de fumier, qui étaient à l'œuvre avec pelles et brouettes. L'un des avantages à vivre dans un quartier plutôt favorisé de Rome était cette relative propreté. Ailleurs, les déchets s'entassaient dans des égouts à ciel ouvert ou bien venaient grossir les tas d'ordures, où l'armée de rats que compte la ville s'en donnait à cœur joie. De telles conditions de vie favorisaient la propagation des maladies d'après Sofia, et je la croyais volontiers.

Les travailleurs de l'aube étaient également occupés à nettoyer à la brosse les nouveaux dessins obscènes qui étaient apparus dans la nuit sur les murs des immeubles. Des condottieri avaient été dépêchés pour surveiller qu'ils faisaient bien leur travail, ce qui laissait à penser que les gribouillages du jour étaient encore plus injurieux que d'habitude à l'égard de quelque illustre personnage.

Je rejoignis le flot des matineux en chemin vers le Campo dei Fiori. Trois garçons étaient en train d'ôter les volets en bois de la devanture d'échoppes, tandis que des filles perchées sur des marchepieds tendaient le bras bien haut pour arroser les paniers de fleurs retombantes qui donnent un air de fête au marché. L'arôme du pain frais flottait depuis la via dei Panettieri, où étaient regroupés les boulangers. Un grognement monta de mon ventre mais je l'ignorai et poursuivis mon chemin, car j'avais hâte d'arriver à destination.

L'échoppe de Rocco n'était pas encore ouverte. Je cognai doucement à la porte. Elle fut aussitôt ouverte par Nando, qui eut un large sourire en me voyant.

— Bonjour, Donna Francesca. Est-ce que tu as amené Minerve ?

— Hélas non. Mais je lui dirai que tu as demandé de ses nouvelles.

Il rit en entendant ma remarque fantaisiste, puis partit prévenir son père de mon arrivée. En son absence, je méditai sur le mystère que représentent pour moi les enfants, ces êtres à la fois si fragiles et si forts.

Il m'arrivait de me demander comment j'avais été, enfant. Mon père évoquait rarement les années précédant son entrée au service de la Famiglia, et pour ma part je n'avais que très peu de souvenirs. J'en avais un, très vague, d'une petite maison où il était possible que nous ayons vécu quand j'avais six ou sept ans, peut-être, mais je n'aurais su même dire dans quelle ville elle se trouvait. Mon premier véritable souvenir est l'appartement que nous avions occupé pendant quelque temps à Rome, non loin du Campo, avant d'emménager dans le palazzo de Borgia sur le Corso.

Mais à part cela, il ne me reste que des images fugitives – une fenêtre par laquelle je vois de l'eau miroiter ; une armoire sur laquelle on a peint des oiseaux ; une femme chantant une chanson douce. Et parfois, quand je suis tout près de m'endormir, l'odeur de lavande et de citron se mêlant à un arôme étrangement apaisant.

J'avais l'impression qu'en général les gens se souvenaient davantage mais j'aurais pu me tromper, n'en ayant jamais discuté avec quiconque. Je préférais vivre dans le moment présent ou mieux encore, anticiper le moment où je tuerais enfin Morozzi et serais libérée – même si j'aurais été bien en peine de vous dire de quoi.

Rocco revint avec son fils et allait me saluer quand je le coupai dans son élan en sortant une petite boîte et un carnet de ma poche, que je tendis à Nando.

— J'ai pensé que cela te plairait.

Les yeux grands ouverts il prit les deux objets, tournant et retournant le carnet dans sa main avant d'ouvrir la boîte. La joie que je vis dans ses yeux lorsqu'il découvrit ce qu'il y avait à l'intérieur me fit oublier un instant la grave situation qui m'amenait ici.

— Ces fusains viennent du studio de Maître Botticelli. Je ne m'y connais guère en dessin, mais d'après ce qu'on m'a dit ils sont d'excellente qualité.

— Tu es trop généreuse… commença Rocco, mais il s'arrêta en me voyant secouer légèrement la tête.

— Tu pourrais peut-être nous dessiner quelque chose maintenant ? proposai-je.

En bon fils qu'il était, Nando regarda d'abord son père.

— Papa ?

— Bien sûr, répondit Rocco précipitamment. Tu peux te mettre dehors, si tu veux…

— Mais ne t'éloigne pas de l'échoppe, ajoutai-je.

Nando me regarda d'un air perplexe. À un si jeune âge, il comprenait déjà parfaitement que c'était son père qui était chargé d'ordonner sa vie, et non moi.

Rocco me regarda, le visage soudain crispé.

— Reste là où je peux te voir, mon garçon, l'enjoignit-il.

À peine l'enfant s'était-il échappé que j'annonçai, non sans avoir pris une profonde inspiration :

— Morozzi est de retour à Rome. J'ai trouvé un refuge pour Nando, mais tu dois me donner ton accord.

Rocco pâlit. Je reconnus sans mal le sentiment de peur qui l'avait envahi, car je le partageais totalement.

— En es-tu certaine ?

En dépit de tout, il gardait son calme ; c'était tout aussi bien car la terreur, pour justifiée qu'elle fût, n'aurait mené à rien.

Je le lui confirmai d'un hochement de tête.

— Il s'est allié à Savonarole et bénéficie de la protection d'Il Frateschi. Je dois le retrouver, mais en toute honnêteté je n'ai aucune idée de par où commencer.

— Je ferai tout mon possible pour t'aider, mais d'abord…

— Je ne suis pas venue pour ça, l'interrompis-je. Je n'ai pas du tout l'intention de t'impliquer une nouvelle fois dans une situation aussi dangereuse. Je tiens juste à m'assurer que Nando est en sécurité.

Rocco m'observa longuement, avant d'acquiescer brusquement.

— Comment comptes-tu procéder ?

Il écouta attentivement mes instructions. Lorsque je le vis hocher la tête en signe d'accord, je me laissai aller à un soupir de soulagement. Ma proposition pouvait paraître saugrenue à première vue, mais j'étais convaincue que c'était la seule solution.

— Cet homme, le capitaine Romano, il est d'accord pour nous aider ?

— Pas encore. Je voulais d'abord t'en parler, mais je suis sûre qu'il n'hésitera pas une seconde. Même si le but ultime de Morozzi pourrait fort bien être de tuer Borgia, il n'y a pas plus sûr comme lieu que le Vatican présentement. La garde pontificale a été largement renforcée, et personne n'a le droit d'aller au-delà de la place et de la basilique sans autorisation spéciale.

Il regarda dehors, là où Nando s'était assis au soleil pour travailler à son dessin. C'était un enfant robuste et grand pour son âge, mais il n'en restait pas moins vulnérable.

Sur un coup de tête, je glissai ma main dans celle de Rocco et la serrai doucement.

— Il ne lui arrivera aucun mal, je te le jure.

Une promesse impossible à tenir, je le savais, si je ne tuais pas Morozzi au plus tôt.

Je ne fus pas certaine que Rocco m'ait entendue, tant il semblait soucieux, jusqu'à ce qu'il se tourne vers moi et me regarde droit dans les yeux. Dans les siens, je vis de la colère à l'idée que son fils soit menacé, mais aussi une détermination farouche à faire que tout cela ne soit rapidement plus qu'un mauvais souvenir.

Mais comme cela arrive souvent, une passion en mena à une autre.

— Je te crois, souffla-t-il en approchant ma main de ses lèvres.

Je fus soudain en proie à la plus vive confusion. L'unique baiser que nous avions échangé des mois plus tôt me faisait à présent l'effet d'un chemin qui n'aurait pas été emprunté, d'une rue où l'on n'aurait pas tourné. Mais la soudaine sensation de sa bouche tendre et de son souffle chaud contre ma peau, notre proximité physique et notre relative intimité, tout conspira à ébranler mes certitudes. Et à venir me rappeler avec force combien elle était insoumise, cette autre Francesca que je ne serais jamais mais qui persistait quand même de temps à autre à agir comme si c'était le cas.

Puis le moment passa. Je retirai ma main et, avec plus de difficultés, détournai le regard. Dieu merci, les bruits de la rue (le couinement des roues de chariots, un chien en train d'aboyer, un homme riant de bon cœur) me donnèrent de quoi fixer mon attention jusqu'à ce que la couture tout effilochée de ma contenance se soit recousue d'elle-même en un semblant de normalité.

Rocco se leva en repoussant le banc sur lequel il était assis et sortit dehors. Je n'entendis pas ce qu'il dit à Nando, mais fus soulagée en voyant le sourire et l'air impatient qu'arborait le garçon lorsqu'il revint en courant à l'intérieur.

— On va visiter le Vatican, Donna Francesca. Tu viens avec nous ?

— Bien sûr.

Mon enthousiasme feint parvenait peut-être à berner l'enfant, mais je ne pouvais espérer dissimuler mes sentiments à Rocco si je ne trouvais pas au préalable le moyen de les contenir en moi. Je ne connaissais qu'une seule façon d'y arriver : me détourner de la lumière qu'il apportait dans ma vie pour donner libre cours aux ténèbres.

Ainsi, nous sortîmes dans le quartier animé – un homme, une femme, un enfant. L'on aurait fort bien pu nous prendre pour une famille insouciante, à ceci près que parmi nous, il y en avait une qui évoluait parmi les ombres et n'avait en tête que la mort et la façon la plus sanglante de la donner.

En ce jour de semaine, il y avait considérablement plus de monde dans les rues. Je redoublai d'efforts pour observer avec attention notre environnement, de manière à déterminer si on nous suivait. Je ne vis rien de suspect, mais comment en avoir véritablement la certitude ? Un membre d'Il Frateschi pouvait fort bien nous espionner en ce moment même. Et pour autant que je le sache, c'était peut-être aussi le cas des espions de Borgia.

Vittoro était sur le point de partir pour la caserne lorsque nous arrivâmes. Il se tenait sur le seuil de la porte en compagnie de sa femme, Donna Felicia, qui était en train de lisser son pourpoint sur les épaules.

— Donna Francesca, s'exclama le capitaine en me voyant. (Son regard passant ensuite à Rocco, puis à Nando.) Et vous êtes Moroni, le maître verrier, c'est bien ça ?

Tandis que les hommes se jaugeaient, je passai un bras autour des épaules de Nando. Ainsi que je l'avais escompté, les grands yeux et le sourire timide de l'enfant attirèrent l'attention de Felicia. Elle se baissa pour le regarder.

— Et qui est ce bien beau jeune homme ?

— Mon fils.

Rocco l'attira à lui. Lorsqu'on en eut fini des présentations, il se tourna vers le garçon :

— Nando, je vais parler au capitaine Romano quelques instants, d'accord ?

Le petit acquiesça, acceptant volontiers la main que lui tendait Donna Felicia, d'autant qu'elle lui proposait un *bocconotto* crémeux tout juste sorti du four. Nous entrâmes tous trois dans la petite pièce où Vittoro recevait les visiteurs, juste après l'entrée. Une fois là, je ne perdis pas de temps à expliquer la raison de notre venue.

À peine en avais-je terminé que le bon capitaine nous donnait déjà son assentiment.

— Bien sûr qu'il peut rester chez nous. Felicia va être ravie. Nos petits-enfants ont beau venir ici quasiment tous les jours, elle se plaint tout le temps que la maison est vide. (Il se tourna ensuite vers

Rocco.) Soyez sans crainte, on s'occupera bien de lui.

Nous le remerciâmes chaleureusement tous deux, puis restâmes quelques instants de plus à parler du problème que constituait Morozzi, avant que Rocco aille trouver Nando pour lui parler. Je ne sais comment il s'y prit, mais le garçonnet parut accepter la situation sans sourciller. Donna Felicia l'avait fait asseoir à la longue table de cuisine où la famille Romano soupait encore tous les soirs ou presque au grand complet. Il avait le visage barbouillé de crème, et l'air fort satisfait.

Le père et le fils s'étant dit au revoir (pour ce que nous espérions tous n'être qu'une courte période), nous ressortîmes accompagnés de Vittoro. Rocco observa en silence la scène animée autour de nous, et plus précisément les gardes à l'exercice sous l'œil attentif de leurs officiers. J'avais la nette impression que les entraînements s'étaient intensifiés depuis quelques jours, et fus rassurée de voir que Vittoro ne laissait rien au hasard.

— Je sais que vous faites tout votre possible, constata Rocco. Mais des centaines de personnes vont et viennent ici chaque jour. Si Morozzi est déterminé, vous n'arriverez peut-être pas à l'empêcher d'entrer.

— C'est vrai, concéda Vittoro. Un assassin véritablement motivé pénétrera n'importe où. Mais souvenez-vous que Morozzi n'a jamais montré de tendance à vouloir sacrifier sa vie. Par conséquent, plus j'arriverai à rendre son entreprise risquée, mieux ce sera.

En se tournant vers moi, il ajouta poliment :

— Je m'inquiète davantage pour vous, Donna Francesca. J'espère que vous prendrez toutes les précautions nécessaires.

Je le rassurai sur ce point, tout en sachant pertinemment que c'était mentir. Je prendrais toutes les précautions *raisonnables*, mais le fait était qu'en cherchant à retrouver Morozzi pour le tuer, je lui donnais en toute probabilité l'occasion d'en faire de même avec moi. Il ne me restait plus qu'à m'en remettre à mon savoir-faire et peut-être aussi au souvenir de mon père (qui, l'espérais-je, veillait sur moi) pour me prouver que je saurais être la plus dangereuse des deux.

Toute comparaison entre Morozzi et moi entraînait inévitablement le risque d'éveiller la noirceur qui est en moi. Je craignais que ce ne soit le fait d'en appeler à un être semblable à moi, et cette possibilité me remplissait d'un effroi indescriptible. Pour me forcer à songer à autre chose, mais aussi parce que j'étais déterminée à ne laisser aucune faiblesse de ma part prendre le pas sur ce qui devait être fait, je remerciai de nouveau Vittoro pour son aide et pris rapidement congé.

Rocco et moi marchâmes un peu en silence, jusqu'à ce que je me sente obligée de lui dire :

— Tu me vois désolée de vous causer de tels ennuis. J'espère sincèrement que Nando pourra rentrer chez vous au plus vite. Je te ferai passer un message dès que le problème sera résolu.

Quelques minutes plus tôt à peine, il avait été forcé de laisser son enfant entre les mains d'inconnus, et je m'attendais à ce qu'il soit d'humeur maussade. Quel ne fut pas mon étonnement, lorsque je le vis tout à coup s'arrêter pour me faire face. Ses yeux brillaient d'un éclat dur, que j'avais rarement vu, et son visage s'était nettement rembruni.

— Que crois-tu, que je vais me dérober ? Nando est un enfant, c'est normal. Mais moi je suis un homme. Et tu ferais bien de t'en souvenir, Francesca.

J'étais déconcertée. Loin de moi l'idée que Rocco n'était pas un homme – au contraire, je pensais bien trop souvent à lui sous cet angle.

— Je sais parfaitement qui tu es. Un homme bon et honnête, qui a eu la malchance de se retrouver entraîné malgré lui dans des événements fâcheux …

— Mais enfin, ce n'est pas en restant les bras croisés que je vais le protéger ! s'écria-t-il, les traits de son visage tordus par la peur. Mon propre fils, et je suis obligé de le confier à des inconnus pour sa sécurité. Et pour couronner le tout je ne peux te protéger non plus parce que mademoiselle refuse de me laisser l'aider.

Sans crier gare, il me saisit par les deux bras et m'attira à lui.

— As-tu la moindre idée de l'effet que ça me fait, Francesca ?

À la vérité non, mais seulement parce que je ne m'autorisais jamais à étudier la question.

— Cela… ne te plaît pas, visiblement. Mais le fait est que tu n'as rien à te reprocher dans cette affaire, hormis ton amitié pour moi. Je suis coupable de t'avoir embarqué là-dedans. Si j'étais comme les autres femmes…

— Nous sommes tels que Dieu nous a faits. Si seulement tu l'acceptais, Francesca, tu trouverais…

L'accepter ? Comment accepter que notre Dieu miséricordieux ait voulu que je sois ainsi ? En y réfléchissant, une telle possibilité laissait présager une cruauté sans nom.

— Dans ce cas, qu'est-ce que Dieu ? m'emportai-je. Un marionnettiste tirant sur ses ficelles comme bon Lui semble ?

Fort heureusement personne ne se trouvait suffisamment près pour m'entendre, car mes mots étaient de l'hérésie pure et simple. Pour les avoir dits, je pouvais (d'aucuns diraient que je *devrais*) brûler sur le bûcher. Même Rocco, qui était pourtant la tolérance même, eut l'air choqué.

— Dieu n'est jamais indifférent, Francesca. Quand nous chancelons, Il pleure pour nous.

— C'est ce que tu crois, et j'aimerais le croire également, mais…

La colère le quitta aussi vite qu'elle était venue. Sans un mot, il me prit dans ses bras. Une vague de désir monta en moi, si puissante que l'espace d'un instant j'en eus le souffle coupé. Je posai ma tête contre son torse, et laissai sa force m'envelopper.

La douce étreinte de Rocco fit disparaître tout le reste. Le monde autour de nous, l'affairement des gens sur la place, devant cette basilique qui me hantait toujours autant et au-delà, le tumulte de la ville qui se réchauffait au soleil du printemps – tout fut réduit à néant. Nous restâmes ainsi, seuls au monde, dans un moment volé, d'autant plus précieux qu'il était fortuit.

Peut-être Dieu nous montre-Il véritablement Sa miséricorde, pour peu que nous soyons prêts à l'accepter.

Mais qu'il s'agisse d'un moment de compassion divine ou simplement d'un désir ardent entre deux âmes, le monde extérieur ne pouvait être tenu à distance pour toujours.

Le temps d'un battement de cœur, il revint… de plus belle.

12

— *Qu'est-ce que c'est que ça ?*

César se dirigeait vers nous à grands pas, tel un nuage d'orage éparpillant poussière, pigeons et passants dans toutes les directions. Il avait une main sur son épée et une lueur impie dans les yeux. Le jeune homme débordait d'arrogance et de fierté, et pire encore, des démons que la confrontation familiale avait éveillés en lui.

Sans attendre de réponse, il se tourna vers mon compagnon.

— Tu es le verrier, c'est ça, Pocco quelque chose ? Que fais-tu ici ?

Je me sentais déjà épuisée, ayant dormi d'un sommeil très peu réparateur ; et les sources de préoccupation ne manquaient pas, qui se bousculaient dans ma tête. Je n'allais tout de même pas devoir en ajouter encore une à la liste, si ? Et pourtant, elle était bien là, sous mes yeux – en habits de velours noir, un bouillon de dentelle au cou, sa bague sertie d'un rubis qu'il portait à la main gauche et scintillait au soleil quand il gesticulait.

— Pourquoi diable étreins-tu la… la domestique de mon père au beau milieu de la place, devant des centaines de gens ? Et pourquoi diable te laisse-t-elle faire ?

Pour Rocco, c'était le moment de reculer humblement, de faire une révérence et de murmurer quelque propos d'apaisement. Assurément, il savait combien les jeunes nobles peuvent être versatiles, aisément piqués dans leur vanité, prendre ombrage promptement et pour n'importe quelle raison. C'était un homme intelligent, qui savait s'exprimer ; il était tout à fait capable de redresser la situation.

Cette dernière prit donc un tour d'autant plus alarmant lorsqu'il me fit passer derrière lui d'un geste, avança d'un pas vers César (quand il aurait dû aller à l'exact opposé !) et s'exclama :

— Ce que je fais ne vous regarde pas, Signore. Je n'ai aucun compte à vous rendre.

Par la Sainte Vierge et tous les saints ! L'homme que je croyais être la sagesse et la stabilité incarnées choisissait ce moment entre tous pour se comporter comme un fou furieux. Pire encore, je n'étais pas seule à le constater. Une foule empressée se rassemblait déjà autour de nous. Quoi de mieux pour se divertir que de regarder le fils du pape tailler en pièces un manant présomptueux ?

Dans un instant les pronostiqueurs allaient fondre sur nous pour prendre les premiers paris. César aurait la meilleure cote, à n'en pas douter, mais uniquement pour des raisons pragmatiques : il s'était exercé à tuer dès le plus jeune âge. De son côté Rocco constituerait le choix sentimental, comme on dit dans le jargon, même si j'étais bien persuadée que quiconque pariant sur lui minorerait la prise de risque en misant également ailleurs. Quant à la situation, elle allait tourner en rond avant de se terminer de la seule façon possible – dans le sang et les larmes, et aussi le rire démoniaque de Morozzi quand il apprendrait que ses adversaires s'étaient écharpés.

Je ne peux guère me targuer d'être un parangon de subtilité féminine, mais même une créature telle que moi savait qu'il n'y avait qu'une seule chose à faire.

— Où t'en vas-tu comme ça ? s'écria César en me voyant tourner les talons. Je laissai mon dos parler pour moi pendant quelques mètres, puis m'arrêtai et leur lançai à tous deux un regard furieux par-dessus mon épaule.

— Travailler. Il faut bien que l'un d'entre nous se dévoue, tu ne crois pas ?

À ma grande satisfaction ils me regardèrent tous deux bouche bée, ce qui ne pouvait manquer de m'enhardir.

Je tournai mon attention vers Rocco et lui dis d'un air courroucé :

— Si tu voulais bien te secouer, peut-être pourrais-tu aller voir Guillaume et lui demander s'il a découvert quoi que ce soit qui pourrait nous être utile.

Rocco fronça les sourcils, ne sachant pas au juste comment réagir face à mon refus d'endosser le rôle de la femme passive. Il aurait dû y réfléchir à deux fois.

C'est ce que César fit – même s'il aurait répugné à l'admettre. Du coin de l'œil, je vis un sourire réticent se dessiner sur ses lèvres. Je me détendis quelque peu en l'entendant demander :

— Et avez-vous des instructions pour moi également, Donna Francesca ?

Je lui fis la réponse la plus diplomatique possible, ma colère n'étant pas complètement apaisée.

— Pour vous, Signore ? Jamais je n'aurais la prétention. Toutefois…

— Toutefois ? répéta-t-il. Fidèle à sa réputation d'homme versatile, il retrouvait déjà sa bonne humeur. Je pensais en connaître la raison : malgré sa fierté souvent démesurée, César ne respectait rien tant que l'audace. Et Dieu soit loué, j'en avais à revendre.

— Si vous aviez l'obligeance d'aller aider le capitaine Romano, qui fait présentement de son mieux pour renforcer la sécurité dans le secteur, je suis certaine qu'il vous en serait fort reconnaissant.

Ce n'étaient pas des paroles en l'air. L'homme était un guerrier-né, doté de tous les instincts qui viennent à de tels êtres. En ce sens, quelqu'un comme Vittoro était bien plus à même de reconnaître la valeur de César que son propre père.

Apaisé, et à mon avis plutôt amusé par notre petit échange, César me fit un signe de tête, lança un regard plutôt insultant à Rocco et nous quitta. La foule, déçue d'être privée d'un si beau spectacle, commença à se disperser.

Je m'autorisai un soupir de soulagement, mais ne m'attardai pas. Avant de le quitter, je dis à Rocco plus gentiment :

— Envoie un message, s'il te plaît, si Guillaume a appris quoi que ce soit. Et d'ici là tâche de ne pas te faire tuer, d'accord ?

Loin de m'exprimer sa reconnaissance pour mon intervention auprès de César, Rocco se contenta de hausser les épaules. Pour inexplicable que cela fût, il avait l'air ravi de ce qui venait d'arriver.

— Si je lui avais ôté son épée, il aurait appris à ses dépens ce que manger la poussière veut dire.

Étant bien incapable d'imaginer comment Rocco pensait pouvoir désarmer César Borgia, je gardai le silence. Mais alors que je m'éloignais sur la place, je ne pus résister à l'idée de me retourner pour regarder cet homme qui véritablement ne semblait pas connaître ses limites. Rocco m'observait lui aussi, d'un air pensif et bien trop perspicace à mon goût.

Plus tard, peut-être, je prendrais le temps de méditer sur la signification d'une telle rencontre entre les deux hommes qui se partageaient mon affection sans le savoir – et le fait qu'ils avaient failli en venir aux mains pour moi. Mais présentement, d'autres affaires plus importantes méritaient mon attention. À cause de Borgia, certaines questions étaient restées en suspens dans mon esprit, et j'étais déterminée à y apporter une réponse sans tarder.

Je pressai le pas et arrivai peu après au palazzo di Fortuna, la résidence principale de Luigi d'Amico à Rome. Comme nombre de personnes de haut rang, il possédait des pied-à-terre dans divers quartiers de la ville, afin de pouvoir s'y réfugier en cas de troubles ou simplement pour y conduire ses affaires en toute discrétion. Mais nous étions un mardi, et je savais qu'il serait chez lui et recevrait.

Après avoir passé l'entrée tout en dorures du palazzo, je ne fis même pas mine d'aller rejoindre les gens qui faisaient la queue devant les portes du salon principal, dans l'attente d'être introduits. À défaut, je m'attardai devant des fresques murales tirées d'allégories grecques et romaines, qui soudain me paraissaient fascinantes, jusqu'à ce que l'intendant de Luigi me voie et vienne à moi.

— Donna Francesca, dit-il, si vous voulez bien m'accompagner.

Il me guida jusqu'à une aile adjacente, dans une petite pièce élégamment meublée de sofas, de petites tables marquetées et de grands fauteuils rembourrés, et me pria de patienter. Quasiment au même moment, un domestique entra discrètement avec un plateau d'argent sur lequel étaient posées une carafe de limonade fraîche et une assiette de *biscotti*.

— Le Signore d'Amico vient dès que possible, m'annonça l'intendant avant de se retirer.

J'étanchai la soif provoquée par ma marche quelque peu précipitée et croquai dans un *biscotto*, tout en regardant par la fenêtre qui donnait sur les jardins. Le temps s'écoula lentement. Je songeai vaguement à tenter de me faufiler sans être vue jusqu'à l'immense bibliothèque de Luigi. Mais ne voulant pas abuser de son hospitalité, je finis par m'installer dans l'un des fauteuils en prenant mon mal en patience.

Quelque temps après je me réveillai en sursaut en sentant une présence dans la pièce. Le banquier referma la porte derrière lui et m'observa d'un air sombre. Notre dernière rencontre remontait à quelques jours seulement mais il paraissait tout à coup plus vieux, comme s'il était rongé par les soucis.

— Tu dois être bien fatiguée pour t'endormir de la sorte, me lança-t-il.

Je me redressai, tentant de m'extirper des bras de Morphée. J'avais la langue pâteuse, et me sentais désorientée.

— On m'a raconté ce qui t'était arrivé, continua-t-il.

Je m'en doutais, car il était logique que Portia le tienne régulièrement informé. En silence j'attendis ce qui allait suivre, si j'avais vu juste. Depuis que Borgia avait admis avoir joué un rôle dans l'attaque contre la villa, j'avais tourné et retourné cette question dans mon esprit : comment avait-il su que je m'y trouverais ? Après y avoir longuement réfléchi, une explication ressortait comme étant bien plus plausible que les autres. C'était pour cette raison que j'étais venue.

Le banquier fit quelques pas dans la pièce. Son visage était tendu et il me parut peser longuement ses mots, avant de déclarer finalement :

— Je suis vraiment désolé.

Par respect pour notre amitié mais aussi, pour être honnête, par compassion pour la situation fâcheuse dans laquelle il avait dû se trouver, je lui épargnai les faux-semblants et lui demandai tout de go :

— Veux-tu m'expliquer comment c'est arrivé ?

Luigi soupira profondément. Il avait l'air d'être pris entre la colère et l'appréhension, avec une prédominance pour cette dernière.

— Le pape peut être très convaincant, comme tu le sais. Mais je te le jure, je n'aurais jamais cru qu'il serait allé si loin. Il m'a simplement dit qu'il voulait faire sortir Morozzi de sa cachette.

Cela ne me surprenait pas que le banquier connaisse l'existence du prêtre fou ; il était dans la confidence du pape comme seuls les hommes qui savent où trouver l'argent peuvent l'être.

— Assurément, ajouta-t-il d'un air crispé, il n'a jamais laissé entendre que ma villa serait réduite en cendres, et encore moins que tu aurais à repousser un assassin quelques heures après seulement.

— Il n'est pas impliqué dans la seconde attaque, mais explique-moi comment la première a bien pu arriver.

Luigi soupira de nouveau en prenant place dans le fauteuil en face de moi. Se penchant en avant, les mains jointes entre ses genoux, il me parla avec l'empressement de l'homme qui a besoin de soulager sa conscience.

— Sa Sainteté m'a fait mander il y a une semaine. Elle sait que l'on se retrouve régulièrement, avec les autres.

— Alors Borgia est au courant pour Lux ?

Je ne cherchai pas à dissimuler mes craintes.

— Jusqu'à un certain point. En toute honnêteté, nos activités semblent lui être bien égal, du moment qu'on ne se mêle pas de politique. En cela, j'imagine que nous avons de la chance.

— Mais cela ne l'a pas empêché d'exercer une pression sur toi ?

Luigi acquiesça d'un signe de tête.

— Il m'a fait comprendre que le sort de Lux reposait sur mes épaules, et qu'il pouvait nous aider comme nous faire du tort. Il voulait connaître l'heure et le lieu de notre prochain rendez-vous. Il m'a simplement dit que toutes les précautions seraient prises pour qu'il n'arrive rien à personne. Il avait l'air tout à fait sûr de lui.

— Il l'est toujours. Tu n'as rien à te reprocher. Le pape a le don de cerner les points faibles chez autrui et de s'en servir à son avantage.

Pour sûr, il avait compris combien il était facile de me manipuler, dès lors qu'il s'agissait de faire payer Morozzi pour la mort de mon père.

— Tu es d'une rare gentillesse, déclara Luigi. Il cligna alors des yeux et je vis des larmes poindre. Qu'un homme aussi brillant et prospère que lui se sente honteux à l'idée d'avoir eu à transiger avec Borgia me fit réfléchir au prix qu'il me faudrait un jour payer pour mon étroite collaboration avec le souverain pontife, ne serait-ce que brièvement. Malheureusement, ce n'était pas le moment dc douter.

— Je me demande…, se hasarda Luigi. Les autres sont-ils obligés de savoir ?

Je n'avais pas songé à cela, mais après avoir considéré la question, j'en conclus qu'il ne servirait à rien d'alarmer tous les membres de Lux. Du moins pas tout de suite.

— La situation est par trop mouvementée en ce moment, lui répondis-je. Laissons cela de côté pour l'instant, nous en reparlerons quand les choses reviendront à la normale.

Il approuva d'un signe de tête reconnaissant.

— Les temps sont difficiles pour nous tous, mais je n'ose imaginer ce que tu dois vivre en ce moment. Au vu du danger que tu encoures, je ne peux m'empêcher de penser qu'il serait plus sage que tu quittes la ville. Je possède un certain nombre de résidences où tu serais en sécurité. Que dirais-tu de Capri ? C'est merveilleux, à cette époque de l'année.

L'île se situait à près de trois cents kilomètres de Rome. Luigi ne cherchait pas simplement à me trouver un refuge : il me suggérait ouvertement d'abandonner la bataille.

— Tu es bien bon, mais sache que je n'ai aucune intention de m'enfuir. Le retour de Morozzi à Rome me donne enfin l'occasion que j'attends depuis si longtemps de venger mon père. Mais au-delà de ça, nous avons plus que jamais besoin de la force et de la ruse de Borgia pour stopper Savonarole et les autres de son espèce. Et pour cela, je suis prête à protéger Sa Sainteté coûte que coûte.

Luigi ne parut pas convaincu, mais ne se risqua pas à ergoter avec moi.

— Cela pourrait s'avérer difficile, reprit-il. Il m'arrive parfois de croire que le pire ennemi de notre pape n'est autre que lui-même.

Je fronçai les sourcils. Le banquier avait des contacts partout, des terres gelées de la grande-principauté de Moscou au sérail de Constantinople. Si quelqu'un était à même de savoir au-devant de quels dangers nous allions, c'était lui.

— Que veux-tu dire par là ? lui demandai-je.

Il regarda par les fenêtres comme pour s'assurer que personne dehors ne pouvait nous entendre, puis me répondit à voix basse.

— Leurs Majestés très catholiques sont mécontentes de la bulle que Sa Sainteté a signée. Elles en veulent davantage.

Je laissai échapper un juron.

— Mais il a pourtant besoin de leur soutien, s'il veut voir le problème de Naples réglé un jour.

— C'est on ne peut plus vrai, renchérit Luigi. Le bruit court qu'ils ont envoyé un émissaire, dont la tâche consistera à exposer leurs exigences mais également… (sa voix se fit murmure)… à désapprouver Sa Sainteté pour sa tolérance des non-catholiques à l'intérieur des frontières de son pays. Ils citeront les Maures à ce propos, mais à ce qu'il paraît en privé ils suggéreront à Sa Sainteté de suivre la volonté de son prédécesseur, Innocent VIII, qui au moment de sa mort se préparait à ordonner l'expulsion des juifs de la chrétienté. Toujours à ce qu'il paraît, bien entendu.

Cette nouvelle était la pire de toutes. Si Ferdinand et Isabelle entendaient poser de telles exigences, c'était sans l'ombre d'un doute qu'ils savaient combien l'avenir de Borgia était incertain, et par conséquent combien il avait terriblement besoin d'eux. Mais tout de même, ils ne pouvaient s'attendre à ce que l'homme réagisse bien à une telle humiliation.

— Il va être furieux, en conclus-je.

Luigi vint confirmer mon sentiment d'un hochement de tête.

— C'est fort probable, mais que peut-il faire ? Comme tu l'as dit, il est pieds et poings liés.

Ainsi, Sofia, David et tous les juifs étaient potentiellement encore plus en danger que je ne le craignais. Si Borgia décidait de les sacrifier sur un coup de tête…

— Il faut tout faire pour renforcer la position d'Il Papa si l'on veut qu'il résiste aux assauts qui arrivent de toutes parts. Mais surtout, Morozzi doit être stoppé avant que ce ne soit l'engrenage.

En me penchant quelque peu vers lui, j'ajoutai :

— Il m'est venu à l'esprit que tu pourrais peut-être m'aider. Sa Sainteté a beau avoir le meilleur réseau d'espions de la chrétienté, je doute qu'il puisse se passer quoi que ce soit à Rome sans que tu en sois informé.

Luigi ne se laissa pas aller à de la fausse modestie, ce qui m'allait très bien. Saisissant tout de suite ce que je voulais dire, il ajouta :

— Tu fais allusion aux *portatori* de mes immeubles ?

J'acquiesçai d'un signe de tête. Portia et ses confrères étaient les yeux et les oreilles du banquier dans la ville. Ils savaient mieux que quiconque qui allait et venait, qui avait des secrets à cacher, qui commettait des indiscrétions. J'étais bien persuadée que Luigi mettait à profit les informations qu'il recueillait par ce biais ; à moi de le convaincre de mettre son réseau à la disposition d'une plus noble cause.

— Si l'on pouvait leur demander de prêter une attention

particulière aux nouveaux venus en ville (en particulier toute personne en provenance de Florence), et plus généralement d'être à l'affût de Morozzi, cela me serait d'une grande aide.

— Bien sûr, me rassura Luigi. Mais tu as conscience, j'imagine, qu'il pourrait loger n'importe où. Nous savons qu'Il Frateschi a des sympathisants ici, mais où ?

Si j'y avais déjà songé, cela ne me décourageait pas pour autant.

— Où qu'il soit, il n'est pas invisible. Quelqu'un, quelque part, a forcément eu un contact avec lui. Peut-être ne s'est-il agi que de livrer des courses ou bien d'apporter ce qui semblait être un message innocent, ou encore de surprendre une conversation sans en saisir la portée.

— Ce ne sera pas facile mais tu as peut-être raison, approuva promptement Luigi d'un hochement de tête. Je vais voir ce que je peux faire.

Je le remerciai et la discussion bifurqua ensuite vers d'autres sujets, certainement pour lui permettre de dissiper son sentiment de honte. Il m'informa avoir réussi à sauver la carte de Juan de la Cosa dans sa fuite de la villa, et la ressortit pour mon plaisir. Ensemble, nous nous extasiâmes une nouvelle fois sur ce que j'espérais vraiment être (plus que jamais, à présent) le Nouveau Monde.

En suivant du doigt le littoral inconnu, Luigi me raconta :

— Colomb prétend que les hommes et les femmes peuplant les îles où il s'est rendu étaient tous incroyablement beaux, et qu'ils étaient nus hormis des feuilles qui recouvraient leurs parties intimes. Leurs intentions semblaient pacifiques et ils ne possédaient que très peu d'armes ; mais ils vivaient néanmoins dans le péché, vu qu'ils ne connaissent pas la Foi.

L'idée qu'une contrée puisse être un tel éden me laissait sceptique, et à dire vrai, même si ses habitants étaient bien disposés envers nous, je ne les enviais pas d'avoir fait notre rencontre. D'après mon expérience, nous sommes par trop versés dans l'art de draper les actes les plus vénaux d'une intention vertueuse.

Je quittai Luigi quelques instants après, dans l'intention de retourner au Vatican. C'était une bonne chose, pour sûr, que Vittoro renforce la garde autour de Borgia, mais tout cela ne servirait pas à rien si un poison échappait à ma vigilance. Il allait me falloir en redoubler.

Réfléchissant à la meilleure façon de procéder, je tournai à un coin de rue et me retrouvai soudain parmi une foule de gens rassemblés devant un immeuble. Hommes comme femmes étaient en train de rire en montrant du doigt encore de nouvelles inscriptions. Je me frayai un chemin pour voir, moi aussi, mais regrettai aussitôt.

L'artiste (bien que je répugne à l'idée de l'appeler ainsi, le fait est qu'il était doué) avait représenté de façon on ne peut plus crédible une jeune fille nue aux cheveux dorés retombant en anglaises autour de son beau visage. Elle était en train de sourire par-dessus son épaule à un personnage qu'il était impossible de ne pas reconnaître, vu qu'il portait les habits pourpres et or du pape ; la chasuble de l'homme était ouverte et révélait un énorme pénis pointé vers sa croupe offerte. Et au cas où il y aurait quelque âme ignorante pour douter encore de l'objet de la sollicitude de Sa Sainteté, la jouvencelle portait un collier dont le pendentif représentait les lettres *L* et *B* entrelacées.

Le choc me cloua sur place, suivi de près par un dégoût si intense que je craignis d'en vomir. C'est alors qu'un coup de sifflet strident résonna au loin. Une troupe de condottieri arrivait au pas de course pour disperser la foule. Je parvins à m'éclipser discrètement et continuai mon chemin vers la curie, mais à chacun de mes pas le beau ciel bleu semblait perdre un peu plus de son éclat. Je croisai des passants qui bavardaient et riaient, du moins en avaient-ils l'air, car soudain je crus plutôt entendre les premiers frémissements de mécontentement d'une foule prête à se déchaîner sur l'ordre de ce fanatique de Savonarole, celui-là même qui cachait en son sein la vipère que j'avais juré de fouler aux pieds.

13

Plusieurs jours passèrent, durant lesquels je me plongeai dans mon travail, redoublant d'attention pour vérifier tous les aliments solides et liquides destinés à Borgia et sa famille. De la même manière, j'inspectai tout objet qui pourrait venir en contact avec eux. Une tache fastidieuse mais indispensable.

J'étais occupée à cela un après-midi, environ une semaine après mon entretien avec Luigi, lorsque je reçus un message de ce dernier. Renaldo me le remit en mains propres lorsqu'il eut réussi à me débusquer dans les tréfonds des cuisines vaticanes. La journée était plutôt chaude et je suffoquais, obligée comme je l'étais de rester à proximité des énormes cheminées où un feu était déjà allumé en vue du dîner. J'avais eu beau mettre la tenue la plus légère que je possédais (une chemise fine et une robe en lin sans aucun ornement), j'étouffais quand même.

Une fois les aliments scellés de mes mains, j'avais pris l'habitude par le passé de laisser le personnel en cuisine s'en charger, étant bien persuadée que chacun d'entre eux avait fait l'objet d'une enquête approfondie avant d'être embauché et comprenait les terribles conséquences qu'il aurait à subir si d'aventure un plat devait causer une quelconque indisposition, sans parler d'une maladie. Mais au vu des récents événements et de l'imminence du mariage, je m'étais dit que ma présence sur place viendrait rappeler fort à propos que la plus grande rigueur était de mise.

Les immenses cuisines s'étiraient sur toute la largeur du palais, mais étaient séparées en différentes sections par de larges voûtes. Tout au fond, le pain était cuit dans des fours en briques en forme de ruche par des *panettieri* qui maniaient leurs pelles à long manche avec grâce et souplesse. Au-delà du fait qu'il semblait toujours recouvert de farine, le *panettiere* se reconnaissait à ses bras glabres : à force de se brûler en plongeant dans le four chaud pour placer la pâte ou retirer le pain cuit, les poils n'y repoussaient plus.

Juste à côté, des apprentis s'occupaient d'accommoder le vaste choix de poissons et de *frutti di mare* livrés quotidiennement par des bateaux qui mouillaient dans le port d'Ostie. Ce jour-là ils étaient plusieurs à peiner sur un tas de seiches dont les sacs d'encre devaient être délicatement enlevés, tandis que d'autres découpaient truites, carrelets et merlans en filets, et les derniers s'appliquaient à frotter les moules et les huîtres qui mijoteraient sous peu dans un bon bouillon.

Non loin de là, dans la *cucina di carne*, des tournebroches efflanqués étaient en nage à force de tourner et de retourner au-dessus des flammes les chapons destinés au repas du soir. La graisse exsudant de la peau dorée des volailles provoquait de temps à autre des bulles d'huile chaude qui les brûlaient, tout en étant stoïquement ignorées. Au-dessus de leur tête des jambons espagnols au goût âcre, que les Romains avaient découverts plusieurs décennies auparavant grâce à l'oncle Calixte, le premier pape de la famille Borgia, pendaient aux poutres en attendant le couteau à découper. Le penchant de Sa Sainteté pour la chair salée de ces cochons nourris uniquement au gland et qu'il fallait ensuite faire vieillir plusieurs années me dépassait totalement. Le goût fort me rebutait, et j'évitais d'en manger autant que faire se peut. Mais il est vrai, et peut-être est-ce par déformation professionnelle, qu'en matière de nourriture j'ai toujours eu des goûts très simples.

J'avais donc été dans chacune des cuisines tour à tour et m'étais fait saluer par le *maestro della cucina*, tandis que commis, apprentis et autres garçons de cuisine évitaient scrupuleusement mon regard. Je comprenais leur réticence, surtout si l'on songeait aux rumeurs qui circulaient sur moi – que j'étais une *strega*, bien sûr, car comment une jeune femme possédant le noir savoir de l'empoisonneur pourrait être autre chose qu'une sorcière ? Mais cela ne s'arrêtait pas là. Les plus inventives prétendaient que j'étais capable de tuer d'un seul regard – combien de fois n'ai-je pas souhaité avoir ce pouvoir ! Ou alors, que je savais juger de la culpabilité ou de l'innocence de quelqu'un simplement en le regardant dans les yeux ; ce qui, de nouveau, m'aurait été fort utile, si seulement cela avait été vrai. Immanquablement, l'on discutait également à voix basse de la nature exacte de ma relation avec Borgia, le rôle que j'avais joué dans son ascension à la papauté, et ainsi de suite. Il ne me restait qu'à faire de mon mieux pour ignorer ces fadaises et à me concentrer sur la tâche qui m'incombait.

En ayant terminé pour ce jour-là, j'étais en train de boire une limonade bien fraîche tout en m'essuyant le front lorsque Renaldo fit son apparition.

— Vous voilà enfin, m'apostropha-t-il d'un ton plutôt irrité. Je vous ai cherchée partout.

— En ce moment je n'arrive pas à décider si je travaille ou si je me cache, admis-je en prenant la carafe et en versant une limonade à l'intendant. Les exigences de Borgia semblaient sans commune mesure, ces temps-ci : il me faisait bien appeler cinq fois par jour. J'avais toutes les peines du monde à m'esquiver suffisamment longtemps pour accomplir mon travail.

Et tout cela ne tenait pas compte du fait que César, sauf erreur de ma part, s'était installé chez moi. En sus de la version officielle, qui voulait qu'il soit toujours à Spoleto, il avait tout de même une maison dans le Trastevere (voisine de celle de Juan) et selon la rumeur, un appartement était en train d'être apprêté pour lui au Vatican, à côté de celui de son père. Pour autant, il n'avait pas du tout l'air disposé à s'installer ailleurs que dans mon appartement. Il avait semé des habits dans toute ma chambre, ses gardes étaient postés devant ma porte, il continuait à faire du charme à Portia dès que l'occasion se présentait et Minerve, cette jeune dévergondée, m'ignorait totalement quand il était là, préférant monter sur ses genoux pour se faire caresser derrière les oreilles.

Ah je le confesse, c'était une appétence que je concevais volontiers.

— Certes, je ne saurais vous en blâmer, répondit Renaldo en me tendant son verre vide pour que je le resserve. On a tout de même connu des jours meilleurs.

— S'il plaît à Dieu, répliquai-je, nous en connaîtrons d'autres. Quel bon vent vous amène ici ?

— Le Signore d'Amico a un message pour vous, m'annonça-t-il en tendant un papier plié.

Je le décachetai et le parcourus avidement, mais fus bien vite déçue : Luigi m'informait que malgré tous leurs efforts, ses *portatori* n'avaient rien découvert d'intéressant jusqu'à présent. Les investigations de Guillaume n'avaient rien donné non plus : il avait bien mentionné que le chapitre dominicain avait ces derniers temps été secoué par la disparition d'un frère, mais il n'était pas en mesure d'affirmer que cela avait un quelconque lien avec Morozzi. Je commençais à craindre que mon ennemi soit véritablement invisible.

Pour me distraire de mes soucis, je demandai à Renaldo :

— Quelle est l'ambiance, en ville ?

Entre mes journées passées à la curie et César qui me prenait toutes mes nuits, cela faisait un moment que je n'avais pas eu l'occasion de jauger l'humeur de mes concitoyens.

— Tendue, répondit l'intendant succinctement. Sa Sainteté a bien envoyé des renforts pour nettoyer tous les murs de Rome, mais il y a trop à faire.

Avec quelle délicatesse faisait-il référence à la multiplication des dessins calomnieux représentant Borgia comme un père incestueux et Lucrèce comme sa putain. Dieu soit loué, cette dernière n'avait apparemment aucune idée de ce qui se passait derrière l'enceinte de son palazzo.

— Leur auteur a-t-il été arrêté ?

— Pas que je le sache, répliqua-t-il en secouant la tête. La ville regorge de rumeurs, toutes plus folles les unes que les autres. Della Rovere serait aux portes de la ville, il aurait levé une armée d'anges. Borgia aurait fui et trouvé refuge chez les Maures. Ou bien il aurait été fait prisonnier par un incube envoyé directement par Satan. (Il baissa d'un ton.) Ou encore, il serait lui-même Satan, venu des Enfers pour nous tourmenter jusqu'à la fin des temps, lorsque les bons chrétiens seront séparés des pécheurs.

Je roulai des yeux en entendant de telles inepties, mais si j'eus préféré les rejeter comme autant de divagations proférées par des ignorants, j'avais dans l'idée qu'elles étaient bien plus que cela. Quelqu'un s'était visiblement lancé dans une campagne délibérée pour représenter Borgia comme le mal incarné, afin de préparer le terrain pour sa future destitution. Mon petit doigt me disait que je connaissais le coupable.

— Et que dit-on dans les tavernes ? poursuivis-je.

Renaldo secoua la tête.

— Autour du Campo, la cote est à cinq contre trois que Borgia s'en sortira. Mais dans le Trastevere, elle est à trois contre deux qu'il aura quitté le Vatican d'ici à l'automne.

— N'est-ce pas inhabituel ? Je veux dire, ce genre de chose n'est-il pas généralement décidé à l'avance ?

Je faisais allusion au fait que pour tout le monde ou presque à Rome, il était entendu que les pronostiqueurs formaient une sorte de confrérie officieuse, et que par conséquent ils ne se faisaient pas concurrence quand il s'agissait de prendre des paris.

— Peut-être les gens réagissent-ils différemment à ce qu'ils voient, proposa l'intendant. Certains dessins sont l'œuvre d'un esprit pour le moins… imaginatif.

Je n'osais songer à pire que les caricatures que j'avais vues. Changeant de sujet, je m'enquis de l'émissaire espagnol. Don Diego Lopez de Haro n'était pas encore arrivé à Rome, mais si les informations de Luigi étaient correctes (et je n'avais aucune raison de croire le contraire), il ne devait plus être bien loin.

Renaldo prit le temps de vérifier qu'aucune oreille ne traînait dans les parages avant de répondre, *sotto voce* :

— Il est en route, mais n'a pas l'air pressé. Peut-être est-ce la façon qu'ont Leurs Majestés de donner à notre maître le temps de peser le pour et le contre. Le pire, c'est que cela pourrait bien marcher. Lorsque Sa Sainteté ne fulmine pas contre eux et leur arrogance, elle passe en revue les différents moyens à sa disposition pour les apaiser.

C'était ce que je craignais. Avec tout cela, je n'avais pas eu le temps de m'éclipser pour aller parler à Sofia ou David, et eux non plus ne s'étaient pas manifestés. Cela ne pouvait plus durer. Si Borgia avait réellement l'intention de trahir les juifs en échange du soutien des monarques espagnols, il fallait au moins tenter de l'arrêter – même si, à vrai dire, je ne savais pas encore comment.

— Feriez-vous quelque chose pour moi ? demandai-je à Renaldo lorsqu'il eut fini sa limonade. La situation semblait bien en main dans les cuisines, et concrètement je n'avais aucune raison de croire à un quelconque danger venant de là. Il était crucial que je puisse m'absenter discrètement durant quelques heures.

— Si Sa Sainteté me demande, pourriez-vous lui dire que je suis…

Que j'étais quoi ? Quelle excuse suffirait à tenir Borgia le Taureau à distance quand il voulait – que dis-je, *exigeait* – toute l'attention ?

— … Dites-lui que je dois aller voir un médecin pour un problème d'ordre intime, mais que je reviens au plus vite.

Renaldo devint rouge comme une pivoine, à tel point que l'espace d'un instant je craignis pour sa santé. Pour le rasséréner je lui tapotai la main, et lui dis ensuite de ma voix la plus douce :

— Un grand merci, Maître d'Marco. Je sais que je peux compter sur vous.

Et avant qu'il ne trouve à redire, je pris la fuite.

La place était comme toujours bondée, et même davantage

avec tous les gardes de Vittoro stationnés là. Comme de coutume je détournai le regard en passant devant la basilique Saint-Pierre, et pris la direction du fleuve. Cette marche bienvenue me donnait l'occasion de réfléchir à la mission que Borgia m'avait confiée il y avait déjà quelque temps. Il fallait se rendre à l'évidence, je n'avais absolument pas progressé s'agissant du meilleur moyen d'éliminer le cardinal della Rovere. Les difficultés pratiques additionnées à mon manque d'enthousiasme constituaient une formidable pierre d'achoppement, constatai-je. Je décidai donc de me pencher sérieusement sur le problème.

Je n'étais pas allée bien loin quand un picotement au niveau de la nuque me fit me retourner. Dans la rue se pressaient chalands, négociants et voyageurs aux yeux écarquillés. Un mouvement très léger attira mon attention. À une dizaine de mètres de moi, un homme émergea de sous un porche. Pour fugace que fût le moment, j'eus le temps de le voir clairement. Il baignait dans la douce lumière d'un après-midi de printemps à Rome, sa tenue sombre ne diminuant en rien la grâce étonnante de ses traits qui reflétaient en tous points les canons de beauté masculine : nez droit, menton carré, haut front et pommettes saillantes. Ses yeux, même de là où j'étais, étaient visiblement très grands et du bleu le plus pur. Ses cheveux étaient un halo de boucles dorées encadrant un visage aux proportions parfaites. Il ressemblait à un ange.

Alors qu'en fait c'était le diable, Morozzi.

Vous me direz que j'étais fatiguée et préoccupée par maints soucis, et vous n'aurez pas tort. Mais il ne fit jamais l'ombre d'un doute dans mon esprit que c'était bien lui en face de moi. Morozzi sembla d'ailleurs vouloir m'en assurer en s'avançant un peu dans la rue, pour que je le voie mieux. J'étais figée sur place ; et lui que fit-il ? Il me sourit.

J'avais mon couteau sur moi. César avait veillé à ce qu'on me le restitue nettoyé et parfaitement aiguisé. Il reposait dans son fourreau de cuir, tout près de mon cœur.

Une dizaine de mètres, ce n'était rien. Il ne s'attendrait pas à ce que je l'attaque en public, parmi tant de témoins, sans aucun espoir de m'en tirer à bon compte. Cela m'était bien égal. Tout ce que je voulais, c'était tuer – après quoi, j'expliquerais avec joie au monde entier pourquoi j'avais agi ainsi.

La noirceur qui m'habite s'éveilla mais trop lentement, telle une pauvre bête enchaînée, entravée par le poids d'un désir trop ardent. Je fis un pas, mais l'air autour de moi était devenu étrangement dense, à tel point que je dus le repousser de mes mains comme s'il s'agissait d'un mur. Il me vint soudain à l'esprit qu'il m'avait peut-être jeté un charme. Ce n'était pas que je croyais à ce genre de chose, mais avec Morozzi plus aucune facette du mal ne paraissait impossible.

Son sourire s'élargit. Il me regarda un instant de plus avant de repasser sous le porche duquel il avait surgi, et de se volatiliser.

À peine fut-il parti que le sang afflua de nouveau dans mes membres. Je bondis pour le rattraper, sans me soucier des coups de coude que je donnais ici et là. Le porche abritait une porte en bois. Je l'ouvris à la volée, faisant sursauter un jeune garçon qui se trouvait derrière. L'ignorant, je traversai au pas de course l'échoppe de tissus dans laquelle j'étais entrée, pour me retrouver l'instant d'après sur le pas d'une autre porte, face à un mur aveugle qui donnait sur une étroite ruelle menant au fleuve. Je regardai désespérément dans toutes les directions, en vain. Je restai là un long moment mais il fallait se rendre à l'évidence : Morozzi s'était bel et bien évaporé.

Je fis le reste du chemin vers le ghetto juif d'un pas chancelant, et comme tout engourdie de l'intérieur. Sofia me vit entrer dans son échoppe et se précipita pour m'aider à m'asseoir.

— Francesca, qu'est-ce que tu as ?

Je tentai bien de parler, mais j'avais la poitrine si comprimée que je n'arrivais pas à reprendre mon souffle. Ma bonne Sofia me mit dans la main une tasse d'eau (dont elle filtrait et faisait bouillir chaque goutte avant de permettre à quiconque d'en boire). Je bus, et l'étau se desserra quelque peu. Quelques minutes encore et je pus enfin m'exprimer.

— Je n'arrive pas à le croire… Il était là, sous mes yeux, et j'ai… je n'ai rien fait. Rien ! Bon sang, mais qu'est-ce qui ne va pas chez moi ?

Sofia s'agenouilla pour me regarder droit dans les yeux. Ses mains me saisirent aux épaules.

— Qui, Francesca, qui était là ?

Je me forçai à respirer calmement pour m'éclaircir l'esprit, mais l'image du prêtre fou en train de me sourire ne s'effaçait toujours pas de mon esprit ; bien au contraire, elle menaçait de me paralyser complètement. Tel un animal secouant son joug, je m'obligeai à ne plus y penser et à me concentrer sur Sofia. Sur son visage se lisait l'inquiétude, ce qui ne l'empêchait pas de faire en même temps une scrupuleuse évaluation de mon état. Elle avait davantage d'expérience et de bon sens que tous ceux qui à ma connaissance se posaient en médecin, et à ce titre avaient autant de chances de faire du mal que du bien à leurs patients. Je savais que je pouvais me fier à son jugement.

Cette pensée me tranquillisa encore un peu plus, au point que je fus enfin capable de répondre à sa question.

— Morozzi. Il était dans la rue, il me suivait. Je l'ai vu comme je te vois. Mais lorsque je lui ai couru après, il a disparu comme par magie.

Sofia m'observait toujours.

— Morozzi ? Tu l'as vu mais il s'est volatilisé ?

— Je t'assure. Il s'est engouffré sous un porche qui servait d'entrée à une échoppe. Je l'ai suivi, mais impossible de le trouver. Il n'était plus là !

Je sentis avec horreur des sanglots monter en moi. Je fis de mon mieux pour les contenir, vainement. En poussant un cri, je me réfugiai dans les bras de mon amie et m'accrochai à elle comme une forcenée.

— J'ai échoué ! Il était à quelques mètres seulement, j'aurais pu le tuer et en avoir fini avec tout ça ! Mais bon sang, qu'est-ce qui cloche chez moi pour que je sois restée sans rien faire ?

Sofia me tint fermement jusqu'à ce que le gros de l'orage soit passé. Puis, doucement, elle me tapota l'épaule et me dit :

— Le fardeau que tu portes est terrible. C'était à prévoir, que tu subirais toutes sortes de conséquences. Ne te flagelle donc pas pour ce qui est arrivé. Peut-être était-ce seulement ton imagination…

Je me raidis, et poussai un cri venu du cœur :

— Non ! Il était là, je le sais. Morozzi est à Rome, et il s'est enhardi au point de se montrer devant moi en plein jour. Que suis-je censée en conclure ? Quel genre de pouvoir le protège ainsi ?

Aux prises avec mon désespoir, je sentis monter en moi des peurs ancestrales. Était-ce possible que l'homme qui cherchait la destruction d'un peuple entier soit davantage qu'un simple mortel ? Qu'une force démoniaque agisse à travers lui ? Et si c'était le cas, comment espérer alors pouvoir l'arrêter ?

Mais Sofia n'allait pas s'en laisser conter aussi facilement. En me prenant le visage dans ses mains et en me fixant droit dans les yeux, elle me sermonna :

— Tu sais aussi bien que moi que les êtres humains n'ont pas besoin d'être spécialement encouragés pour faire du mal. Nous en sommes par trop capables tous seuls. Morozzi est un homme, ni plus, ni moins. Aussi sûr que toi et moi nous trouvons dans cette pièce en ce moment, il y a une explication logique à ce que tu as vu.

Loué soit Dieu d'avoir doté cette femme d'autant de bon sens. À elles seules, ses paroles réussirent à m'extraire de cette panique qui menaçait de m'engloutir. Je pris une inspiration, puis une autre, et acquiesçai.

— Tu as raison, manifestement. J'oublie que Rome est un labyrinthe de passages souterrains. Il en aura pris un pour s'échapper.

Ce fut au tour de Sofia de hocher de la tête.

— Je vais faire venir David. Il saura quoi faire.

J'étais en train de boire du thé que Sofia avait fait infuser pour moi lorsque le jeune meneur juif arriva. Il n'était pas seul. Un garçon au visage juvénile et au sourire malicieux trottinait à ses côtés. Je ne l'avais pas vu depuis plusieurs mois et je fus frappée de voir combien il avait grandi, même si la peau de son menton était toujours aussi lisse que celle d'un bébé.

— Benjamin, m'écriai-je avec un plaisir non feint. Nous avions fait connaissance l'année précédente, le jour où il avait tenté de me faire les poches lors de ma première visite dans le ghetto. Depuis, nous étions devenus très amis.

— Tu apprends bien tes leçons, j'espère ? dis-je en souriant.

— Quand j'arrive à le faire asseoir et rester tranquille assez longtemps, intervint Sofia en passant une main dans sa tignasse brune. Au moins il dit que sa précédente activité est du passé maintenant, n'est-ce pas, Binyamin ?

L'insistance de Sofia à prononcer son prénom à l'hébraïque provoqua le grognement consacré chez l'intéressé, rapidement suivi d'un sourire futé.

— Je me fais plus d'argent comme messager et garçon de courses, de toute façon.

— Je suis heureuse de l'entendre, répliquai-je. Tournant mon attention vers David, je lui dis dans un souffle :

— Nous devons parler.

Il acquiesça d'un signe de tête et posa une main sur l'épaule de Benjamin.

— Sois gentil de faire comme si tu n'entendais pas ce qu'on va dire, d'accord ?

L'enfant secoua la tête devant la folie des adultes, mais alla quand même s'installer dans un coin, contre un mur. Il sortit une ficelle de sa poche et fit mine de créer des figures avec.

Je décrivis à David ma brève rencontre avec Morozzi de façon considérablement plus calme que je n'y étais parvenue avec Sofia, puis inférai :

— Il est donc évident qu'il prend les passages souterrains pour aller et venir à sa guise. Si je pouvais savoir plus précisément où ils se trouvent…

— Mais c'est qu'il y en a partout, rétorqua David. Rome est un enchevêtrement de catacombes, de rues enfouies, de tunnels, d'égouts, et que sais-je encore. Personne ne saurait vraiment dire qu'elle est leur étendue.

— Mais Morozzi doit forcément les connaître comme sa poche, insistai-je. Il ne prendrait pas le risque de les emprunter, sinon. Et si lui en sait autant, c'est que quelqu'un d'autre les lui a montrés.

— On peut toujours tenter de se renseigner, proposa Sofia.

— D'accord mais sans tarder, je t'en conjure. Nous avons peu de temps devant nous. Un émissaire envoyé par les monarques espagnols va bientôt arriver ici, pour dire à Borgia que s'il souhaite leur appui il doit revenir sur la promesse qu'il a faite aux juifs.

— Nous le savons déjà, répondit David calmement.

Ce n'était guère surprenant, à bien y réfléchir. Si des milliers de juifs avaient été forcés de fuir la péninsule ibérique l'année précédente, d'autres avaient réussi à rester en se faisant *conversi*, des convertis à la Foi. Ceux qui en avaient décidé ainsi vivaient comme enveloppés d'une chape de soupçon, mais du moment qu'ils ne retombaient pas dans leurs anciens errements de façon trop ostentatoire Leurs Majestés très catholiques étaient obligées de tolérer leur présence, au risque de décourager toute conversion au christianisme.

— Don Diego Lopez de Haro, continua David, est attendu à Rome dans dix jours. Il entamera ensuite des négociations avec Borgia sur plusieurs questions, dont une, malheureusement, nous concerne directement. Mais sache que le but premier de sa visite n'est pas celui-ci. Il vient réconcilier Sa Sainteté et le roi de Naples.

— Les réconcilier, mais comment ? me précipitai-je. Ce nouveau développement était crucial. Borgia cherchait incontestablement une solution à ses problèmes avec Naples, mais pour autant il ne voulait (ou ne pouvait ?) aller que jusqu'à un certain point.

— En persuadant Borgia qu'il n'est pas dans son intérêt de s'allier à l'ennemi de Naples, à savoir la famille Sforza.

La famille à qui Sa Sainteté, en reconnaissance de sa dette envers eux, était sur le point de donner la main de sa fille.

— Ainsi, les Espagnols veulent empêcher le mariage de Lucrèce, en conclus-je. C'était une nouvelle épouvantable pour Borgia, car en accédant à cette demande au moment où les relations avec della Rovere s'envenimaient, il prenait le risque de se voir déposséder d'un allié vital – que dis-je, de se faire un nouvel et puissant ennemi.

En pesant mes mots, je poursuivis :

— Sa Sainteté attend davantage de Leurs Majestés, au regard du cadeau très généreux qu'elle vient de leur faire avec les terres découvertes récemment par le grand Colomb.

David haussa les épaules.

— Borgia peut bien attendre ce qu'il veut, il n'en reste pas moins que les Espagnols ont eu tout le loisir de voir le genre de pape qu'il est depuis quelques mois, et qu'ils sont consternés. Ils savent bien qu'on ne peut pas s'attendre à ce que le Vicaire du Christ soit un saint, mais tout de même. Il va trop loin.

— Es-tu en train de me dire qu'eux aussi veulent le voir destitué ?

Si c'était le cas, nous tombions véritablement de Charybde en Scylla. Et alors là, la catastrophe ne serait plus très loin.

— Pas nécessairement, répliqua David à mon grand soulagement. Ils ont beau se poser en fervents catholiques, Ferdinand et Isabelle cherchent surtout à trouver la stratégie qui leur permettra de renforcer leur pouvoir. Un Borgia affaibli, à la merci de l'Espagne pour sa survie, leur irait très bien.

Sofia, qui nous avait écoutés attentivement, ne put se taire plus longtemps :

— Mais on ne peut pas laisser faire ça ! Si Borgia s'en va, nous serons forcés de partir aussi.

— Je n'ai que mépris pour cet homme, reprit David, dont la

franchise faisait toujours des merveilles à ce que je voyais. Mais tu as raison, j'ai bien l'impression que nous n'avons pas le choix. Les négociants et les rabbins peuvent tergiverser autant que ça leur chante, reste qu'il faut agir.

— Si la position de Borgia était renforcée, tentai-je. S'il n'était plus sous la menace de Morozzi, et à travers lui de Savonarole…

Et si la menace que constituait della Rovere pouvait également disparaître… Je n'allais pas leur parler de ce que Sa Sainteté m'avait chargée de faire, mais je ne pensais qu'à cela. La mort de della Rovere résoudrait potentiellement beaucoup de choses, du moment qu'on ne l'imputait pas au pape.

— Il nous reste moins d'un mois avant le mariage, trancha David. Si Morozzi et Il Frateschi ne sont pas mis hors d'état de nuire d'ici là, je crains le pire.

— Nous devons trouver où ils se cachent, en conclus-je.

Du coin de l'œil, je vis Benjamin lever la tête. Il défit délicatement la figure qu'il avait créée avec la ficelle, remit celle-ci dans sa poche et se leva.

— Je crois que j'ai une idée, nous annonça-t-il.

14

— *Il* quoi ? m'exclamai-je. Dans le silence de l'échoppe de Sofia, vide de clients en cette fin d'après-midi, je crus avoir mal entendu.

— *Il re dei contrabbandieri*, répéta Benjamin en prenant un air qui laissait à penser que ma méconnaissance d'un si illustre personnage était difficile à croire. Tu as déjà entendu parler de lui, non ?

Nous autres adultes nous regardâmes, entre confusion et incrédulité.

— Je ne crois pas, répliquai-je finalement.

— À bien y réfléchir, ce n'est peut-être pas si étrange, me dit le jeune garçon d'un ton magnanime. Un homme dans sa position ne doit pas accorder sa confiance facilement, j'imagine.

— Pourrais-tu être plus clair, s'il te plaît ? le pressa David.

— Je vous parle du roi des contrebandiers, ou de la majeure partie d'entre eux tout au moins. Une sorte de corporation de l'économie souterraine, si vous préférez. Alfonso le Premier, comme il se fait appeler, a eu l'idée de la créer pour enrayer les querelles intestines. Au début il y avait beaucoup de sceptiques, mais Alfonso est un malin : il n'a forcé personne à se rallier à lui, ils sont tous venus d'eux-mêmes en constatant qu'il traitait tout le monde équitablement. Aujourd'hui la plupart d'entre eux ne voudraient pour rien au monde revenir à l'ancien système, même s'il y en a toujours un pour râler de temps en temps.

À la réflexion, cela paraissait logique. Si l'on songeait combien l'impôt était élevé, et combien aussi le plus petit seigneur cherchait à en tirer profit, il n'était guère étonnant que certains individus ayant l'esprit d'initiative cherchent à écouler les marchandises par d'autres biais, moins onéreux. De fait, plus les taxes et les difficultés se multiplient, plus l'économie souterraine prospère. Et à Rome c'est même littéralement le cas, attendu que des biens de toutes sortes passent précisément par les passages que je souhaitais si ardemment connaître.

Pour autant, je restai sur mes gardes.

— Comment se fait-il que tu le connaisses ?

Benjamin se fendit d'un sourire jusqu'aux oreilles.

— Parce qu'il était l'un des nôtres, avant – un voleur à la tire, quoi. Nous sommes ses *fratelli*. Il nous fait encore confiance, plus qu'à n'importe qui d'autre.

Peut-être ce jeune homme considérait-il également que par nature les enfants étaient davantage dignes de foi que les adultes – ce à quoi j'adhérais aussi, en substance. Toutefois, il était inquiétant d'apprendre que Benjamin faisait encore partie du monde qu'il était censé avoir quitté.

Visiblement, Sofia songea la même chose, car elle lui demanda :

— Ne veux-tu pas dire plutôt que tu connaissais cette personne *avant*, Binyamin ?

Mais le garçon avait une explication toute prête.

— Si je devais me soucier du fait que tous mes clients obéissent à la loi, il y aurait peut-être deux religieuses à Sainte-Marie-Majeure qui pourraient me donner du travail. À part vous, je veux dire.

Il exagérait, bien sûr – mais un peu seulement, car je voyais parfaitement ce qu'il voulait dire. Du reste, nous n'avions pas de temps à perdre en tergiversations.

— Il faudrait que j'aille voir cet Alfonso, annonçai-je.

Tout de suite, David ajouta :

— Je viens avec toi.

— Cela ne lui plaira peut-être pas, prévint Benjamin. Il vaudrait mieux qu'on y aille seuls, Donna Francesca et moi.

Je voyais où le garçon voulait en venir : une femme accompagnée d'un enfant aurait forcément l'air moins menaçante qu'un homme de la stature de David. Il n'empêche que je fus soulagée de l'entendre repousser cette idée.

— N'y comptez certainement pas, trancha-t-il. Si le grand Alfonso a un problème avec moi, libre à lui de me le dire.

Mais à vrai dire je m'inquiétais davantage de ce que le roi des contrebandiers penserait de Benjamin en voyant qu'il avait osé amener des étrangers sur son domaine. Par respect pour la fierté du garçon je gardai le silence, mais me promis de m'assurer que notre venue ne lui causerait pas de tort.

Prenant congé de Sofia, qui nous implora de faire preuve de la plus extrême prudence, nous marchâmes jusqu'à la piazza di Santa Maria in Trastevere, qui borde une très vieille basilique consacrée à la Vierge Marie – même si d'aucuns disent qu'on y rend aussi un culte à des divinités bien plus anciennes. Comme à l'accoutumée, plusieurs femmes étaient attroupées autour de la fontaine octogonale, à tirer de l'eau mais surtout à échanger des ragots. Elles nous scrutèrent attentivement. Je détournai la tête et fus soulagée de ne pas entendre les messes basses reprendre sitôt après notre passage. En ce temps-là il y avait encore des quartiers où je pouvais me rendre sans être reconnue, même s'ils se faisaient de plus en plus rares. Adossés contre les murs des maisons en pierre, quelques apprentis passaient le temps en regardant les filles s'affairer à la fontaine, alors que leurs maîtres les avaient envoyés en mission. Se promenaient également là quelques jeunes nobles, qui donnaient comme d'habitude l'impression de chercher noise. Les plus ridicules d'entre eux se pavanaient en jouant des hanches de façon à faire ressortir leurs parties intimes, alors qu'ils les soulignaient déjà fort bien avec leurs pourpoints courts et leurs chausses aux couleurs bariolées. Ils étaient plus d'un à faire usage de ce rembourrage en crin de cheval qui faisait fureur depuis peu parmi une certaine catégorie d'hommes. Vraiment, j'étais étonnée qu'ils arrivent à marcher sans se cogner dans quelque chose ou quelqu'un à tout bout de champ.

Juste avant d'arriver à destination, David me glissa à l'oreille :

— Ne prends pas de risques inutiles avec cet homme, Francesca. Je n'ai jamais entendu parler de lui, et il n'est pas le seul vers qui nous pouvons nous tourner pour obtenir de l'aide.

Je ne m'explique pas pourquoi tous les gens que je connais, semblerait-il, croient que je me précipite toujours dans la gueule du loup sans réfléchir. Mais plutôt que de débattre sur ce point, j'en fis la promesse à David. Nous tournâmes dans une petite rue, qui se réduisit encore en une étroite venelle avant de se terminer, a priori, devant un mur recouvert de lierre.

— Es-tu certain de ne pas t'être trompé de chemin ? demandai-je.

Benjamin me gratifia d'un large sourire par-dessus son épaule, avant de passer la main sous le lierre et de l'écarter. J'aperçus alors une ouverture sombre, juste assez large pour qu'une seule personne y entre à la fois.

— Si tous les chemins ne mènent pas aux souterrains de Rome, il y en a quand même beaucoup, fit-il avec esprit alors que nous le suivions. De la bourse qui pendait à sa taille il sortit un silex, de la pyrite et une petite botte de paille séchée insérée dans un manche en acier, et provoqua l'étincelle qui alluma la torche avec une telle aisance que je ne pus m'empêcher de me demander à quelle fréquence, au juste, il s'aventurait dans les entrailles de Rome.

— Il y en a dans toute la ville, mais encore faut-il savoir où chercher, renchérit-il.

En guise de réponse, je me contentai de hocher la tête. Je me sentais oppressée par l'étroitesse du passage et les ténèbres impénétrables dans lesquelles nous nous étions engouffrés. Dieu merci je ne fais pas partie de ces malheureux qui ressentent un profond malaise dès qu'ils se trouvent dans un lieu clos, mais j'avoue que je fus tout de même soulagée d'apercevoir assez vite une faible lueur devant nous.

Elle s'avéra provenir d'un conduit qui donnait sur la rue au-dessus de nous, et laissait passer la lumière oblique de cette fin d'après-midi. À mesure que nous avancions, nous tombâmes sur d'autres ouvertures de ce type. Par bonheur je sentais une très légère brise qui faisait circuler l'air, sans quoi l'atmosphère aurait été au mieux confinée et au pire difficilement respirable.

— Ce n'est plus très loin, nous rassura Benjamin.

Et effectivement, nous débouchâmes peu après sur un passage plus large, éclairé de chaque côté par des torches fixées aux murs en brique et en pierre. Au bout, ces derniers s'élargissaient encore en une vaste pièce qui, à première vue, n'était qu'un gigantesque fouillis de caisses, barils, coffres et autres objets indéfinissables. Je dus attendre que mes yeux s'ajustent à la lumière pour apercevoir des silhouettes regroupées autour d'une tribune, tout au fond.

— Allez, venez, nous enjoignit Benjamin. Mais vous me laissez parler, d'accord ?

Nous l'en certifiâmes tous deux. Je tentai de me familiariser au plus vite avec mon nouvel environnement. Sur les murs je distinguai des traces à peine visibles de fresques, sur lesquelles des hommes et des femmes habillés comme dans l'Antiquité semblaient nous regarder avec plus ou moins d'emphase et d'amusement. Ici et là, le sol était jonché de mosaïques qui autrefois avaient dû le recouvrir entièrement. Les lieux sentaient la vieille pierre, la poussière, la terre et la fumée de feu de bois. J'en arrivai à la conclusion que nous nous trouvions dans une villa enfouie depuis bien longtemps sous les différentes couches de construction de la ville, et de nouveau occupée, à présent, par des individus qui avaient toutes les raisons de vouloir passer inaperçus.

Benjamin nous pressa d'avancer vers l'estrade. Les fripons qui se trouvaient là (une vingtaine environ) étaient tous jeunes, voire guère plus que des enfants pour certains, et portaient un accoutrement bariolé, mêlant le gilet de brocart du noble à la mitre de l'évêque ou encore au pourpoint en cuir du soldat. Quelques garçons s'étaient rasé la tête, ce qui leur donnait une allure étrange d'oisillons à l'air féroce. Une poignée d'entre eux arboraient une entaille en forme d'étoile ou de croissant sur la joue, que je reconnus comme étant la marque des clans de malfaiteurs locaux. Ils étaient tous flanqués d'une ou plusieurs filles, suivant le rang qu'ils occupaient dans la bande. Toutes me dévisagèrent avec une franche méfiance.

Alfonso le Premier, *re dei contrabbandieri*, se prélassait au centre de ce tableau sur un fauteuil doré si délicatement sculpté que Borgia lui-même ne l'aurait pas renié, songeai-je. Il était à peine plus grand que moi en taille, mais avait l'air ne pas savoir quoi faire de ses membres maigrelets. J'estimai son âge à dix-sept ou dix-huit ans, ce qui en disait long sur les effets néfastes de la vie à Rome sur les pauvres : moins de la moitié d'entre eux verraient leur vingtième anniversaire. En ajoutant à cela les dangers liés à l'existence d'un contrebandier, ce n'était guère surprenant que ses rivaux plus âgés aient été éliminés.

Deux jeunes filles qui ne devaient pas avoir plus de quinze ans se tenaient à ses côtés, une main sur chaque cuisse et penchées au plus près pour exhiber leurs petites poitrines. Elles étaient blondes et à première vue semblaient être sinon jumelles, au moins sœurs.

Rien dans l'apparence d'*il re* ne permettait d'expliquer son ascension aux dépens des autres, hormis la lueur dure dans ses yeux, signe d'intelligence et de volonté.

— Qui avons-nous là ? s'exclama-t-il d'une voix légèrement haut perchée mais ne manquant pas pour autant d'autorité.

— Des amis, *padrone*, répondit Benjamin en se gardant bien de montrer la peur qu'il devait ressentir – comme moi, du reste. Nous étions entourés de brigands tout disposés à obéir à leur chef sur un simple claquement de doigt. À la surface, personne ne savait où nous étions exactement. Si nous ne revenions pas à l'air libre, nous irions simplement rejoindre la cohorte des disparitions inexpliquées de Rome, sur lesquelles on s'interrogeait de temps à autre, avant de les oublier de nouveau.

Inclinant la tête avec une véritable déférence, Benjamin s'approcha du trône.

— Ils sont venus te demander de l'aide, si tu avais l'extrême obligeance de leur accorder une audience ?

— Tu veux dire qu'ils sont venus tenter de l'acheter, rétorqua le roi des contrebandiers. Ses acolytes eurent un petit rire sinistre.

Je jetai un rapide coup d'œil à David, qui ne paraissait pas du tout amusé mais se contenait, Dieu soit loué.

Alfonso nous observa un moment, avant de nous gratifier d'un unique hochement de tête. Je pris cela comme le signe qu'il me donnait le droit de parler. Songeant qu'il valait mieux être prudente, je m'adressai à lui comme je le ferais en présence de Borgia lorsque ce dernier était passablement de bonne humeur mais nécessitait toutefois d'être pris avec des pincettes.

— Il est vrai, Signore, que l'on n'a rien sans rien et que nous ne songerions même pas à ce qu'il en aille autrement. Toutefois, nous espérons vous convaincre que notre intérêt et le vôtre se rejoignent s'agissant d'une affaire de la plus haute importance.

Était-ce parce que j'avais parlé à la place de David (on imagine toujours que c'est l'homme qui prendra l'initiative), ou bien *il re* était-il naturellement circonspect ? Toujours est-il qu'il réfléchit un long moment à ce que je venais de lui dire. À la fin, il me demanda :

— Et quelle est cette affaire ?

— Nous sommes à la recherche d'un individu récemment arrivé à Rome. Nous avons de bonnes raisons de croire qu'il se sert des passages souterrains pour circuler en toute discrétion à travers la ville. Cet homme est très dangereux. Il doit être arrêté.

— À vous entendre, on dirait un genre de criminel, rétorqua Alfonso, déclenchant des éclats de rire approbateurs.

— Si seulement vous disiez vrai. Mais le fait est que c'est un fou qui nous fait courir à tous un immense péril.

À la mention de la folie, son expression se fit grave. Tous les gens sensés présument que cet état est le signe que l'on est possédé par le

Diable. Soit ceux qui en sont affligés ont commis un péché si grand que les démons se sentent autorisés à prendre leur âme, soit ils ont manqué à tous leurs devoirs de chrétiens en ignorant les préceptes de l'Église, en n'obéissant pas à ses prêtres, en ne versant pas la dîme ou que sais-je encore. Dans tous les cas, ils sont responsables de leur malheur. L'idée que la folie soit une maladie physique comme les autres n'est envisagée que par un très petit cercle de savants qui ont lu les écrits des médecins arabes et d'autres qui, comme eux, ont disséqué le cerveau et ainsi pu élaborer des théories quant à son fonctionnement.

Je n'avais pas de réelle opinion s'agissant de ce qui poussait Morozzi à agir aussi vilement. Mon intérêt à son égard n'allait pas plus loin que de mettre un terme à tout cela en lui ôtant la vie.

Le roi des contrebandiers plissa les yeux.

— Et quel genre de danger représente-t-il pour moi ?

J'étais réticente à l'idée de lui répondre à portée de voix de ses compères. C'est ainsi que je me penchai légèrement et lui demandai poliment :

— Puis-je approcher ?

Il hésita, se méfiant sans aucun doute. Mais après tout je n'étais qu'une jeune femme et ne semblais pas exactement menaçante, et mes vêtements suggéraient un certain rang, qui plus est.

D'un même geste de la main, il congédia les blondes et me signifia de venir. Je m'approchai tout près et parlai à voix basse pour être bien sûre que lui seul m'entende.

— Combien reversez-vous à Borgia, Signore, deux dixièmes de vos bénéfices ?

Il fronça les sourcils, peut-être à m'entendre parler aussi librement du pape et de sa propension à réclamer sa part du moindre gâteau. Mais probablement aussi parce que je semblais bien mieux informée que mon apparence ne le portait à croire.

— Moins que ça.

Je fis mine d'être impressionnée, même si je doutais fort qu'il soit honnête avec moi. Depuis son accession à la papauté, Borgia avait accentué sa mainmise sur tous les aspects de la vie romaine. Personne ne pouvait faire affaire sans lui payer ce qu'il considérait comme son dû, pas même le plus rusé des contrebandiers.

— À votre avis, combien exigera son successeur ?

— Vous voulez parler de ce donneur de leçons, della Rovere ? Le bruit court qu'il commence à prendre la religion très au sérieux.

— Ce qui serait tout à fait intolérable, j'en conviens. Mais oubliez-le, ce n'est pas de lui dont je parle. Si je vous dis Savonarole ?

Je prenais visiblement Alfonso de cours. À cette distance je voyais que son visage portait les cicatrices de la variole, et qu'il avait un œil qui louchait.

— Ce chien du seigneur qui ne cesse de rabâcher comment il va s'y prendre pour purifier le monde ?

J'acquiesçai d'un signe de tête.

— L'homme que nous recherchons travaille pour lui. S'il parvient à ses fins, il diffusera la cause de Savonarole à Rome. De là à ce que l'homme lui-même n'arrive ensuite ici…

Il prit une profonde inspiration, et se pencha en avant.

— Qui es-tu ?

— Je m'appelle Francesca Giordano.

Il re dei contrabbandieri devint soudain très pâle. Il se laissa aller en arrière dans son grand fauteuil en me fixant d'un air incrédule.

— Ce n'est pas possible. Cette femme est vieille et pleine de verrues.

— Parce que c'est une *strega* ? Songez-y, pourquoi diable une sorcière qui se respecte prendrait-elle l'apparence d'une vieille femme laide ?

Il re réfléchit à cela sans me quitter des yeux. Lentement, il hocha la tête.

Je lui souris ; c'était le moment de faire mon offre.

— J'aimerais être votre amie.

Nous voulons tous avoir des amis, et plus ils peuvent nous

être utiles, mieux c'est. Le roi des contrebandiers ne faisait pas exception à la règle. Il ne mit pas longtemps à peser le pour et le contre : pourquoi s'exposer à l'animosité d'une redoutable sorcière qui avait de surcroît l'oreille du pape, lorsqu'on pouvait l'avoir de son côté ?

— Et je souhaite être le vôtre, Donna Francesca, répliqua-t-il prestement. Dites-m'en un peu plus sur cet homme qui nous pose problème à tous les deux.

Je m'exécutai, lui fournissant entre autres choses une description détaillée de Morozzi et l'avertissant du fait qu'il serait peut-être accompagné par des membres d'Il Frateschi. Je lui fis ensuite promettre de me contacter dès qu'il apprendrait quelque chose, et nous prîmes congé. J'étais rassurée de savoir que le prêtre fou était désormais recherché de toutes parts ; il ne me restait plus qu'à espérer voir les langues se délier rapidement.

Lorsque nous émergeâmes à l'air libre, la ville baignait dans la douce lumière d'un soir de printemps. David insista pour me raccompagner jusque chez moi, et j'acceptai volontiers. Savoir que le couteau reposait dans son fourreau de cuir sous ma robe me réconfortait quelque peu, mais pour sûr je me réjouissais d'avoir sa compagnie et celle de Benjamin.

À cette heure, la plupart des citoyens de Rome étaient pressés de terminer leur journée et de se retirer pour la nuit. Les marchands fermaient boutique en fixant les grands volets en bois sur leur devanture. De la lumière brillait aux fenêtres du dessus, là où la famille se rassemblerait bientôt pour souper. Les derniers serviteurs envoyés en course par leurs maîtres s'en retournaient aux palazzi au son des sabots de leurs chevaux résonnant sur le pavé. Ceux qui tiraient les charrettes à bras se hâtaient de rentrer pour ne plus avoir à subir les sempiternels grincements de leurs roues en bois. Les pigeons regagnaient leurs perchoirs, tandis que les mouettes qui avaient osé s'aventurer à l'intérieur des terres depuis le port d'Ostie décrivaient un dernier cercle dans le ciel avant de repartir vers la mer. Dans une heure environ, lorsque la nuit serait vraiment tombée, une autre Rome s'éveillerait – peuplée de maquereaux et leurs catins, de patrouilles armées de gourdins et de filous, de fournisseurs d'opium pour ceux qui pouvaient se le permettre, et d'infâme piquette pour les autres. Tous ces gens-là et davantage encore allaient s'emparer de la ville pour la nuit, mais aussi devoir la partager avec ces autres habitants pour lesquels j'avais une aversion toute particulière : les rats.

Une fois dans ma rue je dis adieu à mes compagnons, et ajoutai :

— Nous retrouverons Morozzi, d'une manière ou d'une autre. J'en suis certaine.

David s'efforça de sourire, mais n'y réussit guère. Il plaça un bras autour de l'épaule de Benjamin, un geste simple de protection et de réconfort qu'il offrirait, s'il le pouvait, à tous les enfants menacés par les fanatiques de l'espèce de Morozzi et Savonarole – et tout autant par les della Rovere de ce monde, qui agissent aveuglément et pour leur seul bien. À côté d'eux, Borgia paraissait presque inoffensif.

— Prions pour que cela arrive au plus vite, répliqua-t-il.

Je les regardai s'éloigner avant de tourner dans ma rue. Portia était encore à son poste. Elle leva un sourcil en me voyant arriver.

— Vous vous croyez maligne à le tourmenter de la sorte, c'est ça ?

Je feignis de ne pas comprendre, mais cela ne l'arrêta pas.

— Comment espérez-vous retenir un tel homme si vous êtes tout le temps fourrée Dieu sait où ? J'avoue que ça me dépasse.

Espérais-je vraiment retenir César ? La question me prit au dépourvu. Nous nous connaissions depuis si longtemps, et étions devenus amants si facilement que je n'avais guère songé à l'avenir jusque-là. Au contraire de ces écervelées qui se pâment de plaisir dès qu'on leur chante la sérénade, je n'avais pas le moindre intérêt pour ce genre de chose. Comment un être tel que moi l'aurait-il pu, quand on sait combien l'amour est une affaire difficile, parfois impossible, pour les gens normaux ?

Mais ce n'était pas la seule raison pour laquelle je n'avais jamais songé à un éventuel avenir avec César : le fait était que je n'envisageais pas d'avenir du tout. Mes projets n'allaient pas au-delà du jour, prochain (l'espérais-je), où je tuerais Morozzi ; de ce qu'il adviendrait après cela, je n'en avais aucune idée.

Je méditai sur cela en montant les escaliers menant à mon appartement, ouvris la porte et tombai nez à nez avec le fils de Jupiter qui me regardait d'un air furieux.

15

César se tenait là, les mains sur les hanches et un soupçon de sacrilège dans le regard.

— Tu ne lui as pas fait de mal, n'est-ce pas ? Dis-moi que non. Ce n'est pas nécessaire. J'aime les enfants, tu sais, j'en ai deux – du moins pour autant que je le sache. Je m'en occupe bien, et de leurs mères aussi. Tu ne devrais pas penser qu'il en irait autrement avec toi. Au contraire, je…

Je compris alors que Renaldo avait répété l'explication fantaisiste que j'avais si inconsidérément fournie pour justifier mon absence et que César, l'entendant, en était aussitôt arrivé à la mauvaise conclusion.

J'avoue que sa réaction me toucha. J'étais exaspérée, pour sûr, mais je me sentis aussi émue à un point plutôt troublant, je dois dire.

— Il n'y a pas d'enfant, expliquai-je en refermant la porte derrière moi. Et non, je ne veux pas dire par là qu'il n'y en a plus ; il n'y en a jamais eu pour commencer. J'ai demandé à Renaldo de dire cela pour que Sa Sainteté ne s'irrite pas de mon absence. Il ne m'est jamais venu à l'esprit que cela te reviendrait aux oreilles et que tu t'en inquiéterais.

— Alors tu n'es pas enceinte ?

Il réussit à avoir l'air à la fois soulagé et déçu.

— Je prends mes précautions.

— Mais c'est contre la volonté de Dieu !

— Pour l'amour du ciel, César, tu t'entends parler ?

J'étais trop lasse pour entamer un débat à ce sujet, n'ayant en tête qu'un bon bain, un dîner léger et un repos bien mérité. Mais c'était compter sans mon amant ténébreux. Je ne saurais dire si c'est l'idée de sa descendance qui l'avait fait réfléchir, ou bien s'il avait été pris d'une soudaine envie d'être prévenant ; toujours est-il qu'il avait inondé ma chambre de roses, et fait disposer une table recouverte d'une nappe blanche et de tous mes mets préférés.

Que pouvais-je faire, sinon mettre de côté ma fatigue et m'abandonner à ce fugace moment ? Nous fîmes un festin de ce bon vin rouge d'Ombrie (un peu plus que de raison peut-être) et de tous ces succulents plats, jusqu'à ce que son insistance pour lécher de sa langue experte la moindre miette sur mes doigts devienne par trop distrayante.

Peut-être jugerez-vous cela peu vraisemblable si je vous dis qu'un homme tel que lui, né avec autant de privilèges, était déterminé à constamment s'améliorer ; mais le fait est que César croyait beaucoup à la faculté, pour ne pas dire au devoir, qu'a l'homme de forger sa destinée. À cette fin, il avait fait sa propre analyse et en était arrivé à la conclusion que si à bien des égards il avait de quoi faire l'admiration, il était en revanche dépourvu d'une vertu en particulier :

La patience.

Le choix qu'il avait fait de la cultiver dans les affres de la passion pourrait sembler peu orthodoxe, mais laissez-moi vous dire que cela fonctionnait – et ne fonctionnait que trop bien.

— Assez ! m'écriai-je à la fin. Pour lui signifier que je ne plaisantais pas, je plantai mes ongles dans ses larges épaules.

Il leva la tête d'entre mes cuisses et m'offrit un sourire vorace.

— Encore un tout petit peu.

Alors que j'étais au bord du précipice, retenue seulement par sa langue bien trop adroite et sa connaissance pour le moins troublante de mon corps ? Telle une marionnette dont il jouirait à sa guise ? Je ne croyais pas, non.

— Par le diable, César, je vais t'en faire autant si tu ne…

— Si je ne quoi, Francesca ?

Et aussi aisément que cela, il glissa de toute sa longueur sur moi, puis en moi. Mon halètement se transforma en gémissement, et je me cambrai. Tous les fantasmes des tourments que j'allais lui infliger furent oubliés.

— *Maintenant*, le pressai-je en l'étreignant farouchement.

— Tout vient à point à qui sait attendre, murmura-t-il, mais cela ne l'empêcha pas de bouger exactement comme j'avais envie qu'il le fasse, tout en douceur, en finesse, et il était diablement bon pour un homme qui par certains aspects n'était encore qu'un adolescent. Un étrange mélange de sensations explosa alors en moi : le plaisir, bien entendu, d'une intensité bouleversante, mais juste après une vague de tendresse qui me fit l'étreindre fermement et le garder tout contre moi, comme si je pouvais à moi seule le protéger de tous les dangers qui guettaient au-delà de notre petit nid douillet.

C'était idiot de penser en ces termes, assurément ; César représentait lui-même un danger pour quiconque avait la folie de croiser le fer avec lui. Pourtant, lorsque le moment de la libération fut passé, laissant mon corps tout ramolli, je le berçai tout en lissant les boucles en sueur qui recouvrait sa nuque pâle, cette zone secrète qui ne voyait presque jamais le soleil et restait par conséquent aussi douce que la peau d'un bébé.

Quelque temps après, alors qu'une aube blême commençait à pointer au-dessus des toits, je bougeai entre les bras de César. Il grommela quelque chose que je ne compris pas et se retourna, emportant les couvertures dans son sillage. Je me redressai. Mon corps me faisait l'agréable impression d'être reposé, mais s'agissant de mon esprit c'était une tout autre affaire. Je le sentais agité et en sérieux manque d'occupation.

Je fis mes ablutions intimes, donnai à manger à Minerve et me retrouvai devant la table où j'avais posé tous mes instruments, parmi lesquels divers objets en verre qui me servaient lors de mes expériences, ainsi que le sablier à l'aide duquel j'en mesurais la durée. Non loin se trouvait la bibliothèque où j'avais disposé mes livres, dont certains étaient récents mais bien davantage étaient des manuscrits écrits par mon père et qui m'étaient revenus à sa mort.

Mon cerveau bouillonnait toujours, et je me mis à réfléchir à la façon d'éliminer della Rovere. Cette mission était un casse-tête terriblement excitant pour moi, je le reconnais. Ainsi que Vittoro l'avait suggéré, l'assassin qui n'a que faire de sa survie est capable de commettre tous les crimes. Mais comme ce n'était pas mon cas (sauf s'agissant de Morozzi), il me fallait trouver un autre moyen.

Ainsi, comment franchir les diverses barrières de sécurité constituées par les gardes du cardinal et son propre empoisonneur ? Comment m'assurer qu'il mange, boive ou touche quelque chose qui s'avérerait fatal pour lui ? Et comment accomplir tout cela sans que Borgia en soit immédiatement tenu pour responsable, ce qui aurait pour effet d'annuler tous les bénéfices que la mort du cardinal pourrait lui apporter ?

Certes, d'ordinaire empoisonner sert à instiller la peur et en définitive, à se faire obéir. Par conséquent quiconque a donné l'ordre d'en finir avec quelqu'un souhaite en général au minimum qu'on le suspecte, afin d'obtenir l'effet voulu. Or, ce n'était pas le cas ici : Borgia ne pouvait se permettre de donner au roi de France une quelconque excuse de déclarer la guerre. Si le cardinal mourait, Sa Sainteté devait être en mesure de déplorer la perte tragique d'un prélat respecté, certes quelqu'un avec qui elle avait eu des différends mais qui, par charité chrétienne, n'en était pas moins pleuré.

J'étais bien obligée de le reconnaître, c'était un problème auquel je n'avais pas de solution toute faite. Jusque-là, toutes les méthodes d'empoisonnement éprouvées impliquaient un certain degré de proximité avec la victime, c'est-à-dire d'avoir l'occasion à un moment donné d'introduire une poudre ou une potion mortelles, quand bien même la personne aurait fait l'objet de la plus grande vigilance.

Comment accomplir une telle prouesse, dans le cas qui nous

occupait ? Que pouvais-je donc introduire *incognito* dans la maison de della Rovere, tout en sachant raisonnablement que cela l'atteindrait lui avant que cela ne tue quelqu'un d'autre – et ce faisant, l'alerte du danger ?

Une seule réponse me paraissait possible. Je devais me procurer un poison qui ne fonctionne pas tout de suite, qui nécessite une exposition prolongée pour faire effet. Je songeai bien à l'arsenic, mais cela prendrait trop de temps. Il me fallait une autre idée.

C'était précisément ce que je m'évertuais à trouver lorsque César apparut à la porte du salon, nu.

— À quoi penses-tu ? demanda-t-il en se grattant distraitement le torse.

— À toi, bien sûr, lui répondis-je en souriant.

Une heure plus tard, il partait voir son père ; quant à moi, j'avais eu tout le temps de me préparer et de réfléchir à comment procéder par la suite. Une petite marche parvenant toujours à m'éclaircir l'esprit quand j'en avais besoin, je me mis en route et me retrouvai bientôt au Campo dei Fiori, non loin de l'échoppe de Rocco.

De crainte que vous ne pensiez du mal de moi en songeant que je quittais les bras de mon amant pour aller retrouver l'homme que j'avais failli épouser, je me permets de vous rappeler que le destin d'hommes et de nations était en jeu. Par ailleurs, je n'ai jamais prétendu être autre chose que contrariante dès lors qu'il s'agit des affaires de cœur.

Nando se faisant présentement dorloter chez Vittoro et Felicia, l'avant de l'échoppe était vide et je dus faire le tour pour trouver Rocco. Il était dans la cour arrière, en train de travailler torse nu au soleil du matin, penché au-dessus d'une table sur laquelle il avait posé une petite meule actionnée par une pédale à pied. Je pris le temps de l'observer à ma guise. Le soleil avait doré sa peau, qui était presque rougissante au niveau des épaules. Ses cheveux étaient retenus en arrière par une lanière de cuir pour ne pas les avoir dans les yeux, et il avait l'air très concentré sur son travail. Même ainsi, ne bougeant que ses mains, il était l'image même de la grâce.

Je m'éclaircis la gorge. Il s'arrêta aussitôt, laissant la meule tourner, et se retourna pour regarder qui était là. À ce moment-là seulement remarquai-je le tissu qu'il s'était mis sur le nez et la bouche pour se protéger.

Il l'abaissa et me sourit.

— J'étais justement en train de penser à toi.

Que Dieu me pardonne, je rougis comme une jouvencelle et l'espace d'un instant ne trouvai plus mes mots.

Rocco se leva et s'essuya les mains.

— Guillaume est venu me voir. Il sent qu'il se trame quelque chose, mais il ne sait pas précisément quoi.

— Ah bon ?

Pour sûr je voulais entendre tous les détails, mais il me fallait d'abord recouvrer le peu de dignité que je possédais encore. Pour ce faire, je m'approchai de sa table de travail.

— Que fais-tu là ? m'enquis-je avec le plus grand sérieux.

— Je m'exerce à polir des lentilles. On m'en demande de plus en plus, et je me suis dit que cela me ferait un bon complément. Cela reste du verre, après tout, alors j'ai pensé quand m'appliquant un peu, je devrais être capable de m'en sortir.

— Et c'est le cas ?

Il haussa les épaules.

— Disons que je m'améliore. Jusqu'à présent, c'est la poudre de diamant qui donne les meilleurs résultats.

— C'est ce dont tu te sers ? Rien qu'au nom, cela semble coûteux.

— C'est vrai, en convint-il, mais par rapport aux autres méthodes le résultat est incomparable. À force de m'entraîner, je devrais arriver à produire des lentilles que toi-même tu ne dédaignerais pas utiliser.

— Il me tarde de les essayer, en tout cas. Et maintenant, explique-moi ce que Guillaume t'a rapporté.

Nous retournâmes ensemble dans la relative fraîcheur de son

échoppe, où Rocco nous versa deux coupes d'eau glacée. De même que Sofia, il ne buvait jamais quoi que ce soit qui n'ait d'abord été bouilli et filtré. C'était une bonne chose, certes, que l'Aqua Virgo, l'aqueduc construit par les anciens Romains, ait été remis en état de marche quelque quarante années auparavant, par le pape Nicolas v. L'eau qu'il transportait jusqu'à Trevi était ensuite vendue en barils par des hommes et des garçons qui tiraient leurs bruyantes charrettes à toute heure du jour et de la nuit. Mais pour être fournis en eau la plupart des gens dépendaient encore de citernes qui étaient pleines ou vides selon les caprices du temps, ou bien de puits d'où l'on ne savait jamais si on n'allait pas plutôt remonter un seau d'argile. Sans parler des pauvres, à qui il ne restait que le Tibre, cet ignoble concentré d'immondices ; j'en avais l'estomac retourné rien qu'à l'idée d'être obligée de boire cette eau. Mais pardonnez-moi, je digresse – comme de coutume.

— Guillaume fait état de dissensions parmi les dominicains, expliqua Rocco. Le frère qui avait disparu il y a quelque temps a été repêché dans le Tibre, on ne peut plus mort. Il avait des trous à la place des yeux et on lui avait coupé la langue. Personne ne paraît savoir ce qui s'est passé, mais il se murmure que les actions d'Il Frateschi ont créé une atmosphère tellement malsaine que tout pourrait arriver.

— Selon eux c'est à la Fraternité que l'on doit ces horribles dessins qui fleurissent sur les murs de Rome ?

— En effet. D'après Guillaume, même ceux qui n'aiment pas Borgia pensent que rien de bon ne sortira d'une telle vilenie.

— Je suis heureuse de l'entendre. Peut-être arrivera-t-on à convaincre certains d'entre eux de nous aider.

— Guillaume en espère autant, mais il doit attendre le meilleur moment pour agir. S'il se montre trop pressant, il est probable qu'ils resserrent les rangs.

— Il fera de son mieux, j'en suis sûre.

— Comme nous tous, mais…

Il hésita alors, et je vis bien qu'il était en proie à une lutte intérieure.

— Francesca, à propos d'hier…

Et à propos de César, craignais-je qu'il ne dise ensuite. À propos du fait que le fils aîné de Borgia avait curieusement pris ombrage de notre étreinte en public.

— Tu as été bien malavisé de te mettre ainsi en danger, le coupai-je, préférant comme toujours passer à l'offensive. Tu aurais pu te faire blesser, ou pire encore.

— Mais comment étais-je censé savoir que ce freluquet allait arriver en se pavanant, et…

— Oublie-le, il n'est pas important. (Du moins je ne voulais pas qu'il le soit aux yeux de Rocco.) On est tous un peu tendus en ce moment, dans l'entourage de Borgia.

— S'il n'y a que cela…

— Et qu'y aurait-il d'autre ? Qu'es-tu en train d'insinuer ?

C'était une idiotie de ma part d'insister ainsi, c'est vrai, surtout lorsqu'on songeait que Rocco venait de me rappeler très récemment qu'il n'était pas homme à reculer devant un défi. Il me regarda droit dans les yeux.

— Tu es une femme libre, Francesca, qui n'est redevable qu'à la mémoire de son père. Je respecte cela.

— Mais… ?

— Il n'y a pas de mais. Je n'ai aucun droit de te juger, ni de juger ce que tu fais.

— Néanmoins, tu penses que je pourrais l'être, si tu n'avais pas la grandcur d'âmc dc rcnonccr à un tcl cxcrcicc ?

— Nous sommes tous jugés. Toi, moi, tout le monde, que nous soyons prêts à l'admettre ou pas. Dieu juge chaque instant de notre vie.

— Comme c'est bon de Sa part. Mais peut-être ferait-Il mieux de nous aider, à la place. (Je levai la main, enjoignant ainsi Rocco à garder pour lui les commentaires que lui inspirait mon dernier blasphème en date.) Et ne viens pas me parler de liberté. Je n'en vois vraiment pas l'intérêt, si le prix à payer est de se voir constamment rappeler ses insuffisances.

— Mais qui le fait ? Pas moi, en tout cas.

La vérité était que je n'avais pas besoin de son aide : j'y arrivais très bien toute seule. À chaque jour qui passait, que dis-je à chaque minute, je savais que je n'étais pas la femme que j'aurais voulu être. La femme qui aurait le droit de prendre la main de cet homme bon refusant de la réprimander alors qu'il devait pertinemment connaître la nature exacte de sa relation avec César. Qui, au lieu de cela, se contentait de me regarder avec tristesse.

— Ne nous fâchons pas, Francesca. Ainsi que tu l'as dit, nous sommes tous un peu tendus. Giovanni était un homme honorable, qui t'aimait tendrement. Pleure-le, si tu le souhaites. Traîne son assassin devant la justice si tu le peux. Mais laisse la vengeance à Dieu. Le poids d'un tel acte est trop lourd à porter, pour quiconque.

— À t'entendre tout est toujours si clair, constatai-je non sans un soupçon d'amertume. J'aurais pu arguer du fait que Rocco était même tellement dans la lumière qu'il finissait par en être aveuglé ; tandis que moi… à tout instant je devais aiguiser mes instincts, si je voulais survivre dans les ténèbres.

Mais malgré tout ce qui nous séparait, je ne pouvais me résoudre à être en désaccord avec lui. C'est ainsi que je lui touchai le bras en geste de réconciliation, et fus gratifiée en retour d'un léger sourire – qui n'atteignit malheureusement pas ses yeux.

Nous bavardâmes un peu plus, une conversation cordiale, triviale. Je quittai l'échoppe avec le sentiment que nous étions tous deux pleins de bonnes intentions, ce qui me rendit plus triste encore.

Ainsi qu'il en va avec mon esprit, avant longtemps mes pensées avaient pris une tout autre direction. Ou plutôt très ancienne, devrais-je dire. Inexplicablement (du moins c'est ce qu'il me sembla au départ), je songeai tout à coup à Pline : non pas le Jeune, qui nous a légué un récit fascinant de la destruction de Pompéi, mais à son oncle, Pline l'Ancien.

Celui-ci était imbattable dès lors qu'il s'agissait de classer les choses et les êtres, et il avait compilé toutes ses trouvailles dans son *Histoire naturelle*, une encyclopédie colossale dans laquelle nous puisons encore aujourd'hui. Pour les gens de mon espèce, il est plus particulièrement connu pour avoir affirmé que si l'on place un diamant dans une coupe ou tout autre contenant dans lequel a été versé un poison, la pierre précieuse en neutralisera les effets. Certains superstitieux sont allés jusqu'à avaler des diamants entiers, dans l'espoir que cela les protégerait.

De son côté, mon père avait été tellement impressionné par la sagesse plinienne qu'il était allé jusqu'à la tester, pour découvrir que son affirmation était a priori sans valeur.

Ainsi, toute la journée, tandis que je m'affairais au Vatican, je songeai à un Romain mort depuis des siècles par la colère du mont Vésuve et à sa fascination pour les diamants. Et je ne cessai aussi de revoir l'image de Rocco penché au-dessus de sa table de travail, se servant de poudre de diamant pour polir les plus minuscules imperfections du verre.

Cette nuit-là, tard, mes pensées en apparence sans queue ni tête se figèrent soudain en une possibilité. J'étais couchée avec Minerve pour toute compagnie, César ayant été envoyé par son père à Sienne, où Borgia conservait une partie de son argent plutôt que de le confier aux banques des Médicis. Une fois l'idée ancrée dans mon esprit toutefois, je ne pus faire autrement que sortir du lit, m'envelopper dans un châle et rester à réfléchir pour le restant de la nuit assise sur la banquette près de la fenêtre, tout en observant la ville endormie où tant de complots étaient ourdis et tant de destins scellés au nom du Christ et de l'Église.

16

Une autre semaine passa, durant laquelle je réussis à voir Lucrèce suffisamment de fois pour que mes craintes la concernant soient apaisées. Elle paraissait bien plus calme que cette fois où je l'avais vue si bouleversée par la cruelle lettre de César, et ne parlait plus de représailles. J'en eus le cœur net lors de ma troisième visite.

— Il m'a affirmé, me précisa-t-elle tout en nourrissant les pinsons qu'elle gardait dans des cages en osier au jardin, que l'unique raison pour laquelle il s'est élevé contre mon mariage est que notre père n'a pas vraiment l'intention de me donner sa bénédiction. César est persuadé que *papà* reste dans les bonnes grâces de la famille Sforza le temps d'arriver à un arrangement avec l'Espagne et Naples, après quoi c'en sera fini de mes noces.

Je doutais fort que César ait été aussi mesuré dans ses paroles, mais il y avait assurément du vrai là-dedans.

La conversation dévia ensuite vers son promis, et je l'écoutai m'en parler tout en dégustant des fraises et en me faisant éventer par deux nègres en culottes de satin. En mon for intérieur, je me disais qu'elle l'encensait bien trop pour ne pas être déçue le moment venu. Mais peut-être les faits me donneraient-ils tort.

— Ce sera une fête grandiose, s'enthousiasma-t-elle.

— Je n'en doute point, répondis-je car de toute évidence, malgré les craintes que je nourrissais, j'espérais que tout irait au mieux pour elle.

La pauvre se sentait très seule à cette époque-là, n'ayant que faire de dames de compagnie dont elle savait qu'elles étaient davantage des espionnes pour le compte de leurs familles qu'autre chose. La Bella venait la voir aussi souvent qu'elle le pouvait, mais la maîtresse de Sa Sainteté avait, paraît-il, une grossesse difficile. C'est ainsi que je m'attardai plus que je ne l'aurais dû, et restai auprès de Lucrèce même lorsque je vis la lumière de l'après-midi changer.

Pour être tout à fait honnête, j'avais aussi une autre raison de m'éterniser et d'entamer cette partie de cartes au jardin. Le temps était venu pour moi de dire à Borgia que j'avais peut-être trouvé le moyen d'éliminer le cardinal. J'étais toujours aussi réticente, d'abord et avant tout car une attaque de ce type ne se limiterait pas à lui seul mais tuerait également tous ceux qui auraient le malheur d'être dans les parages. Bien sûr, cela pouvait fort bien tomber sur les émissaires français, auquel cas leur perte suffirait peut-être à convaincre le roi que Dieu n'était pas favorable à son entreprise. Mais qu'en était-il des autres – les invités de passage, les domestiques, que sais-je encore ? Pour autant que je le sache, della Rovere n'avait pas de maîtresse en ce moment ; il était à ce point déterminé à se différencier de Borgia qu'il mettait un point d'honneur à avoir un comportement exemplaire. Mais il y avait toujours des femmes qui allaient et venaient dans les palazzi, se glissant par des portes dérobées et le long de passages secrets. Des garçons également, même si je ne m'étendrai pas sur ce point. Le fait est, pour conclure, que ma conscience était loin d'être réconciliée avec la mission que Borgia m'avait confiée, car je ne voyais aucune raison pour que d'autres périssent en même temps que son ennemi juré.

C'est ainsi que j'avais repoussé l'échéance, peaufinant mon plan, reconsidérant tel détail et tel autre, jusqu'à ce que finalement le dernier grain de sable soit tombé dans le sablier – et que le pape envoie un messager me chercher directement chez sa fille.

— Je dois y aller, annonçai-je en me levant à contrecœur. Dans mon malheur, j'avais au moins la chance que cette semonce ne me prenne pas au dépourvu.

Mes atermoiements devaient se voir, car Lucrèce me prit la main et me fit grâce d'un sourire où pointait l'espièglerie qui la caractérisait autrefois, lorsqu'elle n'avait pas encore endossé le rôle austère de la future promise.

— Reviens me voir et nous mangerons un sorbet, me dit-elle d'un ton enjoué. Au citron, ou à la prune si tu préfères. Je sais que tu aimes bien ce parfum.

Je l'en assurai, et la quittai pour me rendre au Vatican, où je fus prestement introduite dans le bureau papal. Mais Sa Sainteté avait déjà de la compagnie : Juan, encore lui. Je songeai qu'ils étaient peut-être en train de discuter de l'autre mariage grandiose qui, d'après la rumeur, était en préparation. Dans les tavernes romaines, on pariait à peu près autant que l'épouse du fils cadet de Borgia serait espagnole ou qu'elle serait française. À lui seul, ce choix signifierait peut-être que nous aurions la guerre ou la paix.

Je me serais retirée et aurais attendu dans l'antichambre un moment plus propice, mais Sa Sainteté me fit signe d'avancer.

— Te voilà enfin, Francesca. Je commençais à me demander si tu n'étais pas partie en vacances quelque part.

Je ne me donnai même pas la peine de prendre sa remarque au sérieux, sachant pertinemment que mon maître se tenait au courant de mes moindres faits et gestes. Toutefois je me tins tranquille, le temps qu'il feigne de me jauger.

Lorsqu'il parut satisfait de voir son message passé, je pris la parole :

— C'est que j'étais accaparée par mon travail, Votre Sainteté.

Il agita une main, comme pour écarter toute possibilité qu'il puisse en être autrement.

— Oh, je n'en doute pas une seconde. Reste à savoir à quel résultat tu es parvenue.

— Puis-je faire observer que vous me paraissez toujours en pleine forme ?

— Grâce à toi, tu veux dire ? Eh bien je suppose qu'il y a du vrai, mais cela ne suffit pas. Je croyais avoir été clair.

— Vous l'avez été, Votre Sainteté.

Je regardai discrètement Juan, qui ne faisait aucun effort pour dissimuler son dégoût à mon égard – était-ce à cause de mon métier ou bien du fait que son maudit frère partageait ma couche, je n'aurais su le dire.

— Pourrions-nous parler en privé, Votre Sainteté ?

Borgia plissa les yeux en entendant ma requête.

— En privé ?

— Oui, s'il vous plaît.

Juan semblait sur le point d'émettre une protestation lorsque son père y coupa court en lui montrant la porte.

— Donne-nous quelques minutes.

Le duc devint rouge comme une tomate et me décocha un regard courroucé – que dis-je, haineux. S'il ne me considérait pas comme une ennemie jusque-là, c'était désormais chose faite.

— Vos désirs sont des ordres, Père, fit-il avant de tourner les talons avec raideur, et de faire claquer délibérément les lourdes portes derrière lui.

Lorsque nous fûmes seuls, j'annonçai :

— J'ai longuement réfléchi au problème que vous m'avez soumis, et je pense avoir trouvé quelque chose qui va vous intéresser.

Je sortis une petite bourse de l'une des poches de ma robe. Après m'être approchée de son bureau, je dépliai un carré d'étoffe noire de la taille d'un mouchoir, le posai à plat devant lui et y versai le contenu de la bourse.

Borgia se pencha pour observer. Je le vis froncer les sourcils.

— On dirait du sel.

— C'est effectivement du sel, de la qualité la plus pure, pris dans votre réserve personnelle.

J'étalai un second carré d'étoffe noire à côté du premier et plaçai dessus une petite pochette que je déroulai avec soin.

— À présent, si vous aviez l'obligeance d'examiner ceci.

— Encore du sel, proposa Borgia au bout d'un moment.

Je secouai la tête.

— Eh bien non. C'est de la poudre de diamant. Cela coûte très cher ; j'ai dû l'emprunter à un ami.

J'étais retournée voir Rocco quelques jours plus tôt pour lui demander ce prêt quelque peu singulier. Il y avait consenti de bonne grâce, malgré mon incapacité à lui fournir d'explication.

— Si vous regardez à travers cette lentille, suggérai-je en en tendant une à Borgia, vous verrez que si les deux substances paraissent quasiment identiques à l'œil nu, elles sont en fait très différentes. Au contraire du sel, la poudre de diamant est constituée d'une quantité infinie de minuscules arêtes très pointues, et surtout impossibles à détecter pour qui n'a pas le bon instrument.

— Où veux-tu en venir ? demanda-t-il en s'exécutant.

— Sous cette forme, le diamant sert à polir les surfaces en les lacérant très finement. J'ai donc imaginé que l'on pourrait verser une certaine quantité de poudre de diamant dans du sel fin. Une fois ingérée, elle viendrait en contact étroit avec les tissus mous des intestins, où j'ai de bonnes raisons de croire qu'elle ferait de sérieux dégâts.

— Je croyais qu'ingérer des diamants permettait de se protéger d'un empoisonnement. D'ailleurs, je me suis toujours demandé pourquoi tu ne me conseillais pas de le faire.

— Parce que je tiens à votre santé, rétorquai-je. Certes, il y en a qui avalent un diamant entier sans difficulté, mais il y a toujours un risque qu'il aille se loger dans les viscères. S'ensuivent alors des douleurs aiguës jusqu'à ce que l'objet soit finalement expulsé. D'autre part, il n'existe aucune preuve que le diamant neutralise les effets d'un poison, n'en déplaise à Pline. Mon père a testé cette hypothèse en son temps, et il en était convaincu.

— D'accord, concéda Borgia lentement. Donc d'après toi, même si on le réduit en une fine poudre, le diamant restera assez coupant pour accomplir son œuvre. C'est bien cela ?

J'acquiesçai.

— La particule la plus infime contient toutes les caractéristiques de la pierre d'origine, et dans le cas présent les effets seront démultipliés, vu la quantité. Sans compter qu'il est aisé de la mélanger à du sel pour en masquer la présence. Ensuite, il ne resterait plus qu'à faire parvenir ce sel à Savone, où, à cause de sa qualité, il serait réservé à la table de della Rovere.

— Dès qu'il le peut, le cardinal montre combien il est pieux. Quand il dîne en public, il mange très peu.

Cela pouvait s'avérer un obstacle à mon plan, mais je sentis une certaine réserve dans la formulation de Borgia.

— En public ?

— C'est cela. En privé, il serait plutôt du genre glouton. Ce qui n'est pas vraiment la meilleure des idées, vu ses problèmes d'estomac.

— Vous êtes en train de me dire qu'il ne mange que lorsqu'il est seul ?

Le pape haussa les épaules comme si cela n'avait pas d'importance, alors qu'il savait forcément que c'était tout le contraire. C'était sa manière bien à lui de jouer avec ce qui passait pour être ma conscience.

— Comme je te l'ai dit, il aime bien faire étalage de sa piété.

— Mais c'est encore mieux. Il nous suffirait dans ce cas d'attendre qu'il en ingère une quantité suffisante.

— Combien de temps cela prendrait-il ?

— Je ne sais pas. Tout dépend s'il sale beaucoup ses plats. Mais admettons qu'il en ajoute régulièrement, disons plusieurs fois par jour : la poudre de diamant pourrait faire effet rapidement, selon moi.

— Dès qu'il sera malade on soupçonnera un empoisonnement.

— De toute façon, c'est le cas dès qu'un homme éminent meurt autrement qu'en tombant de cheval ou par l'épée – et encore, il faut que cela se passe devant une multitude de témoins pour qu'on y croie. Cependant, tout le monde sait que della Rovere est étroitement protégé, ce qui rend un empoisonnement difficile, voire improbable. Même si tout ce qui est en contact avec lui était inspecté encore et encore, je ne crois pas que quiconque songerait à la salière, et encore moins qu'il aurait l'idée d'en examiner le contenu à l'aide d'une lentille.

— Une fois tombé malade, objecta Borgia, le cardinal arrêtera peut-être de s'alimenter.

— Je vous l'accorde, fis-je. Mais ma conviction est que ses parois intérieures seront déjà tellement lardées de fines coupures qu'il lui sera impossible de guérir. En outre, tous les médecins savent que les lésions à l'abdomen dégénèrent souvent en maladie, même s'ils sont incapables de dire pourquoi. Et c'est cela, au final, qui le tuera.

Borgia y réfléchit un petit moment. Il examina de nouveau le sel, puis la poudre de diamant, avant de dire enfin :

— C'est ce que tu as réussi à trouver de mieux ?

— Au vu des difficultés à prévoir, oui.

— Et pourtant tu as hésité à me faire part de ton idée jusqu'à maintenant. Pourquoi ?

— Je n'ai que très récemment…

— Que nenni, tu étais fin prête et avais tout à portée de main. Manifestement, tu as eu amplement le temps d'examiner le problème, et par le menu, encore.

Il me tenait. Pas un instant je ne songeai à lui révéler que j'avais eu d'autres complots à ourdir en marge de celui-ci. Et encore moins que j'avais des scrupules quant au meurtre du cardinal.

— C'est-à-dire que c'est une idée plutôt onéreuse, rétorquai-je à la place.

— Mais encore ?

— Prodigieusement onéreuse, étant donné la quantité de diamants nécessaire, d'après mes calculs. De fait, je ne crois pas exagérer en affirmant que c'est le poison le plus cher qui puisse exister.

Borgia soupira. Il se passa une main sur les bajoues et me regarda.

— En d'autres termes, tu me demandes de mettre un prix sur la mort de della Rovere.

— En substance, oui.

Je ramassai le sel et, avec davantage de soin, la pochette de Rocco. Une fois la lentille et cela rangés, je lui proposai :

— Souhaiteriez-vous réfléchir à la question ?

— Peut-être vaudrait-il mieux, effectivement. Quelqu'un d'autre est-il au courant ?

— Pas que je le sache. C'est pour cette raison que j'ai demandé à vous parler en privé.

— Tu n'as pas pu le lire dans l'un des livres que ton père t'a légués ? Ou en avoir entendu parler par lui ?

Je secouai la tête.

— Je crois en toute honnêteté être la première à y avoir pensé. Bien sûr, il ne faut pas perdre de vue que les anciens avaient une grande connaissance des poisons, dont la majeure partie n'est pas arrivée jusqu'à nous, malheureusement. Mais dans tous les cas…

— As-tu réfléchi au moyen de s'en prémunir ?

Je comprenais sa soudaine préoccupation. J'avais beau être a priori la première empoisonneuse (du moins, à mon époque) à découvrir de nouveaux usages à la poudre de diamant, cela ne voulait pas dire que je serais la dernière. Si le prix restait prohibitif pour quasiment tout le monde, il suffirait d'un seul prélat (ou monarque) ambitieux, prêt à tuer à n'importe quel prix… littéralement.

— J'ai découvert que si le sel se dissout dans l'eau, ce n'est pas le cas de la poudre de diamant. Je ne saurais vous dire pourquoi, mais je crois que cela a à voir avec la dureté de la gemme qui ne change pas, même transformée en la plus fine des poudres.

— Et tu es bien sûre que cela ne viendra pas à l'esprit de son empoisonneur de lui faire subir ce genre de test ?

— Dans notre métier chacun sait que le sel est difficile à empoisonner – tout au moins jusqu'à maintenant. S'il ne connaît pas cette méthode, il n'a aucune raison de vouloir l'examiner avec un tel soin.

Mes explications parurent le satisfaire, mais pas assez pour prendre une décision sur-le-champ ou, du reste, me demander de le laisser. Par conséquent, je restai debout sans bouger pendant que Borgia était plongé dans ses pensées. Finalement, au moment où je me demandais si peut-être je devrais m'éclipser, il se redressa et m'adressa de nouveau la parole :

— D'après toi je ne devrais pas le faire, n'est-ce pas ?

— J'ai suivi vos instructions…

— Pour au final me faire part d'une idée qui va me coûter les yeux de la tête et n'est même pas garantie de fonctionner. On ne peut pas exactement dire que tu m'incites à agir.

— Vous m'en voyez désolée, si mes efforts ne sont pas à la hauteur de vos attentes…

— Ce n'est pas ça, m'interrompit-il promptement. Ton idée est ingénieuse. Comme je te l'ai déjà dit, tu as le don de trouver des solutions novatrices. Non, ce n'est pas toi le problème.

J'étais contente de l'entendre. Comme j'étais contente qu'il ne se soit pas précipité pour ordonner la mort de son ennemi. Peut-être était-ce le coût qui le faisait reculer, mais j'espérais qu'il avait d'autres raisons.

— Tu es au courant pour l'émissaire espagnol qui arrive d'ici peu ? me demanda Borgia.

— J'ai entendu des rumeurs, comme tout le monde.

— Je n'en doute pas une seconde. As-tu parlé récemment à tes amis juifs ? Je suis certain qu'ils ont encore des sources dignes de ce nom en Espagne. Comprennent-ils que je me trouve dans une situation extrêmement délicate, en ce moment ?

— Vous avez besoin du soutien de Leurs Majestés très catholiques pour empêcher une guerre entre la France et Naples, guerre dont della Rovere espère se servir pour vous destituer. Mais le prix qu'ils en demandent semble augmenter de jour en jour.

— La *Novi Orbis* ne leur suffit plus, me confirma Borgia avec un dégoût palpable. Voilà qu'ils veulent voir l'alliance avec les Sforza rompue et, pour faire bonne mesure, les juifs expulsés. Si je les écoutais ils me déposséderaient de tous mes alliés, et ensuite je leur serais redevable pour la moindre peccadille. Mais le pire, c'est qu'ils ne réfléchissent pas. Comment est-ce possible que des individus ayant autant de pouvoir puissent être en même temps de tels benêts ?

Je n'avais pas la prétention de croire qu'il souhaitait vraiment connaître mon opinion en la matière, mais je me sentis tout de même obligée de dire quelque chose.

— À quel propos manquent-ils de réflexion, Votre Sainteté ?

— Mais de l'expulsion des juifs, bien sûr ! Ils n'ont que ce mot à la bouche. Se demandent-ils pourtant jamais en quoi est-ce utile de les avoir ? Alors que la réponse est évidente : dès qu'il y a un problème, qui le commun des mortels blâme-t-il ? Les juifs. Aux premiers signes de la peste, d'une mauvaise récolte, de la sécheresse, de n'importe quoi à vrai dire, on rejette la faute sur eux. Et si les juifs n'étaient plus là, à qui s'en prendraient-ils, d'après toi ?

— Je ne sais pas, Votre Sainteté.

— À notre sainte Église, voilà à qui, pour n'avoir pas su empêcher tous les maux de ce monde. Dès lors, combien de temps penses-tu que les gens continueraient à obéir à nos lois, à nous verser la dîme, à nous léguer leurs biens en échange du salut de leur âme ? Il n'y a pas de doute, on devrait fermer boutique en un clin d'œil.

Il soupira longuement et se laissa aller en arrière dans son fauteuil.

— C'est bien simple, si les juifs n'existaient pas, il nous faudrait les inventer.

Je dois admettre n'avoir jamais envisagé les choses sous cet angle auparavant, mais il y avait une certaine logique dans ce qu'il disait. Depuis la fin de la *reconquista* l'année précédente par Ferdinand et Isabelle, il n'y avait plus assez de Maures en Europe pour faire office de boucs émissaires dès que les choses allaient mal. Quant aux sorcières, vraiment, combien allaient-ils réussir en brûler avant que le peuple finisse par protester à l'idée que leurs épouses, leurs filles, leurs sœurs, leurs mères, leurs tantes subissent un sort aussi effroyable ?

Pour sûr, cela intéresserait beaucoup Sofia et David d'entendre la théorie du pape sur les juifs. Je devrais me souvenir de leur en parler, la prochaine fois que j'irais les voir. Mais eu égard à son humeur du moment, je sentais que je ferais bien de ne pas trop m'éloigner de Sa Sainteté, pour l'instant.

C'est ainsi que je restai travailler jusqu'à la fin de la journée au palais, puis m'en retournai chez moi avec un gigot d'agneau que j'avais discrètement subtilisé – l'un des privilèges, grands et petits, à être au service du pape. Je le confiai dès mon arrivée à Portia et ses mains capables. César n'étant toujours pas revenu en ville, nous le dégustâmes en tête à tête chez elle, accompagné d'asperges fraîches et d'un bon vin rouge. Minerve eut elle aussi sa part et me parut satisfaite, au vu de ses ronronnements sonores.

Ce soir-là, je dormis mieux qu'à l'accoutumée – et j'aurais certainement prolongé ma nuit de quelques heures, si elle n'avait été écourtée par des coups frappés à ma porte peu avant l'aube.

Enveloppée dans mon châle, j'ouvris tant bien que mal et me retrouvai soudain face à une demi-douzaine de condottieri et leur chef, qui tenait dans ses mains une grande bourse en cuir.

— Avec les compliments de Sa Sainteté, s'exclama-t-il en me la remettant.

Sur ce, les hommes se retirèrent au pas de course, ce qui ne manqua sans doute pas de réveiller les derniers locataires de l'immeuble encore endormis. Portia sortit à son tour, les yeux tout ensommeillés. Je l'interpellai du haut des escaliers pour lui dire que tout allait bien, et refermai ma porte.

À ma table de travail, j'ouvris la bourse et jetai un œil à l'intérieur. Dans la faible lueur de l'aurore, je vis ce qui me parut être une infinité d'étoiles brillant d'une lumière froide, inhumaine.

Ainsi donc, Borgia avait pris sa décision.

Don Diego Lopez de Haro, l'émissaire espagnol, arriva comme prévu à Rome en grande pompe, apportant avec lui des déclarations fort bien tournées de Leurs Majestés très catholiques, qui assuraient le souverain pontife de leur obédience toute filiale. Les négociations commencèrent ; aussitôt, les rumeurs les plus extravagantes se mirent à circuler. Le pape se montrerait très froid envers de Haro. Il aurait écourté l'un de leurs entretiens (pourtant prévu), et en aurait complètement manqué un autre. Son courroux commencerait à se voir. Il aurait préféré qu'une mission d'une telle importance soit confiée à quelqu'un de lignée plus noble que de Haro. Il aurait pris l'habitude d'interrompre l'Espagnol, et semblerait peu disposé à le laisser parler. Il aurait élevé la voix… Il aurait crié… Un vaisseau de son œil aurait éclaté à force de crier… Il aurait envoyé un vase d'une valeur inestimable à la tête de l'émissaire, avant de le jeter dehors. Quant à de Haro, il aurait déclaré qu'il n'y retournerait pas tant que sa sécurité ne serait pas convenablement assurée.

Tout n'était pas vrai, mais tout n'était pas faux non plus. L'incident du vase, par exemple, avait été exagéré : il s'agissait seulement d'une coupe. De toute façon, quand bien même Borgia serait vraiment courroucé, ce n'était pas le plus important, au final. Il allait devoir trouver le meilleur arrangement possible, et faire son deuil du reste.

Dans le but de lui donner davantage d'options, je m'attelai à la tâche de transformer les diamants que j'avais maintenant en ma possession en une poudre la plus fine possible, ce qui allait réduire d'autant leur valeur fabuleuse.

Mais avant de commencer, je le confesse, je pris le temps de songer à tout ce que j'aurais pu faire avec ces gemmes. Il y en avait assez pour que je vive vautrée dans le luxe, n'importe où dans le monde, pour le restant de mes jours ; sans compter la protection indispensable à ce genre d'existence. J'aurais pu m'enfuir à Constantinople, où les Ottomans semblaient déterminés à fonder un grand centre de savoir. Je n'aurais su dire si en tant que femme j'y aurais été la bienvenue, mais la grande richesse sait arrondir tous les angles. Ou bien à Paris : je me serais déguisée en garçon et serais entrée à l'université. Et il y avait toujours Bruges ou Bâle, deux grands centres dc savoir eux aussi, diffusant leur lumière dans notre monde obscur. En faisant preuve d'une extrême prudence, j'aurais pu échapper au courroux de Borgia et devenir cette créature pour le moins rarissime : une femme libre, célibataire et riche.

Ainsi donc j'aurais peut-être réfléchi plus avant à cette idée, mais je me sentais retenue par ma vie présente. Au-delà du fait que je souhaitais toujours ardemment venger mon père, j'aurais également été obligée de quitter Rocco, Sofia, David et les autres, toutes personnes auxquelles j'étais profondément attachée, et qui à cause de moi auraient peut-être ensuite eu à subir le châtiment que Borgia me réservait. Cette pensée seule m'était intolérable.

Ayant en tête l'emprise que Sa Sainteté avait sur ma vie, j'empoignai fermement le marteau à pointe d'acier acheté chez un forgeron de la via dei Fabbri, où les forges brûlent nuit et jour et l'air résonne continuellement de bruits métalliques. Je pris une profonde inspiration et, avant de trop réfléchir à la portée de mon acte, frappai un grand coup sur la bourse en cuir que j'avais posée sur la table. Je ne savais absolument pas à quoi m'attendre, mais si les diamantaires de Bruges (tant renommés pour leur art) étaient capables de façonner les pierres rien qu'en les tapotant délicatement à l'aide d'un maillet en acier, c'est qu'elles devaient pouvoir être morcelées. Le marteau était certes une méthode un peu brutale, mais à la différence des maîtres tailleurs de gemmes, je ne recherchais point la précision. Écrasés, ils m'iraient très bien.

Cela me prit plusieurs jours, car je dus procéder lentement et vérifier souvent que le résultat obtenu était indétectable une fois mélangé au sel que je gardais à cette fin sous la main. Entre deux sessions de coups de marteau, je cachais la bourse dans le compartiment secret du coffre que j'avais hérité de mon père. Celui-ci avait été fabriqué selon un ingénieux mécanisme qui nécessitait d'exécuter une série d'actions dans un ordre précis pour désengager le verrou secret. Lorsque c'était le cas, le double fond s'inclinait légèrement, révélant sa présence. En revanche, un seul faux pas et le verrou se refermait.

Un matin, alors que je venais d'y ranger les diamants et que je me préparais à partir pour le Vatican, je me souvins que c'était l'heure pour Minerve d'aller faire son tour dehors. Or, j'eus beau la chercher, je ne la trouvai nulle part. Sachant parfaitement que les chats prennent un malin plaisir à regarder les humains se fatiguer pour tenter de trouver leurs cachettes, je refusai de m'inquiéter et fis mine de partir quand même. J'allais fermer la porte quand elle apparut soudain – d'où, je ne sais exactement ; comme tous les immeubles de Rome, le mien avait aussi ses secrets. Elle se trouvait tout à coup là, au milieu du salon, et se mit à se lécher avec un admirable détachement.

Lorsque nous revînmes du jardin, Benjamin m'attendait. En proie à une nervosité visible, il m'apostropha dès qu'il me vit :

— Donna Francesca, Padrone Alfonso tenait à te faire savoir que l'homme que tu recherches a peut-être été vu dans un tunnel sous le Trastevere aux petites heures du matin. Ce n'est pas une certitude, mais d'après la description que tu en as donnée, il se pourrait bien que ce soit lui. *Il re* voudrait savoir quelles sont tes instructions pour la suite.

Mon cœur battait plus vite qu'il ne l'aurait dû, mais je tentai de garder mon calme. Après tant d'efforts, voilà que je recevais enfin la première vraie indication de l'endroit où Morozzi pourrait se cacher. Je posai Minerve sur le sol du salon tout en réfléchissant.

Mais à la vérité, il n'y avait guère de possibilités à considérer.

— Dis-lui de me retrouver à la fontaine devant la basilique Sainte-Marie juste après le coucher du soleil.

— Tu veux aller dans les tunnels ?

— Il le faut. Dis-lui aussi de s'assurer que ses compagnons savent combien cet homme est dangereux. Ils ne doivent rien faire qui puisse attirer l'attention du prêtre sur eux.

— Je viens avec toi, m'annonça Benjamin vaillamment.

Je fis la grimace et le poussai gentiment vers la porte. L'idée même qu'un autre enfant soit à la portée de Morozzi…

— N'y songe même pas. Sofia réclamerait ma tête, et encore ce serait compter sans David, qui me l'aurait peut-être déjà coupée.

— Mais…

Je me baissai (mais n'allai pas bien loin, car il était en pleine croissance depuis quelques mois), le pris par les épaules et lui parlai avec le plus grand sérieux.

— Benjamin, écoute-moi. Je sais que tu as une grande cxpérience de la rue et que tu saurais te sortir de la plupart des situations. Toutefois, Morozzi est… différent. Il a quelque chose en lui, quelque chose de noir qui le rend extrêmement dangereux.

— Comment le sais-tu ?

Que pouvais-je lui répondre ? Que je comprenais le prêtre fou quand les autres ne le pouvaient pas car d'une certaine façon nous étions similaires, lui et moi ? Cette simple idée me remplissait d'une telle horreur que je me retins à grand-peine de ne pas crier devant cet enfant.

— Je le sais, c'est tout. Tu dois me promettre que tu resteras avec Sofia ce soir, ou ailleurs, mais en sécurité en tout cas. Sinon, je n'arriverai pas à me concentrer. Je m'inquiéterai pour toi, et Dieu seul sait alors ce qu'il pourrait se passer.

— Je ne veux pas qu'il t'arrive de mal, me confia-t-il avec une sincérité qui m'alla droit au cœur.

— Bien, dans ce cas promets-moi que tu feras ce que je t'ai dit.

Il prit le temps nécessaire pour y réfléchir et finit par me répondre, en hochant la tête :

— Je te le promets, mais tu dois me promettre en retour de ne pas prendre de risques inconsidérés.

Je tentai de prendre un air interdit, mais il ne s'en laissa pas conter.

— J'ai appris en partie ce qu'il s'est passé l'an dernier, m'admonesta-t-il. Tu as de la chance d'être encore en vie. Tu dois être plus prudente.

Davantage touchée par sa sollicitude que je ne voulais bien l'admettre, je lui promis de prendre toutes les précautions possibles. Comme d'habitude en de pareilles circonstances, c'était un mensonge.

Une fois Benjamin parti, je pris le temps de faire les préparations nécessaires en vue de mon expédition nocturne. Puis je partis d'un bon pas pour le Vatican, en restant attentive au moindre signe de troubles. En chemin, je remarquai qu'il y avait plus de condottieri qu'à l'accoutumée dans les rues. En dépit de la chaleur qui se faisait déjà sentir, ils étaient en armure et portaient les casques à plumes de la cour pontificale. Je me demandai si cette démonstration de puissance n'était pas une manière pour Borgia d'envoyer un message à la populace qui décidément, ces derniers temps, s'amusait beaucoup à ses dépens. Point de trace de gribouillages obscènes en revanche, même si certains murs que je croisai semblaient avoir été lessivés très récemment.

Le soleil brillait, et il n'y avait presque pas de nuages dans le ciel. Le vent incessant qui nous tourmentait depuis quelques jours était enfin retombé, ne serait-ce que provisoirement. À sa place soufflait une légère brise qui fleurait bon les lointaines montagnes du nord, où est née la glace que nous autres Romains adorons déguster parfumée à la lavande ou aux pétales de roses.

J'étais en train de traverser la place (tout en remarquant qu'il semblait y avoir moins de monde que d'ordinaire, et davantage de gardes) lorsque je vis Rocco qui s'éloignait de la caserne. Il ne m'avait pas encore vue et l'espace d'un instant, je fus tentée de me cacher jusqu'à ce qu'il soit passé. Mais j'ai beau avoir de nombreux vices, la lâcheté n'en fait pas partie. Par conséquent, je tins bon et parvins même à esquisser un sourire. M'apercevant, il fronça les sourcils et je sentis que cette réticence n'était pas de mon seul fait.

— Comment va Nando ? lui demandai-je lorsque nous eûmes échangé des salutations quelque peu guindées. Je présumais que Rocco était venu rendre visite à son fils, et j'avais raison. Pour autant, sa réponse m'interpella.

— Il est… heureux. (Je voyais qu'il restait sur ses gardes, mais un sourire contrit s'immisça tout de même sur son visage.) Donna Felicia est la bonté même. Elle le dorlote sans vergogne, et ses filles aussi. Je suis sûr qu'il a été davantage choyé, admiré, gâté en quelques jours passés chez eux qu'il ne l'a été depuis qu'on l'a mis dans mes bras. Pour sûr, il n'a jamais reçu autant d'attention.

Ayant moi-même eu la chance d'avoir un père aimant, je savais pertinemment que Rocco était un parent dévoué : affectueux, patient, sage. Aucun enfant n'en demandait davantage.

Cependant, lorsque je le lui dis, il se passa une main dans les cheveux et répliqua :

— Ce n'est pas à moi d'en juger, mais je sais en tout cas ce que je ne suis pas, et ne pourrai jamais être : une mère.

C'est à ce moment-là que je remarquai que ses yeux, d'ordinaire si francs, se concentraient présentement sur un point au-dessus de mon épaule. Il n'osait pas me regarder dans les yeux.

— Francesca…

Le savais-je déjà ? Avais-je confusément deviné, grâce à une sorte de sixième sens, que le sol allait se dérober sous mes pieds et toutes mes illusions s'écrouler ? Je me suis parfois posé la question depuis, mais je n'ai jamais vraiment trouvé de réponse.

Je me contenterai de dire que j'en restai interloquée lorsque, ayant pris une profonde inspiration pour se donner du courage, Rocco m'annonça :

— Cela fait quelque temps déjà que je veux t'en parler… c'est-à-dire, je crois que tu as le droit de savoir… il y avait une raison à mon absence l'autre jour, à la villa.

Cela remontait à trois semaines maintenant, et il s'était passé beaucoup de choses entre-temps. J'avais depuis longtemps cessé de me demander pourquoi il n'était pas venu ; on ne peut pas vraiment dire que je m'étais beaucoup attardée sur la question, même. J'avais une telle confiance en Rocco que pour moi il était évident qu'il avait une raison valable.

Mais Sofia, elle, s'était interrogée, n'est-ce pas ? Elle avait été moins négligente que moi sur ce point.

— J'avais l'intention de venir, poursuivit Rocco. (Il devait se passer quelque chose de fascinant du côté des écuries, songeais-je, car il continuait à ne pas me regarder dans les yeux.) J'avais demandé à Donna Maria de surveiller Nando à la boulangerie. Mais à la dernière minute, j'ai eu un visiteur à l'échoppe.

— Un visiteur ?

J'entendais ma voix, calme, polie, modérément intéressée, comme de très loin.

— Le Signore Enrico d'Agnelli. Il est venu en personne… seul. Vraiment, j'allais partir quand il est arrivé.

Le souvenir de la visite du plus renommé des maîtres verriers de Rome le troublait visiblement. Il rougit.

— Comme tu le sais peut-être, son fils unique est mort l'an passé. De fièvre, je crois.

— Ah bon ?

Pourtant j'en avais entendu parler, bien sûr, comme toute personne dotée d'une paire d'oreilles à Rome. Je ne connaissais pas le jeune d'Agnelli, ni aucun membre de sa famille d'ailleurs. Alors pourquoi sentais-je une telle crainte monter en moi ?

— D'Agnelli a une fille, qui s'appelle Carlotta. Elle a eu dix-huit ans le mois dernier.

— Ah bon ? répétai-je comme un perroquet sans pouvoir m'en empêcher. Dix-huit ans était un âge intéressant pour une femme ; un âge où même le plus indulgent des pères se sentirait obligé de se pencher sur une question cruciale : le mariage. Le mien l'avait fait.

Pour la première fois depuis le début de cette discussion, Rocco me regarda vraiment. Il paraissait déchiré entre deux réalités conflictuelles – et irréconciliables.

— D'Agnelli s'est mis en tête de me faire travailler avec lui. Je lui ai répondu que j'étais flatté mais que cela ne m'intéressait pas, et c'était la vérité… jusqu'à maintenant. De voir Nando si heureux avec Donna Felicia et ses filles… je me rends compte à présent de tout ce qu'une mère aimante aurait pu lui apporter, s'il en avait eu une.

Je n'avais pas besoin de demander comment le patriarche qui avait perdu son unique héritier envisageait de s'associer au plus talentueux des jeunes maîtres verriers de Rome. Manifestement, la belle Carlotta (je me tourmentais déjà en imaginant sa beauté) aurait un rôle essentiel à jouer dans un tel arrangement.

— Les femmes ne font pas toutes des bonnes mères.

Je regrettai ces mots sitôt sortis de ma bouche. Leur goût âcre me piqua la gorge. Je savais par trop que je ne songeais pas à Carlotta en disant cela, mais à moi.

— Quand bien même…

Ses yeux s'assombrirent. Il me tendit une main – carrée, étonnamment douce aux extrémités, marquée ici et là des cicatrices de son art. Pendant une seconde, je crus qu'il allait me toucher.

Nous sommes tous perchés en équilibre sur la roue de la déesse Fortuna, nous accrochant du mieux que l'on peut pour ne pas tomber par inadvertance dans la gueule des Parques, ces déesses infernales qui président aux destinées des hommes. Pourtant, il est possible (si nous l'osons) de lâcher prise, et dans ce moment merveilleux de trouver la force de déployer nos propres ailes.

Mais je ne le savais pas encore, en ce temps-là.

Un seul pas vers lui, probablement rien de plus n'aurait été nécessaire. L'eussé-je fait, tout le reste, le cours entier de ma vie à compter de ce moment-là, aurait changé. Du moins c'est ce que je me plais à imaginer.

Le ciel s'assombrit tout à coup, et je me figeai sur place. Hormis les lents battements de mon cœur qui résonnaient dans mes oreilles, j'aurais tout aussi bien pu être une statue.

Le regard de Rocco s'attarda sur moi.

— Quand bien même…, répéta-t-il, avant de laisser retomber sa main.

Je l'observai s'éloigner de moi, sa silhouette devenant incertaine, tel un reflet dans un bassin où l'on viendrait de lancer une pierre. Il disparut dans la foule. Je n'avais toujours pas bougé.

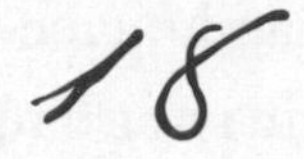

La journée me parut interminable et je la passai dans un état d'hébétement, mais mon travail ne dut pas tant laisser à désirer que cela car personne ne fit de commentaire sur mon comportement, ou ne me regarda d'un œil désapprobateur – du moins, pour autant que je le sache.

J'étais seule, Renaldo ne se trouvant pas dans les parages pour une fois, les secrétaires étant débordés comme à l'ordinaire et le reste du personnel de Borgia n'ayant guère envie d'être vu en ma compagnie. Au milieu de tous ces va-et-vient au palais, ma solitude me pesait davantage que d'habitude.

Dès lors, une fois ma tâche quotidienne terminée, je cherchai à me distraire en attendant que vienne l'heure où je m'étais engagée à retrouver Alfonso. Je songeai bien à aller voir Lucrèce, mais un tel trouble s'empara de moi à l'idée de devoir encore parler longuement de son mariage que je finis par écarter cette pensée, tout en me faisant la promesse de remédier à ma négligence dès que possible.

C'est ainsi que j'eus l'idée de me pencher sur le mystère des fréquentes disparitions de Borgia, qui avait piqué ma curiosité depuis qu'on me l'avait soumis.

À cette heure-là (il devait être midi), Sa Sainteté était censée assister à un spectacle donné en l'honneur du malheureux émissaire espagnol par le chœur du Vatican, après quoi les deux hommes se retireraient pour poursuivre les négociations, en espérant que la vaisselle ne se remettrait pas à voler. Les secrétaires de Borgia l'escorteraient de près, comme à leur habitude. Son bureau serait donc vide.

L'un des avantages à être crainte est que quasiment personne ne songeait jamais à questionner mes allées et venues au palais. Les gardes savaient que j'étais amie avec le capitaine Romano mais quoi qu'il arrive, eu égard à ma noire réputation, ils évitaient à tout prix de me demander des explications. Il en allait de même avec l'armée de clercs qui allaient au trot, les bras chargés de registres, de rapports, de correspondances et que sais-je encore, et sans qui aucune grande institution (encore moins l'Église) ne pourrait fonctionner. Ces ecclésiastiques ne manquèrent pas, en revanche, de détourner le regard en me voyant monter d'un bon pas l'escalier de marbre, suivre le long couloir tout en dorures, entrer dans l'antichambre et m'arrêter devant la porte du domaine réservé de Borgia au Vatican.

Arrivée là, je marquai un bref temps d'arrêt. S'il est vrai que l'excès d'audace mène parfois au désastre, j'ai remarqué que bien souvent le risque paie. Un rapide coup d'œil par le *spioncino* vint me confirmer que la pièce était vide. J'ouvris délicatement l'une des doubles portes et me glissai à l'intérieur. Puis je m'adossai tout contre et laissai mon poids la refermer, tout en observant les lieux.

Mon intention ce faisant était en partie de m'assurer que je ne déplaçais rien par inadvertance, pour ne pas trahir mon intrusion. Mais je l'avoue, j'étais surtout curieuse de voir ce bureau sans la présence écrasante de Borgia. La plupart des gens laissent un peu d'eux-mêmes dans les lieux qu'ils fréquentent beaucoup. Pour sûr, un personnage à l'ego aussi démesuré que Sa Sainteté y déposerait une empreinte plus grande que la moyenne. Or, étrangement, plus je scrutais le vaste espace surchargé, moins j'y voyais de traces de Borgia. Son immense bureau en marbre était nu, hormis son ensemble encrier et plume d'oie raffiné. Derrière, des étagères contenaient divers objets (des petites sculptures, quelques livres donnant l'impression de n'avoir jamais été ouverts) que l'on aurait pu retrouver chez n'importe quel homme fortuné. En toute honnêteté Luigi d'Amico en possédait de plus beaux, mais le banquier avait également un goût plus sûr. Les tableaux n'étaient pas mauvais, mais de nouveau ils n'avaient rien de remarquable ni de personnel. L'ensemble semblait avoir été uniquement conçu pour donner l'impression d'une grande richesse et d'un grand pouvoir, et ce faisant dissimuler l'homme qui était derrière tout cela. De la nature religieuse des lieux, point de trace du tout.

Comme Vittoro l'avait dit, il y avait là deux portes dérobées, l'une donnant sur un couloir qui menait directement aux appartements privés du pape, et l'autre au palazzo Santa Maria in Portico, non loin des quartiers de La Bella. Ces portes n'étaient pas tant cachées que très discrètes, faites de façon à se confondre si parfaitement avec les murs que seuls les plus observateurs les distingueraient.

Ni l'une ni l'autre ne m'intéressaient.

Prestement, je fis le tour de la pièce en tapotant légèrement les murs. Peut-être vous interrogez-vous sur ce talent singulier, mais n'oubliez pas qu'un bon empoisonneur doit constamment examiner des objets qui pourraient receler des compartiments secrets remplis de dangers sournois. J'appliquais simplement cette méthode au contenant bien plus grand qu'était pour moi le bureau papal.

Au départ, mes efforts furent vains. Je commençais à me demander si le principe même sur lequel je fondais mon exploration (à savoir que Borgia avait un moyen secret de quitter son domaine) n'était pas erroné, lorsque soudain, l'une des bibliothèques m'interpella. Je m'approchai, et à mesure que je l'observais j'eus la nette impression que quelque chose clochait. Mais il me fallut tout de même quelques minutes pour comprendre que l'une des tablettes avait une extrémité légèrement plus épaisse que l'autre.

Vite, je fis glisser la main dessus. Rien ne se passa. L'espace d'un instant, je sentis l'abattement s'emparer de moi, avant de penser à quelque chose. J'étais plutôt grande pour une femme, mais Borgia l'était davantage encore ; à la vérité, il dépassait la plupart des hommes. Par conséquent il aurait pu aller bien plus loin avec ses mains.

Haletante, je partis à la recherche de l'un de ces tabourets brodés que l'on indique aux visiteurs dont le rang ne mérite pas tout à fait un siège, en traînai un jusque-là et me hissai tant bien que mal dessus. J'avais à peine commencé à tâtonner vers le fond de la tablette que ma main rencontra un levier escamoté. Je m'empressai de l'actionner.

La bibliothèque bougea alors très légèrement, venant se cogner en douceur contre le tabouret. Je redescendis aussitôt de mon perchoir et le repoussai sans ménagement, avant de tirer avec délicatesse sur la bibliothèque pour ouvrir un peu plus le passage. Elle était lourde, mais fort heureusement ses gongs étaient bien huilés. Bientôt, l'espace fut suffisamment large pour que je puisse m'y glisser.

J'admets qu'en cet instant, j'hésitai. Il était fort peu probable que Borgia approuve ce que je m'apprêtais à faire, quand bien même j'aurais une excellente raison à lui fournir. Certes il n'était pas faux de dire que j'agissais par souci pour sa sécurité, mais il fallait tout de même l'avouer, c'était la curiosité qui me guidait avant tout.

Grâce à la position privilégiée de mon père dans la maison de celui qui n'était encore que le cardinal Borgia (et le vice-chancelier de la curie), j'en étais arrivée à connaître le Vatican mieux que la plupart des gens, hormis quelques rares privilégiés. Non seulement avais-je eu la permission de visiter la chapelle Sixtine, qui d'ordinaire n'est ouverte qu'aux ecclésiastiques et aux invités de très haut rang, mais j'avais également eu l'insigne honneur d'entrer dans la bibliothèque vaticane. Celle-ci contient pas moins de quatre mille œuvres, la plupart des codex en hébreu, grec et latin, sans compter les manuscrits acquis à la bibliothèque de Constantinople. Il est question de construire un bâtiment uniquement pour l'abriter, mais jusqu'ici rien de concret n'a été décidé. Mon père m'avait également révélé, pour les avoir vues de ses propres yeux, l'existence de certaines archives qui renfermaient des correspondances officielles hautement sensibles.

Ayant tout cela en tête, j'étais bien certaine que le Vatican recelait encore nombre de secrets. Personne n'arriverait jamais à les connaître tous, mais j'avais soif d'en percer au moins quelques-uns.

Je vous explique tout cela dans l'espoir de vous faire comprendre pourquoi je laissai le bureau de Borgia derrière moi et m'aventurai dans ce passage secret, vers une destination inconnue. À ma grande surprise je n'eus pas besoin de lampe au départ, car d'étroites fenêtres près du plafond laissaient passer un rai de lumière. Par ailleurs, au contraire de nombre de passages que je connaissais bien au Vatican et ailleurs dans Rome, celui-ci était sec, propre, et suffisamment large pour qu'un homme de la taille de Borgia puisse avancer sans avoir à se baisser.

Je marchai pendant plusieurs minutes avant de me rendre compte que j'avais commencé à légèrement descendre. Un peu plus loin j'arrivai à un point où il n'y avait plus de fenêtres, et devant moi c'était le noir le plus complet. Je m'arrêtai et fus soulagée de trouver plusieurs lampes à huile bien entretenues, ainsi qu'un silex et de l'amadou à portée de main. J'allumai une lampe, baissai la flamme pour la rendre la plus stable possible, et repris mon chemin.

Peu après j'arrivai devant une lourde porte aux bandes de cuivre assombries par le temps. Elle devait être très vieille (le bois était vermoulu), mais malgré cela et son poids considérable, elle céda après une légère poussée. Elle ouvrait sur une pièce qui n'était guère large, mais suffisamment tout de même pour qu'avec ma lampe j'en devine les recoins. Une grille en fer fermée au verrou me séparait de ce qu'il y avait au-delà. Ainsi je pouvais voir, mais seulement à distance.

De l'autre côté de la grille, je discernai un grand fauteuil en bois sculpté à haut dossier et aux coussins moelleux, le tabouret assorti et deux petites tables. À côté se trouvaient plusieurs lampes ainsi que, ne pus-je m'empêcher de remarquer, un casier en bois contenant des bouteilles de vin rouge. Étant souterrain, l'endroit restait relativement frais malgré la chaleur de la journée. Toutefois, l'on avait également songé aux rigueurs de l'hiver, car un brasero avait été installé à côté du fauteuil.

Quelqu'un avait visiblement tout le confort nécessaire, dans cette chambre secrète sous le Vatican. Quelqu'un en mesure d'aller et venir à sa guise depuis le bureau privé du pape.

Bien sûr, je compris tout de suite que j'avais probablement percé le mystère des fréquentes disparitions de Borgia. Mais qu'est-ce qui l'attirait ici ? Qu'y avait-il de caché ? J'eus beau tenter de le découvrir, allant jusqu'à m'écraser le nez contre cette grille, je ne vis guère plus que des formes obscures.

Cependant, je réussis à lire les mots inscrits dans la pierre sur une plaque ternie par le temps :

MYSTERIUM MUNDI

Le mystère du monde. Et, me sembla-t-il également, un jeu de mots sur les paroles sacrées prononcées pendant la messe par le prêtre, lorsqu'il invite les fidèles à célébrer le *mysterium fidei*, le mystère de la foi.

Au-dessus de moi, la vie continuait au Vatican, l'heure de l'office était sonnée, la messe dite, les indulgences monnayées, les confessions faites et les âmes sauvées. Tout ce que Dieu exige, nous dit-on, y compris l'appropriation et la conservation du pouvoir.

Mais ici, sous la surface, enfoui sous terre, se trouvait le mystère du monde, cette vérité que nous autres membres de Lux cherchions à percer, non en nous basant sur la foi mais sur la raison. Là où, apparemment, Borgia venait se réfugier à ses heures perdues.

Je ne pouvais rien faire de plus, n'ayant pas la clé ; mais je rechignais quand même à partir. Je restai ainsi un certain temps à plisser des yeux pour distinguer quelque chose, n'importe quoi à dire vrai. Mes yeux finirent par s'adapter à la pénombre et j'entrevis alors des sortes de casiers où avait été rangé ce qui était peut-être des rouleaux de parchemins, ou bien des cartes, ainsi qu'une bibliothèque remplie de livres reliés, dont certains paraissaient très anciens. J'aperçus des blocs de pierre qui me semblaient gravés de caractères, même si je n'aurais su l'affirmer. Il y avait également des coffres de diverses tailles et d'autres objets encore, que je devinais à peine.

À contrecœur, je finis par remonter à la surface. Il n'y avait toujours pas le moindre mouvement dans le bureau de Borgia, hormis les quelques grains de poussière qui dansaient dans les rayons de soleil pénétrant par les hautes fenêtres. Au-delà, je sentis aux bruits de la ville que la journée commençait son long déclin.

Ma main s'attarda sur le fourreau de cuir contenant mon couteau. Je ne devais pas oublier mon rendez-vous. Mais je décidai (à supposer que ce soit possible) que je trouverais le moyen de retourner dans la chambre secrète sous le palazzo pour découvrir les trésors qu'elle recelait.

J'arrivai à la fontaine en pierre de la piazza di Santa Maria in Trastevere juste avant le coucher du soleil. Une dizaine de garçons du quartier y étaient rassemblés, tirant de l'eau pour leur famille ou leurs maîtres, pour la nuit. Ils s'attardèrent dans la lumière déclinante, jouant aux fanfarons, se poussant et faisant semblant de se bagarrer, jusqu'à ce que l'immense cloche de la tour de la basilique se mette à sonner les vêpres. Aussitôt ils se sauvèrent, disparaissant dans les ruelles et venelles adjacentes en ne laissant que des flaques d'eau derrière eux.

Hormis quelques mendiants s'apprêtant à passer la nuit devant l'entrée de l'église, j'étais à présent seule. Autour de moi je voyais les lampes qui s'allumaient dans les maisons et les tavernes, et j'entendais des bruits de vaisselle et de conversation. Quelqu'un, probablement dans l'une des tavernes, entonna une chanson en vogue ce printemps-là (évoquant l'éternelle jeune fille en fleur et son soupirant), et bientôt il fut accompagné. L'odeur lourde et féconde du fleuve rivalisait avec la fumée des feux de cheminées et la puanteur toujours prégnante des égouts.

Je regardai vers l'église. À ce qu'il paraît, ce serait le plus ancien lieu de culte consacré à la Sainte Vierge de Rome, même si les ecclésiastiques de la basilique Sainte-Marie-Majeure, sur la colline de l'Esquilin, vous diront le contraire. Quoi qu'il en soit elle a l'air très ancienne, malgré le fait qu'elle ait été rasée puis reconstruite par le pape Innocent II, quelque cinq cents ans auparavant. (Incidemment, il est intéressant de noter que l'ancienneté de Rome est telle que quelques siècles ne sont rien.) Toujours est-il qu'Innocent II a su conserver une partie de l'ancien édifice et ainsi préserver sa vénérable apparence, mais a tout de même détruit la tombe de son grand rival, l'antipape Anaclet II – ce qui était probablement le but premier de l'exercice. Le vainqueur y repose aujourd'hui, en compagnie de la tête de sainte Apolline (encore une martyre vierge) et d'un bout de la Sainte Éponge.

On comprend ainsi pourquoi cette basilique est fréquemment visitée par les gens de passage à Rome, mais seulement à la lumière du jour. Dans la pénombre grandissante, la piazza di Santa Maria avait en effet l'air bien moins accueillante. La lune, qui n'était pas encore pleine, était restée toute la journée une pâle présence au-dessus de la ville, et ne réapparaîtrait maintenant que peu avant l'aurore. En son absence, les étoiles froides n'étaient pas la meilleure des compagnies.

Je commençais tout juste à me dire que mon message n'avait peut-être pas été délivré à Alfonso ou, plus probablement, qu'il avait choisi de l'ignorer, lorsque je sentis un mouvement sur le côté m'indiquant que je n'étais plus seule.

Des silhouettes surgirent de l'ombre, rasant les murs, avançant prestement. Deux… trois… disparaissant dans les ruelles, réapparaissant, se rapprochant visiblement. J'aperçus un visage – jeune, blême – saisi dans la lumière qui venait de s'allumer à une fenêtre. Il disparut aussitôt pour être remplacé par un autre, qui s'évanouit à son tour. Vifs mais prudents, ils ne s'aventurèrent à découvert que lorsqu'ils eurent la certitude que j'étais seule et ne représentais aucun danger.

Puis tout à coup, trois d'entre eux formèrent un cercle autour de moi. J'entraperçus l'éclair de l'acier dans leurs mains et mon pouls s'accéléra. S'ils n'étaient pas les hommes d'Alfonso… si c'était Il Frateschi qui m'avait suivie…

La main sur le fourreau de mon couteau, j'allais m'en saisir lorsqu'*il re dei contrabbandieri* lui-même émergea d'une ruelle et se dirigea vers moi. Jusqu'alors, j'avais seulement vu Alfonso sur son fauteuil faisant office de trône, entouré de son butin et de ses acolytes. Debout, il était plus grand que je ne l'imaginais mais aussi fin comme un roseau, avec cette allure dégingandée que j'avais devinée la première fois. Il arborait un sourire insolent, et me fit une révérence aussi gracieuse que s'il avait été un jeune noble.

— Bien le bonsoir, Donna Francesca.

Je pris une grande inspiration pour retrouver mon calme, puis passai aux choses sérieuses.

— Vous de même, Signore Alfonso. Que pouvez-vous me dire de l'homme qui a été vu ?

— Il correspondait à la description que vous nous en avez donnée : grand, blond, un visage d'ange. Mon homme n'a fait que l'apercevoir, mais il est sûr de lui. Il n'y a pas de doute.

Peut-être pas, mais je voulais tout de même en avoir le cœur net.

— Comment était-il habillé ?

— D'une cape noire qui le recouvrait de la tête aux pieds. Son capuchon n'était pas relevé. Mon homme pense qu'il portait une soutane en dessous.

Je fis un hochement de tête satisfait, et poursuivis.

— C'est arrivé dans un tunnel proche d'ici, vers la fin de la nuit ?

— Dans l'un des passages, oui, on venait de sonner les matines. Mon homme était en train de… faire une livraison. Vous voyez ce que je veux dire ?

Ce que je voyais, pour sûr, c'était que les tunnels sous la ville étaient le moyen idéal d'éviter l'attention des condottieri. Car s'ils ne fermeraient sûrement pas gratuitement les yeux sur ce qu'il se passait en dessous, une fois satisfaits de leur rétribution…

— L'homme qu'il a vu était-il seul ? m'enquis-je.

— Effectivement, et il avait l'air pressé. Il a tourné à un coin et s'est volatilisé.

La frustration monta en moi. Si même les contrebandiers (qui connaissaient pourtant la ville comme leur poche) n'arrivaient pas à suivre la piste de Morozzi, quel espoir me restait-il ?

— Avez-vous une quelconque idée de là où il aurait pu aller ?

— *Sì*, bien sûr, sinon je ne vous aurais pas fait signe. Venez, je vais vous montrer.

Je suivis Alfonso en haut des marches de l'église. J'hésitai un instant avant de m'en remettre à la miséricorde de Notre Mère à tous, qui semble toujours bien plus encline à nous accepter tel qu'on est que le dieu sévère et vengeur auquel les hommes vouent un culte. Nous entrâmes par le très ancien porche en pierre, avec son toit en pente sous lequel on pouvait admirer une fresque de la Vierge donnant le sein à son fils, et fûmes tout de suite dans la nef. Celle-ci était bordée de colonnes aux chapiteaux richement sculptés sur lesquels il fallait deviner, paraît-il, le visage d'une autre reine du paradis, Isis, car ils auraient été pris au temple qui lui est consacré sur le Janicule. Les mosaïques du grand Pietro Cavallini représentant la vie de la Vierge donnent à cet intérieur lumière et couleur, bien qu'elles aient plus de deux cents ans maintenant. Je les distinguai à peine dans la faible lueur des lampes à huile qui se réfléchissaient sur leur surface dorée. Les vêpres étaient terminées, mais le parfum de l'encens flottait encore dans l'air. Nous étions seuls. Les Pères de l'Église n'autorisent pas les pauvres à trouver refuge à l'intérieur des lieux de culte le soir, de crainte qu'ils ne les profanent, et même si par ailleurs ils ont le droit de s'agglutiner juste devant.

Nous étions à mi-distance de l'autel lorsqu'Alfonso me toucha doucement le bras et me fit signe de le suivre dans l'une des ailes. Il pointa du doigt une petite porte en bois quasiment invisible dans la pénombre.

— À mon avis c'est par ici qu'il est ressorti, étant donné là où mon homme dit l'avoir vu disparaître. Il y a un vieil escalier en pierre à cet endroit du passage, et il mène à une crypte qui est sous nos pieds. De là, la sortie est toute trouvée.

Je ne fus pas surprise d'apprendre que Morozzi se servait d'une église pour aller et venir subrepticement. À peu de chose près c'est ce qu'il avait fait l'année précédente, sauf qu'il avait choisi rien de moins que la basilique Saint-Pierre. Mais cela soulevait en revanche une question troublante : aurait-il des alliés à l'intérieur de la vénérable basilique du Trastevere ?

Un détail me revint alors vaguement à l'esprit. Toutes les grandes églises de Rome sont symboliquement rattachées à un cardinal par le biais d'un *titulus* ou titre cardinalice, comme on le nomme, qui a l'avantage de permettre à son détenteur d'en tirer des bénéfices considérables sans avoir à s'impliquer véritablement dans le quotidien de son église. À Sainte-Marie c'était Son Éminence le cardinal Giorgio da Costa, archevêque de Lisbonne, qui détenait présentement ce titre. Comme on pouvait s'y attendre, le prélat portugais ne portait pas vraiment Borgia dans son cœur. Plus important encore, da Costa était connu pour être un grand allié de della Rovere.

Ainsi, était-ce possible qu'un prêtre (voire plusieurs) officiant ici mise sur les perspectives de carrière de da Costa au point d'aider cet homme qui devait sûrement aspirer à déloger le locataire actuel du Vatican, en présumant à tort que della Rovere tirerait profit de tout cela ?

Ou bien commençaient-ils à me monter à la tête, tous ces complots qui s'infiltrent par tous les porcs de la ville ? Voyais-je la traîtrise là où il n'y en avait pas ?

Il n'y avait qu'un seul moyen de le savoir. Je me tournai vers Alfonso.

— Combien d'hommes pouvez-vous poster sur la place, dans les rues adjacentes, autour de la basilique et dans les tunnels correspondants ?

Il hésita.

— Sans nuire aux affaires… ?

— Oubliez ça. Borgia vous rétribuera largement.

Je m'avançais en disant cela, mais j'étais prête à tout pour convaincre Sa Sainteté que mon plan tenait la route.

— Largement, c'est-à-dire ?

Vite, je réfléchis.

— Admettons qu'il accepte de ne prélever qu'un dixième de vos bénéfices pendant, disons, un an ?

— Ou mieux encore, il ne prend rien du tout pendant deux ans.

— Cela fait beaucoup d'argent.

À dire vrai, je n'avais aucune idée de la part à laquelle Borgia serait prêt à renoncer ; mais je savais qu'il avait bien plus à perdre s'il était destitué.

— Vous ne m'en demandez pas moins, rétorqua Alfonso. Mais vous devriez peut-être reconsidérer la chose. Si je poste autant d'hommes dans le quartier ils vont se faire repérer, c'est sûr.

— C'est exactement ce que je cherche. Si Morozzi comprend que j'ai découvert sa cachette, poursuivis-je en voyant son regard perplexe, il commettra une imprudence et là, je l'aurai.

Du moins c'est ce que je croyais. Ma confiance confinait à l'arrogance, et pour cela j'allais payer d'ici peu un prix terrible. Mais cette nuit-là, dans l'église silencieuse, je ne songeai qu'à passer un accord qui (j'en étais sûre) me mettrait enfin à portée de vengeance.

Alfonso et moi continuâmes à marchander jusqu'à trouver un arrangement. En lieu et place d'une signature sur un parchemin, il cracha dans la paume de sa main droite et me la tendit. Je fis de même sans hésitation, et c'est ainsi que nous scellâmes notre marché. Nous nous séparâmes ensuite devant le porche de la basilique, et le roi des contrebandiers se fondit aussitôt dans la pénombre. Quant à moi, je rentrai à mon appartement en sentant constamment à la lisière de mon champ de vision des ombres furtives, qui rasaient les murs et bougeaient sans arrêt pour ne pas se faire repérer.

Pour la majeure partie il devait s'agir des hommes d'Alfonso surveillant sa nouvelle « partenaire » ; mais parmi eux devaient également figurer les espions de Borgia, car il était évident qu'il me faisait suivre. La semonce ne tarderait pas à arriver, songeai-je. Attentive à cela, je me mis au lit dans l'espoir de dérober quelques heures de sommeil à Morphée, pour au final me retrouver dans cet entre-deux, à mi-chemin entre le rêve et l'état de veille, où Rocco m'apparut encore et encore, se détournant de moi pour aller vers une autre femme qui ressemblait étrangement à Isis et lui ouvrait les bras avec un grand sourire.

19

Ainsi que je m'y attendais, Sa Sainteté ne fut guère contente d'apprendre que j'avais trouvé un arrangement en son nom avec Alfonso. Mais lorsque je lui eus expliqué mon raisonnement, elle finit par approuver de mauvais gré.

Cela ne l'empêcha tout de même pas de faire un commentaire :

— D'abord les diamants, et maintenant ceci… tu commences à me coûter diablement cher.

— Dans le but de vous épargner des désagréments bien plus ruineux.

Ne trouvant rien à répondre à cela, Borgia me bannit de sa présence jusqu'à ce que j'aie quelque chose d'« utile » à lui dire, ainsi qu'il le formula. Les négociations avec de Haro devaient l'avoir ébranlé, car il n'avait pas l'air en très bonne forme. Cela dit il n'était pas le seul apparemment, Renaldo m'ayant confié dans le creux de l'oreille que l'émissaire souffrait de douleurs au ventre, et ce alors qu'il refusait de manger quoi que ce soit qu'il n'ait amené avec lui.

— Ses vivres ont dû pourrir depuis bien longtemps et c'est ça qui le rend malade, je suis sûre, en avais-je conclu. À vrai dire c'était bien fait pour lui, puisqu'il était assez sot pour croire que de simples charrettes remplies de nourriture sauraient le protéger si Borgia en avait décidé autrement.

Aurais-je tué de Haro ? Une question purement hypothétique, bien entendu. Sa relation avec l'émissaire commençait visiblement à le frustrer, mais pour autant Sa Sainteté ne laissa jamais entendre qu'il se réjouirait de sa mort ; et loin de moi l'idée de l'y encourager.

Mais admettons qu'il y ait eu une raison impérieuse, quelque chose touchant à un sujet capital tel que la guerre ou la paix, la vie ou la mort ? Qu'aurais-je fait dans ce cas ?

Quelques graines de jusquiame noire concassées dans du pain, peut-être. Ou bien un soupçon de jeunes tiges de pieds-d'alouette versées dans du vin. Ou, à défaut, l'un de mes préférés personnellement : de l'huile de belladone substituée à l'une des nombreuses imitations de saint chrêmes, dont les sots se persuadent qu'ils les protégeront d'un empoisonnement.

Mais changeons de sujet ; Dieu me garde, surtout, de vous donner matière à pécher.

En retournant à la maison plus tard ce jour-là, je trouvai non le message d'Alfonso que j'avais espéré mais un paquet de César. Il contenait une grande quantité de fine dentelle noire, du genre de celle que les Espagnoles utilisent pour se faire des mantilles, avec un mot suggérant que je trouve un usage plus intime à l'étoffe. Cela eut le don de me remonter le moral, qui n'était pas vraiment au beau fixe ces temps-ci.

Le cadeau provoqua également des gloussements de la part de Portia, qui rôdait autour de moi lorsque je l'ouvris.

— J'ai toujours apprécié les hommes qui savent faire preuve d'imagination, commenta-t-elle.

— Oui, eh bien je vais devoir songer à ce que j'en ferai.

N'ayant absolument aucun talent s'agissant des travaux d'aiguille, je ne savais pas du tout par où commencer.

— Je peux vous recommander une bonne couturière, proposa la *portatore*. Elle ne vous volera pas, elle fait du bon travail et les commérages ne l'intéressent pas.

Ayant obtenu le nom de cette femme modèle et remercié Portia pour cela, j'hésitai quand même à partir. Je me sentais accablée en ce moment, en fait depuis que Rocco m'avait annoncé sa nouvelle et même si je refusais à tout prix de l'admettre. Mais le fait est que je ne pouvais m'empêcher de ruminer ce que j'avais appris concernant la *figlia* d'Agnelli, même si je m'évertuais à éviter d'y penser.

— Serait-ce possible…, commençai-je. C'est-à-dire, croyez-vous que…

Portia, qui était en train de frotter la dentelle entre ses doigts, me regarda de biais.

— Cela ne vous ressemble pas, de faire la timide comme ça.

— Ce n'est pas ça. Simplement, je me demandais si je pourrais vous demander un service ? Un autre service, en fait. C'est-à-dire, vous venez tout juste de m'en rendre un, et vous êtes toujours si bonne de vous occuper de Minerve, mais…

Portia laissa tomber l'étoffe tout de go et me regarda droit dans les yeux.

— Qu'est-ce qui ne va pas, Donna ? Et avant de me dire quoi que ce soit sachez que vous me faites peur, à être dans tous vos états, comme ça. Est-ce que Borgia l'a vraiment fait ? Sommes-nous au bord de la catastrophe ? Les cieux vont-ils s'ouvrir en deux et une pluie de grenouilles en tomber ?

— Non ! Rien de tout cela. C'est une broutille, vraiment. Je me demandais juste… (J'inspirai profondément et y allai d'un coup.) Savez-vous quoi que ce soit au sujet de la famille d'Agnelli ?

— Les verriers ? Ils ont perdu leur fils unique l'an dernier.

— Oui, je le sais, mais ils ont aussi une fille…

— C'est possible, répondit Portia lentement. Même si, en toute honnêteté, je n'ai pas entendu dire grand-chose d'elle.

Elle marqua un temps d'arrêt, durant lequel elle me regarda d'un air par trop perspicace. Je fis de mon mieux pour ne paraître que moyennement intéressée.

— Voulez-vous que je me renseigne à son sujet ?

— Si cela doit poser problème, n'en faites rien. Ça n'a vraiment aucune importance, après tout.

— Oh, dans ce cas…

— Mais si par hasard vous pouviez… je suis juste curieuse.

Ma voix faiblit, se sentant certainement aussi ridicule que moi.

Portia se contenta de hausser les épaules, et se remit à observer la dentelle.

— Je vais voir ce que je peux faire.

Je ne l'avais pas dupée un seul instant, je le savais. Tôt ou tard je devrais lui dire la vérité, mais pour l'heure d'autres problèmes étaient en souffrance, dont d'aucuns diraient qu'ils étaient plus pressants.

Dès le lendemain j'étais en chemin pour aller voir Lucrèce, que je m'en voulais d'avoir négligée, lorsque Vittoro m'intercepta au beau milieu de la place.

— C'est vrai, ce qu'on me raconte ? m'apostropha-t-il sans préambule. Tu as recruté des contrebandiers pour débusquer Morozzi ?

— Pour autant que je le sache, tout le monde a fait chou blanc jusqu'à maintenant. Les espions de Borgia, du moins je le suppose car tout de même il me l'aurait dit depuis le temps. Mais aussi Luigi, et même mes amis juifs.

J'avais envoyé un message à Sofia et David pour leur expliquer où Morozzi se cachait selon moi, et j'en avais informé le banquier également. Je savais bien qu'ils feraient de leur mieux dans cette affaire, mais je plaçais certainement davantage d'espoir en Alfonso.

— Si je pouvais l'obliger à se montrer…

— Tu ferais quoi, exactement, Francesca ? Tu te lancerais à sa poursuite toute seule ? Cette obsession que tu as…

Si jusqu'à maintenant je ne savais pas avec certitude par qui Vittoro avait été mis au courant, mes doutes s'envolèrent à ce moment-là. Borgia avait lui aussi fait référence à mon obsession du prêtre fou, lorsque j'avais précisé combien cette alliance avec les contrebandiers allait lui coûter.

Eu égard à ma sincère affection pour Vittoro, je lui répondis calmement.

— Parlerais-tu d'obsession si c'était ton père qu'on avait assassiné ?

Il eut l'élégance de se sentir confus.

— J'imagine que non, tu as raison. Je ne te reproche pas tant de prendre les choses à cœur que de vouloir jouer aux héroïnes, comprends-tu ?

— Mais ce n'est pas du tout mon intention. Morozzi finira bien par faire un faux pas. Quand cela arrivera il faudra peut-être agir très vite, mais sois assuré que toute aide sera bienvenue.

Ce n'était pas un mensonge, ni exactement la vérité non plus. Je ne souhaitais pas particulièrement affronter le prêtre seule, mais en aucun cas je ne prendrais le risque qu'il soit alerté par la présence d'un tiers. Et plus important, je comptais bien l'envoyer en enfer de ma main.

S'il ne parut pas satisfait, Vittoro renonça à ergoter avec moi. Il m'accompagna encore un peu.

— Le garçon se porte bien, m'annonça-t-il au bout de quelques instants.

Je n'avais pas besoin de lui demander à qui il faisait référence. Pour moi, il n'y en avait qu'un seul.

— Je suis heureuse de l'apprendre. C'était très généreux de ta part de prendre Nando chez toi.

Vittoro émit un grognement.

— Je peux t'assurer qu'il sera plus difficile de le rendre à son père. Felicia l'adore, et les filles aussi. Il est intelligent, cet enfant. Savais-tu qu'il dessine très bien ? Il a fait des portraits de mes filles qui leur ressemblent trait pour trait.

Je pris le temps de me demander si la *figlia* d'Agnelli aurait l'idée d'encourager le don de Nando, ou bien si elle escompterait comme son père qu'il reprenne l'affaire familiale. Puis, dans une tentative flagrante de changer de sujet, je m'enquis :

— Et quel est ton sentiment, sinon, s'agissant des négociations avec de Haro ?

— Ah, cela s'appelle ainsi, en fait ? Je trouvais que cela ressemblait davantage à un mélange entre joute verbale et bouderie.

— À ce point-là ?

— Qui peut vraiment le dire, à part eux ? Toujours est-il que les choses seraient plus faciles pour Sa Sainteté si elle n'avait pas constamment à se soucier de della Rovere et de ce qu'il est en train de fabriquer.

Pour juste qu'il fût, son commentaire me donna à penser que Vittoro était peut-être au courant du plan que j'avais élaboré pour éliminer le cardinal. Cela ne m'aurait pas étonnée, le capitaine de la garde ayant lui aussi d'excellentes sources en plus d'être dans la confidence de Borgia.

Nous nous quittâmes quelques instants après, et je poursuivis mon chemin jusqu'aux appartements de Lucrèce. Elle se trouvait dans son bain, mais me fit dire d'entrer quand même.

Le *bagno* était une vaste pièce, dont les immenses fenêtres donnaient sur les jardins du palazzo. Le sol était recouvert d'une mosaïque raffinée de style romain, représentant des dauphins en train de jouer. Au centre trônait une énorme *vasca* en marbre rose, aux pieds en forme de pattes de lion et aux hautes parois en volute. Sa taille était telle que Lucrèce aurait pu prendre son bain avec toutes ses dames de compagnie. Toutefois ce jour-là elle était seule, hormis une soubrette qui se précipita pour m'amener un tabouret. Je m'assis et humai le parfum capiteux de l'hibiscus et du jasmin qui s'élevait de l'eau fumante.

Elle était jolie comme un cœur, avec ses cheveux blonds relevés en chignon très haut sur la tête, ses joues toutes roses et le reste de son corps qu'on devinait à peine sous l'eau laiteuse. Si je ne la connaissais pas aussi bien, la tension dans ses yeux et autour de sa bouche m'aurait échappé.

— Cela te dirait de me rejoindre ? s'enquit-elle. Il reste encore plein de place.

J'étais tentée. Depuis mon déménagement du palazzo, j'avais dû me contenter d'une baignoire sabot en étain. Et pour autant que je chérisse mon intimité, certains agréments allant de pair avec la vie parmi les riches et les puissants me manquaient, je l'admets. Mais avec tout ce qu'il y avait à faire en ce moment, je ne pouvais rester bien longtemps.

— Une autre fois, d'accord ? Je suis juste venue voir comment ça allait.

Lucrèce soupira et leva les yeux au plafond, où des petits anges étaient en train de batifoler.

— Comment ça va ? Voyons… je suis impatiente… nerveuse… excitée… épuisée, à force de rester debout pendant des heures pour les couturières, et aussi *très* lasse de me faire piquer par des épingles. Et toi, comment ça va ?

C'était une bonne question. Optimiste quant à la mort prochaine de l'assassin de mon père, certainement. Affligée par la nouvelle de Rocco et me détestant d'avoir eu une réaction aussi hypocrite, pour sûr. Impatiente de retrouver son frère et la joie d'un accouplement passionné et détaché, je l'avoue. Et enfin, de toute évidence, plus attentive que jamais à garder son père en vie.

— Très bien, répondis-je au final. J'ai fort à faire, assurément, mais ce n'est guère surprenant.

— Dis-moi, parmi tous les cadeaux de mariage que nous avons reçus, quel est ton préféré ?

Une manière discrète de faire allusion au fait que je devais approuver chacun des présents qui lui étaient faits avant de l'autoriser à en approcher.

— Je pencherais pour l'éléphanteau grandeur nature en argent, avec la trompe ornée de joyaux. Un peu banal, peut-être, mais…

Lucrèce pouffa de rire et j'eus le plaisir de retrouver, ne serait-ce qu'un instant, la jeune fille que j'avais toujours connue.

— Où devrais-je le mettre, à ton avis ? Dans la salle de bal de la villa à Pesaro, pour que tous nos invités puissent l'admirer ? Ou peut-être dans nos quartiers privés, pour notre seul plaisir ?

— Dans la chambre d'enfant, proposai-je, car je savais que le sujet lui était cher. Quel *bambino* n'adorerait pas avoir son propre éléphant ?

Lucrèce battit des mains.

— Parfait, c'est exactement ce que je ferai. En supposant que j'aille vivre à Pesaro un jour.

Elle n'attendit pas ma réponse, prenant soudain une inspiration pour mettre la tête sous l'eau. Lorsqu'elle refit surface quelques secondes après, ses cheveux étaient tout défaits et flottaient autour d'elle. Elle me fit alors penser à une sirène, mais une sirène qui aurait des soucis on ne peut plus concrets en tête. Le mariage avait beau s'approcher à grands pas, elle doutait encore qu'il ait bien lieu. Je me demandais si elle savait combien l'émissaire espagnol était déterminé à l'empêcher.

Nos regards se croisèrent, et nous n'eûmes pas besoin de parler.

— Oh, s'exclama Lucrèce tout à coup, j'ai bien l'impression que je suis à court de savon.

Aussitôt, la soubrette fit une révérence et partit en chercher d'autre à la hâte. Dès que nous fûmes seules, elle me questionna :

— Quelles sont les nouvelles ? Dis-moi tout.

Bien entendu, c'était hors de question ; je lui dirais simplement ce qu'elle avait besoin de savoir.

— De Haro et votre père ne s'entendent pas. Certains commencent à se demander s'ils parviendront à un accord.

— Mais il le faut ! Le clan Sforza ne cédera jamais Milan au roi de Naples, même s'il est mieux placé pour y prétendre. Les Espagnols doivent se servir de leur influence pour le lui faire comprendre. Sinon, ma future belle-famille se tournera vers le Nord pour demander de l'aide et en un rien de temps les Français seront aux portes de la ville.

Avec la bénédiction de della Rovere, voire d'autres cardinaux. Mais je gardai cela pour moi. Lucrèce comprenait déjà fort bien la situation.

— As-tu déjà pris des paris ? s'enquit-elle. Je savais à quoi elle faisait référence ; dans les tavernes, la cote était maintenant à sept contre cinq que son mariage serait annulé.

— Certainement pas. Je ne mise jamais sur ce genre de chose. Du reste, la signature de la bulle par votre père m'a rapporté gros. Et la cupidité est un vilain défaut.

Elle attrapa une éponge et l'essora au-dessus de sa tête, avant de me dire :

— Tu es tellement chanceuse de pouvoir contrôler ta vie.

— Ce n'est pas tout à fait vrai, mais je suis heureuse du peu d'indépendance que j'ai.

Même si certains jours cela ne me paraissait être guère plus qu'une illusion.

Elle haussa ses pâles épaules.

— Moi je ne saurai jamais ce que c'est. Ma vie est entre les mains de mon père, et il en use à sa guise. Pour tout te dire, je crains même qu'une fois mariée, cela continue.

Il aurait été parfaitement hypocrite de tenter de la persuader du contraire, et je ne m'en sentais pas capable. Borgia était déterminé à contrôler la vie de tous ses enfants, maintenant et à jamais, puisqu'ils étaient censés à la fois le faire avancer et assurer son immortalité.

Mais avant cela, il lui faudrait se sortir de ce bourbier d'ambitions conflictuelles, d'avidité rampante et de corruption dans lequel il s'était enlisé tout seul.

— Si vous continuez à vous inquiéter autant, répliquai-je, votre fiancé va croire que vous êtes une pauvre créature toute triste. Il fuira les festivités et rentrera à Pesaro au triple galop.

Eût-elle été moins sûre de ses attraits, ma remarque aurait pu la prendre de court ; toutefois, Lucrèce se contenta de sourire.

— Mais non. Il me trouvera charmante et délicieuse. Il jettera des pétales de roses à mes pieds et m'appellera sa bien-aimée.

Nous étions en train de rire de la niaiserie des hommes quand ils s'entichent d'une femme lorsque la soubrette revint avec une boîte en bois remplie de savons. Elle la posa sur une table à côté de nous, avant de se fondre de nouveau dans le décor.

Lucrèce n'en ayant pas vraiment besoin, nous continuâmes à bavarder, de ses cadeaux de mariage, de sa robe, de sujets bien inoffensifs en somme. Mes yeux se posèrent par hasard sur la boîte. Je la reconnaissais bien entendu, examinant systématiquement tout nouvel arrivage depuis des mois. Lucrèce les faisait venir de Venise, et la boîte portait le sceau de son fabricant sur le couvercle. Elle était assez grande pour contenir une douzaine de savons ovales, parfumés à l'huile d'olive et diverses autres senteurs. La Bella aussi adorait faire sa toilette avec. À elles deux, elles en consommaient une quantité effarante.

Je soulevai le couvercle de la boîte, et brisai ce faisant le sceau du fabricant. Ce même sceau qui, immanquablement, aurait dû être brisé si j'avais auparavant inspecté ces savons, et remplacé par mon propre sceau. L'intérieur était séparé en compartiments, chacun contenant un savon enveloppé dans de la soie de différentes couleurs, censées représenter les senteurs. Je sentis de l'hibiscus, du jasmin, de la rose, de la lavande, du citron et du thym. Il y avait donc deux pains de savon pour chaque parfum.

— Il y a un problème ? demanda Lucrèce.

Je laissai retomber le couvercle, et lui souris.

— Non, pas du tout, j'étais juste en train d'admirer les savons.

— Prends-en un, si ça te fait plaisir.

— Merci, c'est très gentil.

Souriant toujours, je me tournai vers la soubrette et lui demandai :

— Où as-tu eu cette boîte ?

Je pris garde de parler avec douceur et d'un ton léger ; cela ne servirait à rien de l'effrayer.

Quand bien même, je la vis pâlir et pendant un instant je crus qu'elle n'arriverait pas à parler. Visiblement, elle savait qui j'étais.

— C'est Donna Lydia qui me l'a donnée, parvint-elle à dire finalement. Elle s'occupe de la toilette de Madonna.

— Voudrais-tu lui demander de venir ici ?

La soubrette sortit précipitamment et Lucrèce reposa sa tête contre la baignoire en me regardant d'un air imperturbable. Elle ne souffla mot, et moi non plus.

Puis Donna Lydia entra, l'air affairé. Du même âge que moi à peu près, elle était plutôt jolie avec sa peau crémeuse, et bien habillée ; on sentait la fille de riche négociant qui ne craignait pas de montrer son aisance matérielle. Je fus d'ailleurs étonnée de la voir se mouvoir avec autant de grâce, engoncée comme elle l'était dans toute cette soie, ce velours, cette dentelle ; sans compter ce corset serré, mettant en valeur ses seins par un jeu de transparence avec la chemise de dessous ; et par-dessus le marché, la coiffe retombant sur les côtés et bordée de perles de *rosetta* en verre de Murano, qui faisaient fureur chez les jeunes filles de bonne famille en ce temps-là.

— Avez-vous besoin de quelque chose, Madonna Lucrezia ? s'enquit-elle en souriant abondamment. Elle avait de bonnes dents. Si elle paraissait vaguement agacée d'avoir été arrachée à son divertissement du moment, elle ne montra aucun signe d'inquiétude vis-à-vis de moi, preuve d'une ignorance patente.

— Nullement, mais je crois que Donna Francesca, oui.

— Madonna Lucrezia m'a très gentiment offert un savon, fis-je en indiquant la boîte. Mes parfums préférés sont l'hibiscus et le jasmin. Je voudrais les essayer tous les deux avant de me décider, mais je crains de confondre les senteurs. Auriez-vous l'obligeance d'en essayer un pour moi, afin que je puisse les comparer à mon aise ?

De vous à moi c'était un bien piètre stratagème, j'en conviens. Peut-être Donna Lydia s'en serait-elle aperçue si elle avait eu l'esprit moins tourné vers son nombril. Mais le fait est qu'elle se contenta de hausser les épaules, de prendre un savon au jasmin, de relever ses manches et, avec un soupir impatient, de plonger les mains dans une bassine en cuivre remplie d'eau froide. Le savon étant d'excellente qualité, il moussa rapidement.

J'attendis, comptant dans ma tête. Lorsque j'en fus à dix, Donna Lydia se mit à crier.

20

— La famille entière, je vais faire exécuter ! Non, j'ai une meilleure idée, je vais les faire enchaîner sur la place devant Saint-Pierre sans rien à boire ni à manger, et toute la ville les regardera agoniser et supplier qu'on les achève !

Ainsi parlait un Borgia furibond en arpentant son bureau, et en cherchant manifestement quelqu'un sur qui déverser sa rage. Il n'avait pas eu le temps d'ôter sa lourde tenue officielle à l'issue de son entrevue avec de Haro, leur conversation ayant été brusquement interrompue lorsque je lui avais fait remettre un message relatant le dernier drame en date. Si quelqu'un devait le lui apprendre, mieux valait que ce soit moi, m'étais-je dit. Sa grosse tête était cramoisie et luisante de sueur. Les secrétaires, qui ne pouvaient quitter les lieux sans sa permission mais étaient à juste titre terrifiés de se trouver dans les parages quand Sa Sainteté se mettait dans un tel état, se contentaient de rester dans un coin à trembler comme des feuilles.

Pour ma part, j'avais manœuvré de façon à mettre son bureau entre nous. De ma position de repli, je m'exclamai :

— Je vous en prie, faites donc, si cela peut vous soulager. Mais la seule chose dont ils sont coupables, c'est d'avoir enfanté une fille trop écervelée pour remarquer que mon sceau n'était pas apposé sur cette boîte-là. Si Donna Lydia avait eu le moindre soupçon quant à ces savons empoisonnés, elle n'en aurait jamais essayé un d'aussi bon cœur.

— Qu'importe ! Mon Dieu mais tu ne te rends pas compte, ma fille unique, ma précieuse Lucrèce, elle aurait pu…

Je résistai à l'envie de lui dire que c'était précisément parce que je m'étais rendu compte de ce qui allait arriver que le pire avait été évité, et tentai de le raisonner :

— Donna Lydia souffre de graves brûlures aux deux mains. Si cela ne vous paraît pas suffisant comme punition, elle a également réussi à se toucher le visage dans la panique qui s'est ensuivie. Sauf erreur de ma part, son état va empirer durant plusieurs jours. Des cloques vont ensuite se former, avant de crever en laissant des lésions. Ces dernières continueront à être très douloureuses jusqu'à qu'une croûte se forme. Elles finiront par guérir, mais il est probable qu'elle gardera des cicatrices toute sa vie.

Borgia arrêta son va-et-vient, retint son souffle et me fixa.

— Elle ne va pas mourir ?

Je secouai la tête.

— Je suis d'avis que les savons ont été contaminés par une huile issue d'une plante. Il y en a plusieurs possibles, mais je pencherais pour du sumac vénéneux. J'ai déjà vu des gens développer les mêmes symptômes après en avoir touché. En l'occurrence, il semblerait que l'huile ait été concentrée, probablement par distillation, pour en aggraver l'effet – mais en aucun cas elle n'aurait été mortelle.

— Si l'idée n'était pas de tuer Lucrèce, alors de quoi s'agit-il ? s'alarma Borgia.

J'y avais déjà songé. Certes, il n'était pas impossible que Morozzi ait réussi à se procurer (ou pire encore, à créer) un poison de contact égalant le mien, mais en toute modestie cela me paraissait improbable. Malgré tout, si vraiment il avait accès aux appartements de Lucrèce, il aurait pu y introduire des denrées empoisonnées, dont les effets auraient été autrement plus dévastateurs. J'en frissonnais rien que d'y penser. J'aurais beau faire tous les efforts du monde, Borgia et sa famille ne seraient jamais totalement protégés tant que le prêtre fou était encore en vie.

— Ce n'est pas elle qui l'intéresse, suggérai-je, mais vous. Réfléchissez, si Lucrèce mourait subitement, tout le monde songerait à un empoisonnement et en déduirait que l'un de vos ennemis est responsable. Peut-être même que l'on aurait de la compassion pour vous. En revanche, si un terrible fléau s'abattait soudain sur elle, et qu'on la voyait dans l'état où se trouve Donna Lydia maintenant, les gens ne seraient-ils pas plus enclins à voir cela comme le signe d'un châtiment de Dieu pour quelque grave transgression ? Pardonnez-moi, Votre Sainteté, mais l'on y verrait la preuve de vos péchés.

Je n'avais pas besoin de les énumérer ; Borgia voyait parfaitement de quoi je voulais parler. Son visage s'assombrit encore, virant au violet. Je me demandais où je pourrais bien dénicher de la digitale pourprée, cette plante étant un bon remède en cas d'arrêt cardiaque – bien qu'il faille faire attention au dosage, car en trop grande quantité…

Mais je digresse. À mon grand soulagement je le vis se reprendre, bien qu'avec difficulté visiblement. Lorsqu'il parla, son ton était presque calme :

— Puisqu'il a réussi à faire cela, pourquoi ne s'est-il pas contenté de me tuer, tout simplement ?

— Parce qu'au contraire de Lucrèce, vos domestiques ne sont pas des jouvencelles irréfléchies que l'on peut facilement duper.

À lui de se rendre compte, ainsi que je l'avais moi-même fait avec du recul, combien cela avait été une grave erreur d'entourer sa fille de telles godiches.

— Je veux les voir toutes parties dans l'heure, décréta-t-il. Elle n'aura plus d'autres domestiques que les miens, ainsi que toute personne considérée par Vittoro comme totalement fiable. Suis-je clair ?

— Parfaitement, mais il reste que plus vite nous aurons retrouvé Morozzi, plus vite elle sera en sécurité.

Retrouvé et expédié en enfer, comme il le méritait amplement.

— Eh bien alors qu'attends-tu, bon sang ! Il est comme tout le monde, bien obligé de manger, de boire, de pisser, peut-être même de courir la gueuse, s'il en a les *coglioni*. Il se cache quelque part dans cette ville – dans *ma* ville – et j'exige qu'on le retrouve !

Sa voix de stentor fit vibrer les vases qui ornaient son bureau. Les secrétaires étaient blancs comme des linges, et mes mains, que j'avais jointes devant moi sous les longues manches de ma robe du dessus, étaient glaciales malgré la chaleur de la journée. Cela ne m'empêchait pas de partager pleinement la frustration de Borgia : la partie de chasse n'avait que trop duré.

Borgia continua à tempêter, mais je ne l'entendais plus. Jusque-là j'avais géré la situation posément, mais en prenant conscience du drame qui avait bien failli survenir, la peur et la colère menacèrent soudain de m'engloutir. Lucrèce défigurée, Borgia affaibli (peut-être fatalement) et moi-même couverte de honte, ma réputation ruinée tandis que l'assassin de mon père s'en sortirait indemne. Et, au-delà, la lumière de Lux éteinte, le monde plongé dans les ténèbres et tout espoir de voir la raison triompher anéanti.

Une douleur me transperça les tempes. Je fermai les yeux tant tout fut soudain éblouissant, une explosion de lumière qui fit virer le monde au blanc. Une pulsation brûlante, pressante, me parcourut les veines. Derrière mes paupières je ne vis que les ténèbres, puis une vague rouge qui bouillonna devant moi et engloutit le bureau, le palais, la ville, la création tout entière. J'étais en train de me noyer dedans, je n'arrivais plus à respirer. Le mur et son minuscule trou réapparurent devant moi, et les éclairs de lumière me firent entrevoir un paysage de désolation absolue. Au loin, et pourtant si près que l'on aurait dit un murmure à mon oreille, j'entendis un enfant gémir.

— Francesca.

Un enfant qui était…

— Francesca !

La vague pourpre se retira. J'ouvris les yeux. Borgia était en train de m'observer. Ma poitrine était si serrée que j'étais incapable de répondre. J'étais adossée contre son bureau, ce qui constituait en soi une violation flagrante du protocole, sans compter tout ce que j'avais peut-être dit ou fait. Avais-je parlé ? La noirceur qui est en moi avait-elle agi en mon nom ? L'avait-il entendue hurler au plus profond de mon être ?

— Est-ce que tu vas bien ? exigea de savoir Sa Sainteté.

Je parvins à acquiescer d'un signe de tête, visiblement peu convaincant.

— Dehors, cria-t-il en désignant d'un geste les secrétaires. Eux aussi étaient en train de me scruter, mais ils se hâtèrent d'obéir tant bien que mal, prenant à peine le temps de refermer derrière eux.

— Assieds-toi, ordonna Borgia en me poussant dans le fauteuil le plus proche. Je n'offris aucune résistance tant j'étais dans un état de torpeur totale, incapable de bouger ou d'émettre un son. Lorsque je revins vraiment à moi, il était en train de me mettre une coupe de vin frais dans la main, en insistant pour que je boive.

Je m'exécutai sans même prendre la peine de goûter. Mes mains tremblèrent quand je saisis la coupe, et je me dépêchai de finir le vin pour ne pas la faire tomber. Lentement, mon apathie se dissipa. Je sentis l'odeur qui émanait de Borgia – la sueur sous le brocard et le velours, le savon aux agrumes qu'il adorait, et quelque chose d'autre également, un étrange mélange de force pure et d'ambition, avec un soupçon de peur.

— Qu'as-tu vu ? s'enquit-il.

Je réprimai le soupir qui montait en moi. Sa Sainteté était convaincue que dans certaines circonstances, j'étais sujette aux visions. J'avais tenté de l'en dissuader, mais en vain. De toute façon, il semblait moins se soucier de savoir si ces visions étaient d'origine divine ou diabolique que ce qu'elles étaient à même de lui révéler.

— Dis-le-moi, insista-t-il.

— J'ai vu du sang, répondis-je pour en finir. Une mer de sang, qui nous engloutissait tous.

Il fronça les sourcils.

— Tous, pas juste mes ennemis ?

— Elle engloutissait le monde.

Manifestement, la réponse que j'avais faite n'était pas du goût de Sa Sainteté. Il resta silencieux un instant, avant de déclarer :

— Ce n'était pas une vision. De toute évidence, tu es surmenée à cause du danger que tu as bien failli faire encourir à ma fille. Mais je te pardonne. À présent va, et reprends tes esprits. Mais fais vite : je veux voir le cas de Morozzi réglé séance tenante.

Je hochai la tête et me levai en chancelant, puis reposai délicatement la coupe sur le bureau de crainte qu'elle ne tombe, ne se brise – et moi avec. Je ne sais comment, je réussis à rassembler mes esprits et à sortir de la pièce, puis de l'antichambre. Je me mouvais comme dans un cocon de silence, pleinement consciente du fait que tous les regards étaient posés sur moi. Tous les prêtres, clercs et importuns venus demander audience se figèrent sur place et m'observèrent. Pour ma part, ils auraient tout aussi bien pu ne pas exister.

J'avais encore un goût âcre de cuivre dans la bouche. J'attendis d'être sortie du palais pour cracher contre un mur, découvrant par la même occasion que je m'étais mordu la langue. Mon sang avait taché la pierre claire et s'écoulait jusque sur le sol. En frissonnant, je repris mon chemin.

Malgré les instructions de Borgia, je n'étais pas disposée à rentrer chez moi tout de suite. Après ce qui venait de se passer, une étrange agitation s'empara soudain de moi. Je ressentais le besoin irrésistible de marcher.

Arrivée sur le Pons Ælius, en face du château Saint-Ange, je m'arrêtai et regardai en direction de l'aval du fleuve. À cette époque de l'année, le Tibre est une bête paresseuse qui serpente tant bien que mal à travers le cœur de la ville. Les choses sont bien différentes en hiver, lorsque des pluies tardives le font parfois déborder de son lit, mais ce jour-là, une brindille lancée d'où je me tenais aurait fait un périple des plus paisibles jusqu'à la mer Tyrrhénienne, à moins de cinquante kilomètres de là. Suivant le sens du vent, l'odeur de la mer chargée des senteurs de la campagne qu'elle traverse en chemin imprègne parfois la ville – ce qui n'était pas le cas présentement, seule une légère brise trompant quelque peu la chaleur qui s'était accumulée au fil de la journée.

Je regardai les bateliers tirer leurs longues barques étroites sur les berges boueuses. Pendant les heures de travail, quand ils se disputaient les clients, ils se comportaient en véritables coupe-jarrets entre eux. Mais lorsque venait l'heure de la soupe et du lit, la solidarité revenait et ils se donnaient un coup de main pour hisser les bateaux sur la route. Là les attendaient leurs enfants, qui prenaient ensuite le relais pour transporter l'embarcation jusqu'à leur humble demeure. Le matin venu, l'opération se ferait en sens inverse. Dans une autre ville que la nôtre (peut-être la cité rêvée de Platon dans *La République*, où les hommes vivent ensemble en toute courtoisie, ce qui élimine jusqu'à la nécessité d'avoir des lois), ces mêmes bateliers laisseraient leurs barques sans danger sur les berges, et en revenant à l'aube les y retrouveraient. Mais Rome est une ville de voleurs, ou bien, si vous préférez, de pilleurs, dont beaucoup vivent dans des cabanes en bois branlantes serrées les unes contre les autres le long du fleuve, et subsistent en fouinant partout pour trouver tout et n'importe quoi à vendre. Un bateau laissé là disparaîtrait en un clin d'œil, sans laisser de traces.

Mais le Tibre lui aussi prend autant qu'il donne. Si vous restez sur le Pons Ælius suffisamment longtemps, vous êtes assurés de voir passer au moins un corps qui flotte à la dérive. Tiens, songez seulement au frère dominicain dont la triste fin avait été rapportée par Guillaume. Tous les jours des morts sont repêchés dans le fleuve. Victimes d'un acte violent ou bien de leur propre désespoir, ils finissent pourtant pareillement, gonflés et sans âme. Reste que peu sont des enfants, et il est encore plus rare d'y repérer un bébé, mais dans leur cas ce serait plutôt parce qu'ils sont si petits que leurs dépouilles ont tendance à se loger dans les piliers des ponts, où personne ne les voit.

Je m'appuyai contre la pierre, heureuse de sentir enfin un peu de fraîcheur dans cette journée qui avait été si chaude, et tentai d'effacer ce qui venait de se passer dans le bureau de Borgia. À l'évidence, il avait raison de dire que j'étais surmenée, même si je détestais parler de moi-même en ces termes. Je dormais mal, comme toujours. Le vent du diable qui avait soufflé dans la ville ces derniers temps m'avait fait perdre l'appétit. Je me languissais de César... je souffrais à cause de Rocco... je m'inquiétais de ne jamais arriver à venger mon père comme je le devais... et je me tourmentais, lorsque j'en avais le courage, en me demandant pourquoi je ne pouvais pas simplement être comme les autres, et avoir une vie merveilleusement ordinaire.

Mais tout cela n'était que pures simagrées, bien sûr. Personne ne souhaite réellement être ordinaire. Malgré leurs regards désapprobateurs, beaucoup de femmes (et d'hommes, d'ailleurs) auraient volontiers échangé leur existence monotone contre la richesse et le pouvoir que je possédais. Et, assurément, ils se moqueraient de moi s'ils savaient combien je languissais après ce qu'eux avaient.

Ou peut-être que non. Peut-être qu'une poignée d'entre eux avaient suffisamment de sagesse pour apprécier à leur juste valeur les vertus de l'amour et de l'honneur, de la fidélité et de l'humilité. Dans ce cas, il se pourrait fort bien qu'ils me plaignent.

Mais que le diable m'emporte si je m'apitoyais un jour sur mon propre sort.

Je rentrai à la maison. Je donnai à manger à Minerve. Je troquai l'encombrante tenue officielle que je portais au Vatican contre les vêtements d'homme auxquels j'avais recours si je voulais me mouvoir sans être reconnue ni importunée. J'attendis ensuite des nouvelles d'Alfonso, et lorsque très rapidement j'en eus assez d'attendre, je partis de chez moi et retraversai le fleuve en direction du Trastevere.

Le crépuscule approchait à grands pas lorsque j'arrivai sur la place devant Sainte-Marie. Je pris mon poste un peu à l'écart, et patientai. La place et les rues adjacentes commencèrent à se vider. Je vis alors des silhouettes avancer dans la pénombre, et tentai de suivre leurs mouvements. Bientôt, l'une d'elles s'approcha.

— Je ne vous avais pas reconnue au départ, fit Alfonso. Il observait ma tenue avec un sourire insolent.

— Vous avez déjà essayé de pourchasser quelqu'un en jupe ? rétorquai-je.

— Pas vraiment, non. Il n'y a eu aucun signe de lui depuis, si c'est ce que vous êtes venue me demander. Il se terre.

— Vous vous trompez. Il m'a envoyé un message on ne peut plus clair. Il faut agir, maintenant.

Alfonso avait l'air sceptique.

— Comment voulez-vous procéder ?

Je le lui dis. Lorsque j'en eus fini, il gonfla les joues avant de souffler longuement.

— Vous êtes sûre que c'est une bonne idée ?

— Je crois que c'est la seule.

— Dans ce cas… tenez.

Il fourra sa main dans une poche et en extirpa un petit sifflet en bois, qu'il me tendit.

— À quoi cela sert-il ?

— C'est moi qui en ai eu l'idée, m'expliqua Alfonso avec fierté. C'est facile à fabriquer, et ça ne coûte rien. J'en ai donné à toute ma bande. Un coup de sifflet, ça veut dire qu'il faut accourir au plus vite. Idéal quand quelqu'un ne sait pas encore que le chef ici, c'est moi, et cause des problèmes à l'un de mes gars. Dans ces cas-là on s'y met à plusieurs pour lui montrer de quel bois on se chauffe, et la plupart du temps, après, il file doux. Deux coups de sifflet, ça veut dire dispersez-vous, courez. Pratique quand les condottieri sont dans les parages et qu'on veut éviter les problèmes.

L'idée était ingénieuse, et je lui dis. Je le vis bomber légèrement le torse, mais il retrouva prestement son sérieux.

— Je comprends ce que vous dites quand vous parlez de resserrer l'étau autour de Morozzi, de le forcer à sortir des tunnels en ne lui laissant aucune issue à part l'église. C'est un bon plan. Mais sauf votre respect, pourquoi vouloir l'affronter seule ? Ne serait-ce pas plus judicieux d'avoir des gardes à vos côtés ?

— Bien sûr, mais pour cela il faudrait avoir la certitude que Morozzi ne soupçonne pas leur présence jusqu'à ce que le piège se referme. J'ai appris à mes dépens qu'il ne fallait jamais le sous-estimer. Il se montrera seulement s'il est convaincu que je suis seule.

— Alors vous êtes l'appât ?

Je hochai la tête. Borgia avait tenté de se servir de moi de cette manière lors de l'attaque de la villa. Pour déplaisante qu'elle fût, cette tactique était trop bonne pour que je ne la mette pas à profit une seconde fois.

— Morozzi veut me tuer pour des raisons personnelles, mais également parce que je me mets en travers de son chemin et l'empêche d'atteindre sa cible suprême, le pape.

Signe des temps dans lesquels nous vivons, l'idée de quelqu'un ne craignant pas de s'attaquer au souverain pontife ne surprit même pas Alfonso. Il se contenta de hocher la tête à son tour.

— Et tu penses pouvoir le stopper toute seule ?

Je ne lui en voulais pas d'être sceptique, mais comme Vittoro l'avait dit, Morozzi n'avait jamais montré qu'il était prêt à laisser la vie dans cette lutte. En revanche, rien n'arrête un assassin dès lors qu'il est vraiment déterminé.

Ce n'était pas que je voulais mourir, du moins pas dans le sens où je recherchais la mort comme ces pauvres âmes qui se laissaient engloutir par les eaux du fleuve. Mais la pensée d'en avoir fini avec les ténèbres, les cauchemars, les visions, l'exclusion, la solitude, toute chose qui avait pris une telle importance depuis la mort de mon père… c'était plutôt séduisant, je le reconnais. Manifestement, il fallait mettre en balance les enseignements de la sainte Église concernant les atroces souffrances qui attendaient meurtriers, apostats, fornicateurs et autres sorcières dans l'*Inferno*. Toutefois le doute, qui n'était au départ qu'un petit ulcère à l'intérieur de moi, s'était épanoui depuis en un buisson épineux où les questions, la franche incrédulité et un dédain croissant s'enchevêtraient, jusqu'à devenir impénétrable. Je m'abritais à présent derrière, rebelle et déterminée.

— Je ferai ce que je dois, rétorquai-je.

Malgré son jeune âge, *il re dei contrabbandieri* ne se serait pas élevé au rang qui était le sien s'il n'avait su faire la différence lorsqu'une tempête peut être évitée et lorsqu'elle doit être traversée. Il hocha de nouveau la tête et posa doucement une main sur mon épaule, avant de se volatiliser.

Je me retrouvai seule dans l'obscurité grandissante. Devant moi se dressait l'imposante façade en pierre de Sainte-Marie. Je levai les yeux vers la mosaïque de la Vierge en train de donner le sein à son enfant, et au mépris de tous ceux qui me condamneraient s'ils le savaient, je priai en silence quiconque m'entendait et se souciait un tant soit peu de moi, là-haut, pour que je ne meure pas par la main de Morozzi ce soir-là.

Puis, avant que la peur ne me submerge, je montai les escaliers quatre à quatre et pénétrai dans le lieu saint.

21

Plus tard, il y eut désaccord quant à savoir qui était exactement responsable. Certains prétendirent que c'étaient les apprentis, que l'on soupçonnait toujours de se déchaîner à la moindre incartade. D'autres affirmèrent que les coupables étaient des diablotins aux pieds fourchus tout droit venus de l'Enfer. Une poignée, enfin, insista pour dire que c'était les contrebandiers, mais comme personne ne s'expliquait pourquoi ils auraient agi de la sorte, cette hypothèse ne fut jamais prise au sérieux.

Ce qui est certain, c'est qu'on ne ferma pas l'œil de la nuit, dans le Trastevere. Comment les habitants l'auraient-ils pu, quand des semeurs de discorde sortirent dans les rues, chantant à tue-tête, entrant à la volée dans les maisons et les échoppes, renversant les tables, faisant fuir poulets et pigeons, ouvrant les portes des porcheries et scandant pendant tout ce temps-là un mystérieux refrain : « Sors de ta cachette, le prêtre, sors ! Sors, où que tu sois, sors ! »

À la vérité, plusieurs prêtres se trouvaient dans le Trastevere cette nuit-là – comme toutes les autres. Il y en avait peut-être un ou deux qui se reposaient chastement dans leur lit – non, j'exagère peut-être. Ce chiffre paraît trop élevé. Quant au reste, ils étaient simplement en train de boire et de faire bombance avec toute une bande d'évêques, plusieurs archevêques et au moins un cardinal.

Certains tentèrent bien de fuir aux premiers signes de troubles, mais ils furent vite rattrapés par ce qui se transforma sous leurs yeux en une parade à la lueur des flambeaux, à laquelle finirent par se joindre même les honnêtes gens, et dans cette orgie tourbillonnante, au milieu des tambours improvisés à l'aide de marmites et de bâtons, et des assiettes en métal transformées en cymbales, le vin se mit tout à coup à couler à flots et l'ambiance de fête prit le pas sur le reste.

Les autres membres du clergé plongèrent sous les lits d'où on les avait arrachés lorsque la foule joyeuse avait ouvert leur porte à la volée, pour finalement se faire entraîner comme les autres et subir le plus dignement possible le refrain qui résonnait désormais dans chaque ruelle et chaque venelle : « Sors de ta cachette, le prêtre, sors ! Sors, où que tu sois, sors ! »

On raconta même que le chant fut repris dans d'autres quartiers, voyageant de toit en toit, car ils étaient nombreux à être allés chercher un peu de fraîcheur là-haut. Aujourd'hui encore, lorsqu'est célébré l'anniversaire de la « Parade des diablotins » (ainsi qu'elle fut nommée par la suite), les plus courageux n'hésitent pas à entonner l'avertissement moqueur.

« Sors de ta cachette, le prêtre, sors ! Sors, où que tu sois, sors ! »

Je me moquais bien de ce qui se passait dans le quartier, du moment que cela servait mon but. Mon raisonnement était que la crainte d'être repéré et le refrain sardonique scandé par la foule inciteraient Morozzi à chercher refuge ailleurs. C'est dans cet espoir que je me mis en position dans l'église, près de la porte en bois qu'Alfonso m'avait désignée.

Dans mes mains je tenais le couteau dont je m'étais servie pour tuer l'assassin que Morozzi m'avait envoyé, probablement un membre de la Fraternité, même si je n'avais que faire de son identité. J'avais eu de la chance avec lui, grâce à l'effet de surprise et aux conseils de César. Cette fois-ci, je ne devais pas compter sur ma bonne fortune.

Par conséquent, j'avais légèrement modifié la lame. Elle était à présent recouverte d'un poison de contact qui, au contraire de celui que cette sotte de Donna Lydia avait si allègrement touché, était sans l'ombre d'un doute mortel. Évidemment, cela signifiait également qu'il devait être manipulé avec la plus extrême précaution. Je pris une profonde inspiration pour me calmer, et gardai les yeux sur la porte.

Je n'eus pas long à attendre.

Elle fut tout à coup ouverte à la volée, et Morozzi en sortit en trombe. Il portait une cape noire qui le recouvrait de la tête aux pieds, et se mouvait comme s'il avait des démons à ses trousses – bien qu'au vu de sa nature il les aurait sûrement enlacés, si cela avait été réellement le cas. Plus important, il ne prit pas plus garde à moi que si j'avais été une punaise.

Il était si pressé que le temps que je réagisse, il était déjà dans la nef centrale et se dirigeait à grands pas vers l'autel. Je bondis à sa poursuite. Je me doutais qu'il devait y avoir plusieurs issues dans cette vieille église et que Morozzi les connaîtrait, vu le temps qu'il devait avoir passé à explorer tous les coins et recoins de la ville. Je ne pouvais courir le risque qu'il s'échappe à nouveau.

— Halte-là ! criai-je. Bernardo Morozzi, halte !

Il s'arrêta et se retourna, regardant dans ma direction depuis le trou noir que formait son capuchon au niveau du visage.

— C'est moi, Francesca Giordano. Vas-tu encore te sauver, espèce de lâche ? Ou bien va-t-on enfin en finir, ici et maintenant ?

Je comptais pour le faire sortir de ses gonds sur la haine qu'il éprouvait pour moi, tout autant que sur la présomption de l'homme à considérer la femme comme étant le sexe faible, donc facile à battre. Malheureusement c'est par trop souvent vrai, mais je devais croire qu'il en irait autrement pour moi. J'étais préparée, et surtout déterminée. Tout ce que j'avais à faire, c'était l'attirer suffisamment près pour ne serait-ce que l'érafler avec le couteau. Il n'en faudrait pas plus.

De crainte qu'il ne devine mes intentions, je gardai le bras sur le côté tout en marchant vers lui.

— On fanfaronne moins quand on est seul, hein ? raillai-je. Tu es capable d'envoyer quelqu'un pour me tuer, mais quand il s'agit de le faire toi-même, il n'y a plus personne. C'était la même chose avec mon père. Là encore, il a fallu que tu agisses à travers d'autres.

Il ne bougeait ni ne parlait, mais je sentais son regard fixé sur moi.

Je m'approchai encore, poussée par le sentiment de faire quelque chose de profondément juste. Tuer Morozzi débarrasserait non seulement le monde d'un monstre, mais vengerait aussi mon père, protégerait les juifs et aiderait Borgia à renforcer son pouvoir. Cette certitude me remplissait d'une force comme je n'en avais jamais connu auparavant.

J'étais si proche…

Un bras me saisit soudain à la gorge par derrière. Au même moment, je sentis qu'on me soulevait du sol. À peine eus-je le temps de comprendre ce qu'il m'arrivait que je commençai à manquer d'air.

— Strega, me siffla une voix à l'oreille, *je vais me délecter de te voir griller sur le bûcher*.

Une sorcière. Mais bien plus important en cet instant, une idiote. J'étais tombée dans le piège de ma propre arrogance, oubliant ce que non seulement je savais, mais aussi ce dont j'avais averti les autres – que Morozzi était bien trop intelligent pour être sous-estimé. À l'instar de Borgia, il était tout à la partie qu'il jouait, et avait toujours plusieurs coups d'avance. Pour sûr, il avait manœuvré plus habilement que moi, jusque-là.

Avec l'énergie du désespoir, je fis un grand geste en arrière de ma main armée, mais Morozzi fut plus rapide. En une seconde, il avait violemment bloqué mon coup de sa main libre. La douleur me transperça. Je dus faire tous les efforts du monde pour ne pas laisser tomber le couteau.

Au même moment l'autre homme, celui qui m'avait dupée en me faisant croire qu'il était ma proie, se précipita pour aider Morozzi. Il me saisit par le poignet, dans l'intention manifeste de m'arracher le couteau. Son capuchon retomba et je vis un jeune homme, à peine plus âgé que moi, les yeux brûlant de la ferveur du vrai croyant.

Morozzi serra encore davantage son bras autour de mon cou, et je me mis à voir des petits points noirs. Je savais qu'il ne me restait plus que quelques secondes avant de perdre connaissance. Je rassemblai mes dernières forces, levai le bras et effleurai le menton du jeune homme. La seconde d'après, le couteau tombait de mes mains engourdies. Au départ, cette blessure lui parut insignifiante ; il est même fort possible que dans la précipitation, il n'ait rien remarqué. Mais ce poison était l'un des plus fulgurants que j'avais jamais créés. En un instant il tituba et son visage devint blafard.

En le voyant dans cet état, Morozzi se rendit certainement compte qu'il y avait un problème. Il serra encore davantage. De désespoir je lui griffai le bras, mais en vain. Soudain tout s'obscurcit autour de moi, et mon corps devint flasque.

Quelques instants après (du moins je le suppose), je revins à moi et découvris que j'étais étalée sur le sol de l'église, près d'une colonne contre laquelle Morozzi m'avait certainement jetée. Il était penché au-dessus de son compagnon, et criait :

— Qu'est-ce qui ne va pas ? Qu'est-ce qu'elle t'a fait ?

De là où je me trouvais, je me rendis compte que Morozzi n'avait pas plus idée de ce qui s'était passé que l'autre homme. Pour autant qu'ils le sachent, j'avais réussi l'exploit de le terrasser en lui faisant à peine une égratignure.

Je me hissai tant bien que mal en me tenant à la colonne, et vis alors la scène dont était témoin Morozzi. L'homme était en train de se tortiller sur le sol, manquant d'air ; il avait les yeux révulsés et était pris tout en même temps de convulsions.

Un poison fulgurant, vous dis-je.

Ce qui signifiait que j'avais très peu de temps pour en finir. Désespérément, je me mis à quatre pattes et tâtonnai le sol pour retrouver le couteau. Si seulement je pouvais mettre la main dessus, vite…

L'homme était à l'agonie. Une écume noire lui sortit de la bouche.

Horrifié, Morozzi eut un mouvement de recul. Il se détourna et me vit au moment même où la lueur d'une lampe de l'autel faisait briller la lame du couteau.

Je bondis pour m'en saisir, et en pleurai de soulagement lorsque je sentis ma main se refermer autour du manche. Rassemblant toutes mes forces, je me remis debout. C'est ainsi que je ferais face à Morozzi et que, par Dieu ou par le Diable (en cet instant, cela ne m'importait vraiment plus), je le tuerais.

Le prêtre fou se figea sur place, le visage déformé par la rage. Il allait se précipiter sur moi quand il repéra tout à coup le couteau. À ma consternation, je vis qu'il commençait à comprendre.

— *Strega*, répéta-t-il d'une voix pleine de haine mais aussi de crainte. Son instinct de survie entra alors en action. Dans un rugissement de fureur, il fit demi-tour et prit la fuite.

Au même moment, mes forces m'abandonnèrent. Je m'effondrai au sol. Ma gorge était en feu et chaque respiration virait au supplice. Plus tard je serais peut-être heureuse d'être en vie, mais en cet instant tout ce que je voyais, c'était que Morozzi m'avait échappé, encore une fois. Et telle la pauvre et faible créature que j'étais, je me mis à pleurer sur la pierre froide.

Lentement, je pris conscience que je n'étais plus seule. Des mains me touchaient doucement. Des voix murmuraient. Quelqu'un me souleva et me porta longtemps, entre obscurité et lumières vacillantes, en haut d'un escalier, et enfin dans une pièce.

— Approche la lampe.

Je grimaçai et tentai de tourner la tête.

— Tout va bien, je veux juste regarder ta gorge.

Sofia. J'ouvris les yeux et la vis penchée sur moi, le visage crispé par l'angoisse. Elle s'approcha encore pour m'écouter respirer, puis se redressa et fit un signe de tête à quelqu'un qui se tenait derrière elle.

— C'est sérieux, mais Dieu soit loué elle respire normalement.

Ses mains douces s'affairèrent alors sur moi.

— As-tu mal ailleurs ?

Seulement à mon cœur, mais comment pouvais-je dire cela ? C'est ainsi que je secouai la tête et essayai péniblement de m'asseoir. Aussitôt, une silhouette familière s'approcha pour m'aider.

— David… mais comment as-tu… ? fis-je d'une voix faible et rauque, ce qui ne l'empêcha pas de me comprendre.

— Benjamin a tenu sa promesse, répondit-il en m'adossant contre un traversin. Le lit avait été mis derrière un rideau, dans la pièce arrière de l'échoppe de Sofia. Je sentais les herbes qui séchaient aux poutres et entendais le léger sifflement du feu dans le brasero, où de l'eau avait été mise à chauffer.

— Il ne s'en est pas mêlé, mais par contre il a fait en sorte que je reste en contact avec Alfonso. C'est lui qui m'a fait prévenir que tu avais des ennuis.

— Que je me suis fait avoir comme une débutante, tu veux dire. (En ayant fini avec les pleurs, je m'armai de courage pour affronter la vérité.) Morozzi a encore filé.

— On sait, répliqua David gentiment. L'autre homme… je m'en suis… occupé.

J'acquiesçai d'un signe de tête, sachant pertinemment qu'il valait mieux ne pas être dans les parages pour un juif lorsqu'un corps était retrouvé dans une église. Inévitablement, on l'aurait désigné coupable.

Ce qui me rappela les paroles de Borgia concernant leur utilité. J'en eus la nausée. Ayant toujours du mal à m'exprimer, je fis signe à Sofia de s'approcher.

— Je suis désolée, vous comptiez sur moi et je vous ai fait défaut, murmurai-je.

Une larme coula sur sa joue argentée dans la lumière pâle. Ses bras m'enveloppèrent. Je humai le vague parfum de vinaigre qui ne la quittait jamais. Mais juste en dessous, prête à le masquer, je discernai une note de lavande mélangée à du citron, une odeur que je n'avais jamais associée à Sofia. À peine eus-je le temps de m'en étonner que j'entendis une femme commencer à chanter tout doucement. J'eus soudain une sensation d'immense bien-être. Pendant quelques secondes, je me sentis totalement en sécurité et aimée.

Mais déjà, la terreur grondait en moi. Elle vint sans raison ni préavis. Je songeai vaguement que c'était une sorte de réaction à ce qui m'était arrivé dans l'église, mais il devint vite évident que c'était bien davantage que cela. J'étais purement et simplement transie de peur. Mon cœur se mit à battre à tout rompre, et j'eus le plus grand mal à respirer. Stupéfaite, j'entendis des sortes de miaulements émaner de moi. Je m'accrochai à Sofia et dans le même temps oubliai totalement sa présence.

Je me trouvais de nouveau derrière le mur, mais ce dernier n'offrait aucune protection ; une vague de sang déferlait d'en dessous, d'au-dessus, des deux côtés, et m'engouffrait. J'entendis des cris et une voix implorante, mais ses mots n'avaient aucun sens pour moi car ils venaient juste avant que le monde ne vole en éclats.

— Ne fais pas un bruit, mon ange. Reste bien tranquille.

Qui parlait ? Quelles étaient ces mains qui exerçaient une douce pression sur moi, dans le noir ?

— S'il vous plaît mon Dieu, faites qu'elle ne voit pas…

— *Mamma !*

Un grand silence m'enveloppa alors, qui me parut durer une éternité. Je baignais dedans, recroquevillée au plus profond de moi-même, et en sécurité tant que je ne bougeais pas. Puis, je ne saurais dire combien de temps après, je vis des rais de lumière et sentis le goût du bouillon sur ma langue, que l'on me donnait à la cuillère. Un moineau voleta devant moi. Les draps sous moi étaient froids. Quelqu'un me parlait.

Mon père ?

Mais il était mort, et j'avais échoué une fois de plus à le venger.

— Francesca… ?

J'ouvris les yeux. Sofia m'étreignait toujours, mais c'était David qui avait parlé. En me voyant garder le silence, il demanda :

— Que lui arrive-t-il ?

— C'est ce que je craignais ; tout cela l'a épuisée. Elle commence à se souvenir.

— À se souvenir de quoi ? s'enquit David, et je me le demandai moi-même, mais en un certain sens je crois que je savais déjà.

Je dormis alors, d'un sommeil profond et sans rêves, Dieu merci.

Lorsque je me réveillai, c'était le matin. Je sentis une bonne odeur de bouillie de flocons d'avoine en train de cuire, et entendis des voix toutes proches. Je tentai de bouger mais mes gestes étaient hésitants ; je me sentais aussi fragile qu'un objet en verre créé par Rocco. Finalement je réussis à m'asseoir, et même à faire pivoter mes jambes sur le côté. De là, il ne me restait plus qu'à rassembler mes forces et me lever.

La pièce tourna autour de moi mais je tins bon, jusqu'à ce que tout revienne à la normale. Lorsque ce fut le cas je fis un pas, puis un autre, avec la plus extrême prudence. Sofia et David étaient attablés à l'avant de l'échoppe. Ils se levèrent d'un bon en me voyant.

— Je vais bien, dis-je, ce qui ne les arrêta pas pour autant. À la vérité, je ne fis pas beaucoup d'efforts non plus. Dans mon état de faiblesse, l'idée que l'on s'occupe de moi relevait de l'irrésistible tentation.

— Assieds-toi, insista Sofia. Lorsque je lui eus obéi, elle posa une tasse de thé devant moi et resta là jusqu'à ce que j'aie quasiment tout bu. Le goût était un peu amer, mais pas désagréable. Prestement, je me sentis revenir à la vie.

Avant tout, je devais savoir :

— Avez-vous retrouvé mon couteau ?

Même s'il avait servi il restait enduit de poison, ce qui le rendait effroyablement dangereux pour toute personne ne le manipulant pas avec la plus extrême précaution.

Sofia me rassura aussitôt :

— Nous avons pris le parti, au vu des circonstances, de le manier avec le plus grand soin. Il est dans une boîte fermée à clé.

Soulagée, je hochai la tête et poursuivis :

— Quelles sont les nouvelles, en ville ?

Ma voix me faisait l'effet d'une poignée de graviers roulant au fond d'un baril, mais j'étais déterminée à parler.

— Aucun signe de Morozzi, répliqua David. Alfonso a déployé ses hommes pour le chercher, mais jusqu'ici ils n'ont rien trouvé. Les hommes de Borgia sont chez toi, ils te demandent. Une rumeur circule selon laquelle tu serais morte.

Ah, Rome et ses colporteurs de ragots, toujours prêts à inventer une bonne histoire.

— Et de quelle façon ?

Ma curiosité vous paraîtra peut-être quelque peu morbide, mais cela m'intéressait vraiment de le savoir.

— Abattue à l'intérieur d'une église, rétorqua Sofia d'un air sombre. Les avis sont partagés quant à savoir si tu as été punie pour tes turpitudes ou bien celles de Borgia.

— Je pencherais pour la seconde option, assurément. Toute seule, je ne vaux guère de finir de façon aussi spectaculaire.

— Tu en plaisantes, mais c'est tout à fait sérieux. Tu aurais pu te faire tuer. Du reste, tu…

— Je vais bien, répétai-je pour couper court à la discussion. Des fragments de souvenirs refaisaient surface. Vaguement, je me souvins d'avoir été dans un état plutôt grave lorsqu'on m'avait amenée à l'échoppe. À dire vrai ce n'étaient pas les seules images qui me revenaient, mais je n'étais pas d'humeur à les évoquer – certainement pas même, au vu de la gravité de la situation présente.

— Je dois m'en aller, annonçai-je, et je m'apprêtai à me lever lorsque, d'une main sur chaque épaule, Sofia et David me firent rasseoir.

— Ne sois pas ridicule, me sermonna Sofia. Tu ne vas nulle

part tant que je n'ai pas la certitude que tu tiendras debout plus de quelques minutes. En attendant, tu vas manger.

À ma surprise, j'entendis mon ventre gargouiller. J'avais faim ; une faim de loup, même. J'enfournai une cuillerée du bol de bouillie qu'elle posa devant moi à une vitesse plutôt inconvenante, et ce n'était pas seulement car j'avais hâte de partir. Il est vrai que je mange souvent sans faire guère attention à ce que j'avale, mon esprit étant toujours occupé à autre chose. Mais ce qu'elle m'avait préparé était délicieux, crémeux et sucré à souhait, avec une pointe de sel.

— C'est bon, fis-je en tendant mon bol pour me faire resservir, telle une enfant.

Sofia et David échangèrent un regard mais ne dirent rien. Lorsque j'eus fini cette seconde portion, je me laissai aller en arrière avec un grand soupir, une main posée sur mon ventre bien plein. Pendant un instant, tout sembla aller pour le mieux dans le meilleur des mondes.

Mais la réalité me rappela bien vite à l'ordre. Morozzi courait toujours ; Borgia était probablement dans tous ses états, même s'il ne l'admettrait jamais ; quant à moi, j'avais par trop tardé.

— Je dois vraiment vous quitter, maintenant, dis-je. Cette fois-ci lorsque je me levai ils ne firent pas d'objection, mais ils avaient l'air tous deux inquiets et pire encore, perplexes. À l'évidence, ils ne savaient absolument pas comment procéder avec moi. Je ne pouvais guère les en blâmer : ni l'un ni l'autre ne savaient se bercer d'illusions comme je le faisais si bien.

Quand bien même, mes amis étaient prêts à m'aider.

— Je viens avec toi, annonça David en se levant.

— Il vaudrait mieux qu'on ne nous voie pas ensemble, prévins-je. Si les responsables du ghetto apprenaient son retour, il passerait déjà un mauvais quart d'heure ; mais s'il se faisait repérer en compagnie de l'empoisonneuse de Borgia ou pire encore, de son fantôme, ils seraient hors d'eux.

— Nous repartirons par le chemin que nous avons pris pour t'amener ici, m'informa-t-il. Par les tunnels.

Je commençais à me demander pourquoi les gens en ville s'embêtaient encore à circuler à la surface, alors qu'ils auraient pu éviter de se faire mouiller quand il pleuvait, de marcher sur les tas de fumier, ou de jouer des coudes avec les chevaux et les charrettes. N'eussent-ils pas eu cette tendance à s'effondrer sans crier gare et ainsi à ensevelir les malheureux qui se trouvaient dessous, les passages secrets de Rome auraient certainement été encore plus populaires qu'ils ne l'étaient déjà.

— Emporte cela, me dit Sofia tandis que je m'apprêtais à partir. (Elle me glissa un petit sachet dans les mains.) Le thé a un effet revigorant, mais aussi calmant.

J'acquiesçai, mais ajoutai quand même :

— Si cela ne te dérange pas, je voudrais encore un peu de ta poudre qui fait dormir.

Au vu de ce qu'il s'était passé à l'église et après, j'avais peur que lorsque le cauchemar viendrait (comme je ne doutais pas qu'il fasse si je n'étais pas suffisamment droguée pour le tenir à distance), il submergerait mon esprit avec une telle force que je serais incapable d'y échapper. J'étais prête à tout pour éviter cela.

Sofia hésita, et l'espace d'un instant je craignis qu'elle refuse. J'en eus une bouffée de panique. Avec le recul, j'aurais dû prendre cette réaction comme une indication de l'état dans lequel je me trouvais réellement. Au lieu de cela, comme toujours, je la balayai d'un geste.

— Je peux t'en donner un tout petit peu, accepta-t-elle finalement. Mais cette poudre est trop dangereuse pour en prendre de façon régulière. Nous devons réfléchir à d'autres moyens pour arriver à te faire dormir.

Mon soulagement était si grand que je l'assurai aussitôt de ma volonté de faire précisément cela au plus vite, quand je n'en avais pas la moindre intention. De crainte que vous ne me preniez vraiment pour un être sans aucune conscience, sachez que j'éprouvai un certain remords à l'idée de la tromper de la sorte, mais c'était une sensation bien trop faible au final pour me faire éprouver davantage qu'un malaise passager.

Sofia m'ayant remis la poudre ainsi que mon couteau, je pris congé d'elle avec David. Il me guida à travers les passages souterrains jusqu'à ce que l'on émerge dans une étroite ruelle à côté de la piazza di Santa Maria. À cette heure de la matinée, la place autour de la fontaine était grouillante de passants à pied et à cheval, de chariots et de charrettes, et tout ce petit monde était bien trop occupé à tenter de se dépasser les uns les autres pour nous remarquer. Avec mes vêtements masculins j'avais l'air d'un apprenti quelconque, mais je savais que mon anonymat ne durerait pas. Délibérément, je détournai les yeux de l'église où quelques heures plus tôt à peine j'avais affronté la mort, et dis au revoir à David.

— Tu seras prudente, n'est-ce pas ? insista-t-il en m'observant, sourcils froncés. À présent que Morozzi sait que tu le traques, il est impossible de dire comment il va réagir.

J'y avais également songé, mais le gardai pour moi. Il était plus que probable que le prêtre fou considère ce qui venait de se passer comme une provocation intolérable. Il ne tarderait pas à riposter, j'en étais sûre, et le stopper devenait donc plus que jamais urgent.

Ayant rassuré David sur le fait que je prendrais toutes les précautions (encore un mensonge à ajouter à une liste qui s'allongeait de minute en minute), je pris la direction de mon appartement. J'espérais avoir un moment de répit pour pouvoir enfin rassembler mes esprits, mais le sort en avait décidé autrement. Je venais à peine de tourner dans ma rue lorsque je compris que le temps était venu pour moi de payer le prix pour avoir failli à ma mission.

22

Vittoro mettait un point d'honneur à ne pas me regarder dans les yeux, préférant se concentrer sur le mur situé derrière moi. Il gardait ses mains dans le dos, et ses traits étaient figés en une expression de circonspection étudiée. Eussé-je été son subalterne, j'en aurais tremblé de peur. Pourtant, raisonnai-je, je n'avais rien fait d'autre qu'utiliser au mieux mon jugement dans le seul but de garder Borgia en vie. Soit, l'on pouvait arguer que j'avais commis une faute en m'attaquant à Morozzi sans l'aide de renforts. Reste que mon audace aurait été applaudie des deux mains si j'avais mené ma mission à bien. Je n'étais donc pas disposée à m'excuser pour mon acte — même si, en toute sincérité, mon petit doigt me disait que cela aurait été plus raisonnable.

Mon immeuble était cerné par les condottieri, qui s'étaient déversés jusque dans la loggia. Hormis les soldats, il n'y avait pas un mouvement dans la rue. Mes voisins avaient eu la sagesse de se calfeutrer chez eux, d'où ils épiaient à n'en pas douter ce qu'il se passait en bas à travers les fentes de leurs volets fermés.

— Donna Francesca, m'apostropha Vittoro lorsque je fus en face de lui. Saine et sauve à ce que je vois, malgré ce qui se dit un peu partout en ville.

Cela ne paraissait guère lui faire plaisir, mais j'espérais tout de même ardemment qu'en son for intérieur, mon vieil ami se réjouissait de voir mon séjour sur terre prolongé.

— Il ne faut pas croire tout ce que l'on entend, répondis-je. Vittoro, je veux bien répondre de mes actes devant Sa Sainteté, mais je pense qu'elle n'apprécierait guère que je me présente à elle dans cet état. Monte avec moi, nous pourrons discuter.

Telle était ma tactique pour tenter de prendre le contrôle de la situation, si tant est que ce fût possible. Je comptais sur la bienveillance de Vittoro pour me donner le temps de m'expliquer, et en cela Dieu merci, il ne me déçut pas.

— Sa Sainteté s'inquiète beaucoup pour toi, m'informa-t-il alors que nous passions devant la porte de la concierge. Le panneau du haut était ouvert et je crus voir la silhouette de Portia à l'intérieur, mais je n'en étais pas certaine.

Je ne pris pas cela au premier degré, et ne songeai pas un seul instant que Vittoro l'avait dit dans cette intention : nous savions tous deux fort bien que Borgia ne se souciait de rien au-delà de son propre bien-être.

— Il n'a pourtant pas lieu de le faire, rétorquai-je.

— Depuis hier tu es introuvable. Une grande partie de la ville a été secouée par des émeutes anticléricales que des individus en lien avec toi sont soupçonnés d'avoir provoquées. Le bruit court qu'un homme a été tué dans la basilique Sainte-Marie, mais son corps n'a pas été retrouvé. Et voilà que tu te montres enfin, habillée comme un garçon et ayant toutes les peines du monde à parler distinctement à cause de ce qui m'a tout l'air d'être une sérieuse tentative de strangulation.

Gênée, je portai une main à ma gorge.

— Morozzi m'a échappé, et j'en assume l'entière responsabilité. Toutefois, j'ai au moins réussi à confirmer qu'il est revenu en ville, et ils sont désormais un de moins.

Le *capitano* leva un sourcil.

— De ton fait ?

Je haussai les épaules en signe d'aveu silencieux.

— Si tu le permets, maintenant, je vais me laver et me changer.

Je n'avais vraiment pas besoin de causer davantage de scandale que je n'en avais déjà provoqué ; mais pour être honnête, je cherchais surtout à gagner un peu de temps pour préparer ma défense avant d'affronter Borgia.

Vittoro le comprit. Il m'accompagna à l'intérieur de mon appartement et attendit dans le salon le temps que je fasse ma toilette. D'ordinaire je ne faisais guère attention à ce que je portais, mais au vu des circonstances il me semblait plus prudent de choisir mes vêtements avec soin. Ainsi j'optai pour une robe taillée dans une pièce de soie de Florence que Lucrèce avait dû me supplier d'accepter en cadeau, et allai jusqu'à lâcher mes cheveux, les démêler et enfermer quelques mèches dans un filet en résille d'argent.

Lorsque j'émergeai enfin, le capitaine de la garde se tenait près de la fenêtre donnant sur le jardin intérieur. Il était en train de caresser Minerve, qui semblait s'être prise d'affection pour lui. Il m'inspecta des pieds à la tête comme il l'aurait fait pour l'une de ses filles, et parut satisfait.

Ce qui ne l'empêcha pas de me dire d'un ton bourru :

— Je te préviens : j'ai rarement vu notre maître dans un tel état.

Sermonné par l'émissaire espagnol, menacé par les exigences de la famille Sforza comme du roi de Naples, nargué par della Rovere, et à présent défié par un Morozzi qui s'était allié à ce fanatique de Savonarole, Borgia était effectivement assiégé de toutes parts. Ce n'était pas la première fois qu'il se retrouvait dans une situation délicate, loin s'en faut, mais il avait toujours su faire preuve d'un certain *brio*, un mélange d'enthousiasme et de confiance qui le faisait l'emporter sur tous les tableaux. Or, récemment, il m'était apparu de plus en plus énervé, impatient, voire désabusé. Après avoir consacré la majeure partie de sa vie à devenir pape, notre maître découvrait-il à présent que le trône de Saint-Pierre n'était pas aussi confortable qu'il se l'était imaginé ?

Plutôt que de formuler mes inquiétudes à voix haute et ce faisant les exacerber, je restai silencieuse une grande partie du trajet qui nous mena, Vittoro et moi, au palais du Vatican. Nous étions à une semaine de la date choisie pour le mariage de Lucrèce et Giovanni Sforza, seigneur de Pesaro. Le marié étant censé arriver en ville deux jours avant, des équipes de balayeurs étaient déjà à l'œuvre sur le Corso et dans les rues adjacentes. D'autres accrochaient aux balcons des bannières aux couleurs rouge et or de la maison des Borgia, et blanc et or de celle des Sforza ; les derniers, enfin, installaient le long du parcours des pots de pavots, de soucis, de lys blancs et de jasmin. Des gardes armés étaient en place afin de prévenir d'autres inscriptions obscènes mais pour le moment, du moins, cette fâcheuse tendance semblait avoir été stoppée.

Dans quantité de cuisines en ville, les préparations pour le grand banquet que Borgia comptait offrir en hommage aux citoyens de Rome avaient commencé. D'habitude, l'organisation de ce genre de festivités aurait suscité un certain entrain mais partout où je regardais les visages étaient maussades, si ce n'était franchement hostiles. J'avais été tellement accaparée ces temps derniers par la protection de Borgia que je n'avais guère prêté attention à autre chose ; je le regrettais amèrement, à présent.

Malgré ce que leurs « aînés » aimeraient croire, les modestes gens sont très attentifs à ce qu'il se passe autour d'eux ; comment pourrait-il en aller autrement alors que leur survie dépend des fantaisies passant par la tête de ceux que le destin a placés au-dessus d'eux ? Et cela est encore plus vrai des Romains, réputés pour leur sagacité. Ils savaient tout des dangers qui s'accumulaient à l'horizon. Si ce que je voyais était un échantillon représentatif de l'ensemble de la ville, les preuves d'amitié que Borgia avait reçues à son accession à la papauté avaient bel et bien fondu comme neige au soleil.

Notre escorte armée maintenait la foule à une certaine distance, mais j'en surpris tout de même plus d'un, devinant peut-être qui j'étais, qui se signa à mon passage. Grand bien leur fasse.

M'ayant accompagnée jusque dans l'enceinte du palais, Vittoro eut l'obligeance de s'arrêter au pied du grand escalier de marbre qui menait aux bureaux de Borgia, m'épargnant ainsi l'ignominie de comparaître devant Sa Sainteté flanquée de deux gardes. Et pourtant j'admets que pour déplaisant que cela aurait été, je n'aurais pas dédaigné avoir un bras fort sur lequel m'appuyer pour monter les marches.

Les occupants de la curie n'étaient pas davantage immunisés contre le charme des commérages qu'une poissonnière d'Ostie, et mon arrivée ne passa pas inaperçue. Un par un ils firent silence tout en m'observant avec divers degrés de plaisir malsain et d'hostilité, ce qui me fit songer qu'ils ne devaient pas parier cher sur mon avenir au sein de la maison des Borgia. En bonne Romaine que je suis, j'eus le temps de regretter de ne pas avoir pu miser sur mon sort avant d'avoir à l'affronter.

Seul un visage amical m'attendait en haut, et même lui était aux aguets.

— Donna Francesca, s'écria Renaldo en se précipitant vers moi. Dieu soit loué, vous êtes vivante.

— Pour l'instant. Comment va Sa Sainteté ?

Renaldo fit la grimace.

— Je l'ai rarement vue ainsi. Signore César est revenu de... Mais je suis bien certain que vous savez où il était parti.

L'idée que l'exil siennois de César soit enfin terminé me remonta le moral. En d'autres circonstances, je n'aurais songé à rien d'autre que le moment où je serais enfin réunie avec mon amant ténébreux. Malheureusement j'avais d'autres priorités, pour l'instant.

Renaldo s'approcha de moi. Dans le creux de mon oreille, il me confia :

— Ils se disputent, et c'est encore pire que d'habitude. Je crains qu'ils ne finissent par en venir aux mains.

— En ce moment ? m'exclamai-je, étonnée. César est ici ?

Renaldo acquiesça d'un signe de tête, ne feignant même pas de s'offusquer d'une telle familiarité de ma part.

— Il est arrivé il y a une heure environ. Il ne décolère pas des attaques faites contre l'honneur de Donna Lucrezia. Il est allé jusqu'à accuser son père de se servir d'elle et de la mettre en danger. (L'intendant en frissonna.) Les cris ont redoublé, après cela. En toute honnêteté, je m'étonne qu'ils n'aient pas trouvé le moyen de fissurer les murs.

J'écoutai attentivement, mais n'entendis rien.

— Et maintenant, ce silence…

L'intendant leva les yeux au ciel.

Je partageais son inquiétude : une vive altercation entre père et fils n'était guère réjouissante, mais le calme plat était de bien plus mauvais augure.

— Quelqu'un a-t-il… ? risquai-je.

— Regardé à travers le *spioncino* ? Personne n'en a eu le courage. Ils ont tous fui le plus loin possible.

Comme j'aurais aimé en faire autant, si je n'avais été en totale disgrâce auprès de mon employeur. Rassemblant tout mon courage, je dis à Renaldo :

— Peut-être serait-il opportun de faire savoir à Sa Sainteté que je suis ici ?

Renaldo gonfla les joues avant de souffler longuement, ce qui en disait long sur son état d'agitation.

— Je crois que ce serait une bonne idée.

Pour autant qu'il approuvât mon intention, il ne proposa nullement de m'accompagner. Mais comment l'en blâmer ? Si j'avais été une sorcière comme on m'accuse de l'être, peut-être aurais-je eu sous la main un charme me permettant de créer un simulacre de moi-même, qui aurait alors obéi à mes ordres pendant que je restais à bonne distance. Malheureusement pour moi, ce genre de talent me faisait défaut.

— Bien, dans ce cas, fis-je en poussant la première porte.

L'antichambre située directement avant le bureau privé de Borgia était vide. Je la traversai rapidement, ignorant sciemment les fresques d'Ève aux formes généreuses folâtrant avec le Serpent.

Prenant une profonde inspiration, je regardai par le *spioncino*. Je m'attendais à voir le père et le fils converser plus calmement, après s'être souvenus quelque peu tardivement qu'ils n'étaient pas seuls. J'aurais alors frappé, je me serais annoncée et j'aurais espéré en dépit de tout être reçue le moins mal possible.

Le bureau était vide. Aucun signe ni de Borgia, ni de César.

J'entrouvris la porte, me glissai à l'intérieur et regardai autour de moi. Non, ils ne se cachaient pas dans un coin, attendant de me bondir dessus. Ils n'étaient vraiment nulle part.

Dès lors, trois possibilités s'offraient à moi. Ils s'étaient retirés dans l'appartement de Borgia, ce qui paraissait peu probable car Renaldo aurait sans nul doute été informé de leur présence là-bas. Ou bien ils avaient pris le passage menant à Santa Maria in Portico, mais je ne les imaginais guère, dans les affres d'une telle dispute, éprouver soudain le besoin de voir La Bella ou Lucrèce. Par conséquent, il ne restait plus que la porte secrète menant au Mysterium Mundi.

Je raisonnai sur mon devoir d'aller trouver Sa Sainteté sans plus tarder, d'apaiser ses craintes concernant mon sort et d'assumer l'entière responsabilité de mon échec dans la mission contre Morozzi. Ce faisant, je lui révélerais ma connaissance de la chambre secrète sous le Vatican, mais c'était un prix que j'étais prête à payer pour découvrir ce que recelait ce sanctuaire caché, et ce qui y avait attiré Borgia *padre e figlio*.

J'actionnai le levier pour ouvrir la porte dissimulée derrière la bibliothèque, et m'engouffrai dans le passage qui descendait dans les entrailles de la terre. La lumière du jour diminuait rapidement mais j'hésitais tout de même à allumer une lampe, réticente comme je l'étais à l'idée d'annoncer mon arrivée. Attendant un instant que mes yeux s'adaptent à la pénombre, je finis par apercevoir devant moi une faible lueur, suffisante pour continuer à avancer prudemment. Peu après, venant de la même direction, j'entendis des voix d'hommes chuchoter. Une légère brise, sentant la terre humide et le fleuve, me rafraîchissait les joues. Je m'approchai subrepticement des longues ombres que les deux hommes projetaient contre le mur de pierre. Ils me tournaient le dos ; je les entendais parler, sans pour autant distinguer ce qu'ils se disaient. Enfin, rassemblant tout mon courage, j'avançai dans la lumière.

César me vit en premier. Il était tout de noir vêtu et cette teinte sombre, observai-je, soulignait sa large carrure et ses cuisses musclées. Pauvre de moi, étais-je vraiment autre chose qu'une petite évaporée ? Je réussis tout de même à me faire la remarque que ses habits étaient maculés de boue, ce qui laissait à penser qu'il était rentré à Rome en toute hâte. Le soulagement qui se peignit spontanément sur son visage me surprit. Eussions-nous été seuls, peut-être y aurais-je répondu sans modération, tant j'étais heureuse de le revoir ; mais Borgia se chargea de me ramener sur terre.

— Le retour de la fille prodigue ! s'exclama Il Papa. Oserais-je demander comment tu es arrivée jusqu'ici ? Je serais fort étonné qu'il y ait un endroit plus secret dans toute la ville de Rome.

Je mentis sans hésiter, plutôt que d'avouer mon penchant à fourrer mon nez là où il ne fallait pas.

— C'est mon père qui m'a parlé de ce lieu.

Avant que Sa Sainteté puisse me questionner plus avant, je fis mine de regarder autour de moi avec grand intérêt — ce qui, du reste, n'était guère simuler. Alors qu'à ma première visite je n'étais pas parvenue à distinguer grand-chose au-delà de la grille, je voyais à présent que la pièce était remplie du sol au plafond d'étagères débordant de rouleaux de parchemins, de manuscrits enluminés, de liasses de papiers, de coffres ornés de pierreries, de fioles en cristal et plus surprenant, de crânes qui n'avaient pas l'air tout à fait humains. D'autres curiosités, trop grandes pour être rangées sur les étagères, prenaient la majeure partie de l'espace restant. Je remarquai des statues d'anges barbus qui, après examen, me parurent ressembler plutôt à des démons ; des bas-reliefs curieusement sculptés ; une grande pierre noire de la moitié de la taille d'un homme, dont la surface était superbement lisse, comme si on l'avait polie par le feu ; et bien plus encore que mon cerveau ne pouvait saisir sur l'instant.

— Qu'est-ce donc que tout ceci ? m'émerveillai-je. Et pourquoi est-ce enfermé ici ?

César se dévoua pour m'expliquer.

— Depuis des siècles toutes sortes de trésors se retrouvent à un moment donné dans le giron de notre Mère la sainte Église. La plupart du temps elle les approuve et les accueille même à bras ouverts, mais de temps à autre certains objets posent question ou pire encore, font naître des doutes. Quand cela arrive, ils se retrouvent ici.

Vu son penchant à mener au bûcher toute personne osant défier son orthodoxie, j'avais supposé que l'Église détruisait tout ce qui constituait selon elle une menace ; apparemment, je m'étais trompée. Une grande excitation s'empara alors de moi. J'aurais volontiers passé des heures, des jours, voire des semaines à fouiller les moindres recoins du Mysterium. Cependant ma fascination était toute personnelle, et je ne m'expliquais pas la présence de Borgia en ces lieux, surtout en ces temps difficiles.

— M'as-tu apporté la tête de Morozzi ? s'enquit le pape. Si c'est trop demandé je me contenterai de son cœur. C'est-à-dire, en supposant qu'il en ait un et que tu parviennes à le trouver.

Je l'avais vu dans bien des états — triomphant, détendu, aviné, pensif, intrigant –, mais jamais dans celui-ci. Ses cheveux, qui étaient récemment redevenus noirs grâce à l'application d'une mixture à base de noix de galle brûlée dans de l'huile et mélangée à du vinaigre, étaient tout décoiffés. Ses vêtements étaient constellés de taches sur sa poitrine, comme s'il avait mangé (ou plus probablement bu) sans faire attention. Il n'était pas rasé, et ses yeux étaient injectés de sang. Mais c'était sa bouche qui m'inquiétait le plus, car il mettait visiblement un tel point d'honneur à la maintenir fermée que ses lèvres d'habitude charnues n'étaient plus qu'une fine ligne blanche. Le Vicaire du Christ sur Terre n'était pas homme à contenir ses émotions, surtout lorsqu'elles étaient si sombres. Au mieux, il me restait quelques minutes pour le convaincre de ne pas me renvoyer sur-le-champ.

— Je ferai de mon mieux, Votre Sainteté. Comme vous le savez j'ai aussi hâte que vous d'en finir avec Morozzi, peut-être davantage encore.

Ma voix était encore rauque et cela me faisait mal de parler, mais je réussis à la maintenir ferme. César fronça les sourcils et observa ma gorge. Il avait l'air sur le point de prendre la parole, mais son père (et sa répartie légendaire) l'en empêcha.

— Et pourtant il vit encore à cause de ta vanité à ne vouloir laisser personne d'autre que toi le tuer.

Il avait raison, mais je gardai cette pensée pour moi.

— J'aurais certes pu prendre des gardes avec moi à Santa Maria. Mais dans ce cas, Morozzi ne serait même jamais sorti de son trou. Leur présence l'aurait alerté.

— Je t'avais bien dit qu'elle n'agissait pas ainsi sans raison, intervint César. Tu aurais dû m'écouter. Et maintenant tu ne t'inquiètes même pas de savoir qu'elle a été blessée.

Il me lança un regard pénétrant, et diablement intime. Je sentis la chaleur m'envahir, tout en m'escrimant à n'en rien laisser paraître.

Borgia écarta sa sollicitude d'un geste de la main.

— De toute façon, tu la défendrais quoi qu'elle fasse.

Cette remarque était tout à la fois flatteuse et préoccupante. J'avais espéré que les doutes formulés par Borgia concernant la loyauté de César (et par extension la mienne) étaient dissipés ; apparemment, ce n'était pas le cas.

— Tu as la condamnation un peu facile, objecta César. Nous avons suffisamment d'ennemis comme cela sans que tu ailles encore en inventer.

Le visage de Borgia s'assombrit. D'instinct je regardai par-dessus mon épaule (au cas où je devrais rapidement prendre la fuite), mais ne vis que le sombre couloir qui allait se perdre dans l'obscurité.

— Ne me dites pas ce que je dois faire ou ne pas faire, jeune homme ! Le jour où vous comprendrez le monde à moitié aussi bien que moi, je…

— Tu quoi ? Tu admettras que je suis capable de penser et d'agir par moi-même ? Et que parfois j'ai raison, et que tu as tort ?

Je retins mon souffle. Dans le meilleur des cas, défier Borgia le Taureau était de la folie, mais oser le faire maintenant — je me demandais sincèrement ce que César espérait accomplir par là.

Mais peut-être avait-il atteint ses propres limites, et ne pouvait tout simplement plus s'accommoder de l'implacable détermination de son père à considérer ses enfants comme n'étant rien d'autre qu'une extension de lui-même.

Pendant un atroce instant, je craignis que les deux hommes (si proches par certains aspects, si différents par d'autres) n'en viennent aux mains. Une guerre ouverte entre eux ébranlerait sérieusement nos chances de l'emporter contre les dangers qui assaillaient La Famiglia de toutes parts. J'étais bien certaine que cela ne leur avait pas échappé, mais je savais aussi qu'il fallait agir prestement, avant que l'un d'eux ne commette un acte impardonnable.

— Le cardinal Giorgio da Costa est le *titulus* de Santa Maria, n'est-ce pas ?

Le plafond en voûte et les murs de pierre amplifièrent suffisamment ma voix pour les distraire un instant, ou peut-être se réjouissaient-ils de l'excuse que je leur fournissais pour s'éloigner du précipice vers lequel ils se dirigeaient à grands pas. Quelle qu'en soit la cause, père et fils tournèrent tous deux leur attention vers moi.

— Oui, et alors ? aboya Borgia. Il n'avait guère l'air disposé à entendre quoi que ce soit venant de moi, mais je le sentis tout de même curieux. Je repris courage.

— Da Costa ne vous porte pas vraiment dans son cœur. Je dirais même qu'il est bien connu pour être l'allié de della Rovere.

— Tu penses qu'il aide Morozzi ? intervint César. Es-tu en train de dire que ce prêtre fou a en fait trouvé refuge à l'intérieur de la basilique Sainte-Marie ?

— Da Costa est trop malin pour agir de façon aussi voyante. Mais les prêtres qui officient là pourraient être pardonnés de croire qu'ils auraient tout à gagner en prêtant assistance à un individu si fermement opposé à Sa Sainteté.

— Ce n'est pas faux, fit observer César.

— Ce n'est *peut-être* pas faux, corrigea Borgia. (Il m'examina de plus près, ne parvenant visiblement pas à décider si je méritais un quelconque degré de confiance.) Comment comptais-tu tuer Morozzi ?

— Mon couteau était enduit d'un poison de contact. Quand il s'en est rendu compte, il a pris la fuite.

— Mais tu as tout de même tué quelqu'un ?

Je hochai la tête.

— Un homme de la Fraternité que j'ai pris pour Morozzi. La prochaine fois, je ne frapperai que lorsque je serai tout à fait certaine.

Borgia prit le temps de réfléchir. J'attendis son jugement, sachant que je m'étais défendue du mieux possible, mais bien moins sûre de mon pouvoir de persuasion.

Au bout d'une éternité (du moins me sembla-t-il), mon maître déclara :

— Fais en sorte de joindre le geste à la parole au plus vite.

Je soufflai lentement, mais ma curiosité ne s'évapora pas pour autant. Au lieu de me taire, je lui demandai :

— Pourrais-je savoir ce qui vous intéresse tant ici ?

— Un livre de prophéties, répliqua promptement César en ignorant son père, qui le foudroya du regard. On y décrit les visions d'un moine ermite qui vivait voilà cinq siècles dans un monastère des Carpates. Le livre a été scellé, et il est conservé ici à cause de certains détails troublants… d'exactitude.

Voilà un sujet sur lequel, je l'avoue, je suis partagée. Les bons chrétiens sont censés y croire, n'est-ce pas, puisque la venue de Notre Sauveur n'est rien de moins que l'accomplissement d'une prophétie. Pourtant, la plupart du temps elles me paraissent tendre soit vers l'imposture patentée, soit vers les divagations d'aliénés.

Je me gardai bien d'émettre une quelconque opinion, me doutant que Borgia cherchait à entrevoir l'avenir dans l'unique but de prendre l'avantage sur ses ennemis. Preuve de sa superstition, il prétendait même que *moi*, j'étais capable de telles visions ; jusque-là je n'avais pas réussi à lui ouvrir les yeux. Mais peut-être n'étais-je pas très convaincante car mes soudaines absences m'interpellaient moi aussi.

— En quoi sont-elles exactes ? m'enquis-je.

— Tu veux une liste ? grogna Borgia. Et sans plus attendre, il me la donna :

— Ce moine prédit, entre autres choses, que les partisans du roi du monde périront par les mains de l'Innocent ; que le fils de France détruira les fils du Temple ; et que le monde baignera par deux fois dans les larmes à cause des déchirements infligés à la Mère.

En quoi je supposais qu'il faisait référence au massacre des Cathares, disciples de celui qu'ils nommaient Rex Mundi, par le pape Innocent III en 1210 ; à la destruction de l'ordre des templiers par le roi de France Philippe le Bel un siècle plus tard ; et aux deux schismes qui avaient déchiré l'Église et provoqué tant de souffrances à travers la chrétienté.

Je l'admets, cette avalanche de divinations me fit réfléchir.

— Le livre évoque-t-il d'une quelconque façon la situation actuelle ? m'aventurai-je alors.

César acquiesça d'un signe de tête.

— Il dit que lorsque sera venu le temps de la résurrection, le taureau rouge périra sur l'ordre d'un tueur qui n'est pas encore né.

Étions-nous présentement à l'heure de la résurrection ? J'imagine que l'on pouvait légitimement dire qu'avec la fin du Grand Schisme quelques décennies auparavant, l'Église connaissait une période de renaissance. Assurément, le taureau rouge pouvait symboliser Borgia. Mais qu'en était-il de ce tueur qui n'était pas encore né, et si c'était le cas pourquoi aurait-on à se soucier de lui ?

— Nos agents à Ferrare ont enquêté discrètement sur un certain frère dominicain, expliqua Borgia. J'ai envoyé César là-bas pour confirmer ce qu'ils m'avaient rapporté.

Je mis quelques instants à faire le lien : Savonarole, fléau des Médicis et qui était en passe de le devenir également pour Borgia, était né dans une famille aisée du duché de Ferrare.

— Des sources fiables nous ont informés que Savonarole avait autrefois un jumeau, poursuivit César. L'autre enfant (également un garçon) est sorti en premier, mais il n'a pas survécu. Le bébé mort portait des marques indiquant qu'on l'avait poignardé.

— Poignardé dans le ventre de sa mère ? répétai-je, interloquée. Je tentai d'imaginer comment une telle chose était possible. Les femmes ont parfois recours à dcs mesures extrêmes pour mettre fin à une grossesse non désirée, mais si c'était le cas, comment Savonarole aurait-il pu survivre ? Et d'ailleurs, comment la mère aurait-elle survécu aussi ?

— Vous pensez qu'il a tué son jumeau ? hasardai-je d'un ton incrédule. Avant la naissance ?

— Il semblerait que oui, rétorqua César, qui paraissait accepter cette possibilité sans sourciller. La famille a étouffé l'affaire, bien entendu, mais mes hommes ont retrouvé une vieille sage-femme qui nous a révélé la vérité.

Contre une coquette somme, présumai-je. Agitez suffisamment d'or sous le nez des gens (parfois il est surprenant de voir combien peu est nécessaire), et ils vous diront tout ce que vous voulez.

— Mais enfin, comment un bébé encore dans le ventre de sa mère parviendrait-il à poignarder son frère ? insistai-je.

Borgia haussa les épaules, comme si ce détail était sans importance.

— Qui sait de quel moyen démoniaque il aura usé. Ce qui compte, c'est que nous savons maintenant avec certitude d'où vient la plus grande menace pour moi.

Non d'Espagne et de ses puissants souverains, ni de Naples, ni de della Rovere et de son allié, le roi de France ? Le pape croyait-il vraiment qu'un moine fanatique était plus dangereux que tous ses autres ennemis réunis ? En y réfléchissant, il y avait une certaine logique à cela. Tout le reste (l'Espagne, Naples, la France) était de la politique, un sujet que Borgia maîtrisait depuis toujours. Mais l'appel à la purification lancé par un homme croyant vraiment être guidé par Dieu… c'était une autre affaire.

— Savonarole n'oserait jamais s'attaquer à mon père directement, reprit César, pas même à travers Il Frateschi. Mais il n'hésiterait certainement pas à se servir de quelqu'un qui n'est pas directement lié à lui. Il est donc vital que le cas de Morozzi soit réglé sur-le-champ.

Comment aurais-je pu désapprouver, étant donné que je ne désirais rien de plus au monde que la mort du prêtre fou ?

Quand bien même, je fus prise au dépourvu lorsque Borgia m'annonça :

— César m'a convaincu que vous devriez unir vos forces pour éliminer Morozzi.

J'observai mon amant ténébreux. Il me rendit mon regard avec toute la fougue du fils dévoué ne souhaitant rien de plus au monde que servir son père. César et moi nous étions quasiment toujours connus. Je n'avais guère d'illusions sur sa nature, et je doutais qu'il en ait sur la mienne ; mais pour autant, j'aimais à croire que nous étions des alliés, peut-être même des amis.

Pourquoi, alors, ce malaise qui s'empara de moi comme le brouillard tombe sur le fleuve, amenant dans son sillage le soupçon de secrets enfouis et de dangers insondables ?

23

Si je n'arrivais pas à surmonter mes doutes, César de son côté était fermement résolu. Il s'empara d'une lampe et me prit la main quasiment dans un même mouvement.

— Nous nous y mettons sur l'heure, *papà*. Ne crains rien, avant longtemps Morozzi aura rejoint l'autre monde.

Borgia nous gratifia pour toute réponse d'un grognement, puis s'assit pesamment dans son fauteuil. Il ne semblait guère pressé de retourner dans le monde du dessus. Je ne pouvais l'en blâmer, tout comme je n'aurais pu faire fi du sentiment d'urgence qui animait César. Nous remontions le passage au pas de course avant même que j'aie eu le temps de reprendre mon souffle.

Une fois dans le bureau papal, il posa la lampe, me saisit par la taille et me hissa sur l'immense bureau. Ses yeux noirs brillaient intensément, et l'état de son membre viril (qu'il pressait contre moi) ne laissait aucun doute quant à ses intentions.

— Je vais le tuer, fit-il en ouvrant ma chemise pour mieux voir les marques de coups sur ma gorge. Je sentis son souffle chaud et musqué contre ma chair tuméfiée. Un long frémissement me parcourut de la tête aux pieds.

— Lentement et le plus douloureusement possible, poursuivit-il en glissant une main le long de ma cuisse pour s'emparer de mes jupons et les relever. Je pourrais l'écorcher vif et accrocher sa peau quelque part, à la vue de tous. Qu'en penses-tu ?

Penser ? Mais à quoi bon penser quand tout tourbillonne dans votre tête, Rocco qui refuse de vous regarder dans les yeux en évoquant Carlotta d'Agnelli, Sofia qui vous enlace dans ses bras pendant que vous pleurez des larmes de terreur face à l'inconnu, Morozzi qui vous traite de *strega* et se réjouit à voix haute de vous voir périr dans les flammes — ou encore votre père, dont les bouts sanguinolents de crâne défoncé sont emportés par les eaux sales d'une rigole de Rome.

— Je t'autorise à faire cela une fois que je l'aurais tué, rétorquai-je en m'emparant des lacets de son pourpoint.

Vous me prendrez pour une folle, ou bien une damnée — et vous n'aurez tort ni dans un cas ni dans l'autre. Borgia pouvait à tout instant changer d'avis et revenir à son bureau. N'importe qui pouvait choisir ce moment précis pour espionner par le *spioncino*. Rome se noierait sous la vague de rumeurs qui déferlerait alors ; pire encore, nous nous trouvions dans le saint des saints, le sanctuaire du Vicaire du Christ sur Terre, assurément des lieux qui exigeaient un minimum de bienséance — même si j'avais entendu dire qu'il arrivait à Borgia et La Bella d'y folâtrer.

Mais la vérité était que j'étais restée trop longtemps sans mon amant ténébreux. Certes, je n'imaginais pas que César m'était fidèle lorsque nous étions séparés, loin s'en faut ; mais le fait est que nous avions cette affinité charnelle, qui ne cessait de nous attirer l'un vers l'autre lorsque nous étions ensemble. Ce jour-là, notre accouplement fut rapide, brusque — et éminemment satisfaisant. Lorsque très vite il s'affaissa sur moi, le frottement de sa barbe me faisant l'effet d'un doux tourment sur ma peau nue, je ne pus contenir la jubilation qui montait en moi.

Il leva la tête et me défia du regard.

— C'est moi qui t'amuse ?

— Entre autres choses, oui.

Je le repoussai sans ménagement pour lisser mes jupons, ce qui le prit au dépourvu. Plus tard je serais contente de pouvoir me laver, mais en cet instant cela ne me dérangeait pas de garder encore un peu l'odeur et la sensation de ses mains sur ma peau.

Refaisant les lacets de son pourpoint, il me jeta un regard qui aurait eu de quoi figer toute autre femme que moi. Il avait beau être jeune, sa fierté était déjà celle d'un homme, il n'y avait pas de doute. En aucun cas il ne se laisserait traiter à la légère, semblait-il me dire.

Cela tombait à point nommé, car moi non plus.

— Un moine des Carpates, vraiment ? lui lançai-je en tentant inutilement de me recoiffer. Au xe siècle ? Où diable es-tu allé chercher ça ?

Imaginez César, si vous le voulez bien, tout en regard limpide et sourire fourbe, niant effrontément être l'auteur d'une farce — ou plus probablement l'attribuant à son frère Juan. La tactique devait fort bien fonctionner lorsqu'il était enfant, car il la ressortait encore dès qu'il se sentait démasqué.

— De quoi parles-tu, au juste ?

— Le livre des prophéties. Cet ouvrage parfait qui relate par le menu des événements impossibles à ne pas reconnaître, tout en encourageant ton père à croire ce qui t'arrange.

J'en étais arrivée à la conclusion que ce livre était un faux alors que nous remontions des entrailles du Vatican ; c'est le temps qu'il m'avait fallu pour comprendre ce qui s'était probablement passé. Malgré leurs différences d'opinion, Borgia avait toujours reconnu la vivacité d'esprit de son fils aîné — mais il ne se doutait peut-être pas qu'il irait un jour jusqu'à inventer pareilles sornettes.

— Honnêtement, Francesca, le cynisme ne te sied point.

Je le gratifiai d'un sourire narquois.

— Et qu'as-tu inventé d'autre dans ce livre ? Quelque chose comme « Le premier-né suivra son étoile comme bon lui semblera et récompensera le taureau au centuple par son audace » ?

César était capable d'admettre sa défaite avec une grâce étonnante. D'un haussement d'épaules, il me rétorqua :

— Ma foi, c'est bien tourné. J'avoue que je n'ai pas été aussi éloquent.

Entrebâillant lentement les doubles portes du bureau, je jetai un œil dans l'antichambre : elle était vide. J'y pénétrai et me hâtai de rejoindre la porte donnant sur le couloir, César sur mes talons. L'ouvrant d'un geste vif, je fis sursauter les clercs qui s'écartèrent précipitamment sur notre passage en nous regardant bouche bée. À peine les avions-nous dépassés que j'entendis résonner les premiers claquements de langues.

Dans l'escalier de marbre, César se décida à me poser la question qui le taraudait :

— Tu ne vas pas le lui dire, n'est-ce pas ?

— Bien sûr que non, du moment que tu consens que Morozzi meure de ma main.

— C'est si important que ça, pour toi ?

Le soleil avait atteint son zénith pendant que nous étions sous terre, dans le Mysterium. Il faisait lourd à présent, et je fus saisie par cette odeur plutôt désagréable du fleuve lorsqu'il est pris de torpeur. Dehors, même les pigeons n'avaient plus la force de voler ; ils se contentaient de somnoler à l'ombre. L'entrée du Vatican était comme toujours remplie de pétitionnaires, de clercs et de prélats, tous transpirant abondamment dans leurs tenues sombres. Totalement indifférente à l'agitation que notre présence causait visiblement, je m'arrêtai brusquement et me retournai pour faire face à César.

— Ce n'est pas important, c'est vital.

Il me rendit mon regard sans sourciller.

— Morozzi ne doit pas s'échapper de nouveau. Je te donne une dernière chance mais si tu échoues, il est à moi.

Si ses paroles n'étaient pas vraiment pour me plaire, j'eus l'honnêteté d'admettre que César avait raison. Je venais de conclure le meilleur marché possible.

— D'accord. À présent je dois retourner en cuisine, mais nous devrions nous retrouver dès que possible pour discuter de notre plan.

Il me restait à espérer que pendant mon inspection des derniers arrivages en date, César n'en profiterait pas pour partir seul en quête de Morozzi. Si c'était le cas, je craignais qu'il réussisse seulement à inciter le prêtre à se retirer encore plus loin dans le labyrinthe des souterrains de Rome, ce qui compliquerait d'autant notre tâche.

— Moi aussi, j'ai à faire, m'annonça-t-il sans plus de détails. Si j'arrive à me libérer avant toi, Portia (c'est son nom, n'est-ce pas ?) me laissera entrer.

J'étais bien certaine qu'elle s'empresserait de le faire, même si je le lui pardonnais volontiers. Toutefois, rechignant à l'idée qu'il s'en aille en ayant le dessus, je l'avertis :

— Prends garde à ne rien toucher, à moins d'être certain que ce soit sans danger, veux-tu ?

Nous étions arrivés au pied de l'escalier, et allions nous quitter. César ne résista pas à l'envie d'avoir le dernier mot :

— J'amène le dîner, puisque nous savons tous deux quelle piètre cuisinière tu fais.

Et sur ces belles paroles il s'éloigna de moi à grands pas. J'eus le plus grand mal à réprimer le fou rire qui montait en moi au vu du tour domestique qu'avait inopinément pris notre conversation — une perspective absurde, certes, mais qui n'était pas pour me déplaire.

Ma bonne humeur disparut en constatant que j'arrivais à peine à me frayer un passage entre toutes les provisions qui étaient arrivées pendant que j'étais occupée à traquer Morozzi. Dieu merci, depuis l'attaque contre Lucrèce, Borgia avait décrété que tous les cadeaux de mariage et autres objets qui lui étaient destinés seraient mis de côté jusqu'à ce que je sois en mesure de les examiner un par un et avec le plus grand soin. Au vu de la quantité que cela impliquait, je me demandais si Lucrèce serait toujours mariée le temps que j'en aie terminé.

Lorsque j'en eus enfin fini pour la journée, j'étais exténuée, collante et (un tout petit peu) contrite de m'être ainsi dévergondée avec César. Mais ces légers remords qui me tiraillaient, me dis-je, servaient à me rappeler que j'étais encore en vie.

Je m'éclipsai des cuisines par un passage voûté, que je longeai jusqu'à sortir sur la place devant Saint-Pierre. L'après-midi était bien avancé, et il faisait encore plus moite et lourd que tout à l'heure. Toute personne ayant une once de bon sens s'était abritée du soleil, comme je m'apprêtais à le faire.

Pour autant, la place restait envahie de pèlerins avançant docilement les uns derrière les autres, tels des bancs de poissons hors de l'eau. Plusieurs d'entre eux bousculèrent par mégarde un prêtre au visage rougeaud, qui n'appréciait visiblement pas d'être dehors par une telle chaleur. Il en laissa tomber ses registres et se répandit en un flot d'invectives qui parut les impressionner grandement.

Je contournai le prêtre et ses nouveaux admirateurs, tout en esquivant un tas de fumier encore fumant. J'étais en train de songer que j'allais rendre visite à Nando, et peut-être demander à Donna Felicia une coupe de son excellent cidre qu'elle fabriquait elle-même, lorsque je m'arrêtai subitement. À une quinzaine de mètres devant moi, je vis une mince silhouette encapuchonnée sortir de la basilique par une porte latérale. Quelque chose dans la forme de ses épaules… la façon dont il bougeait… son empressement, en dépit de la chaleur et de la langueur généralisée, retint mon attention.

Un groupe de visiteurs des Pays-Bas, reconnaissables à leurs chapeaux à visière et leurs capes ornées de pompons, se mit en travers de mon chemin. Je fis un pas à droite, puis à gauche, puis de nouveau à droite avant de réussir enfin à les contourner. Ce petit intermède avait suffi pour que le moine que j'avais repéré se soit volatilisé. Je me dis que mon imagination me jouait des tours, et j'étais en train de continuer mon chemin vers la caserne lorsque j'aperçus de nouveau l'homme près de l'entrée principale du Vatican. La distance entre nous était plus grande à présent (il devait facilement se trouver à trente mètres de moi), mais il tourna la tête dans ma direction et quelques boucles blondes s'échappèrent malgré lui de son capuchon.

J'en eus le souffle coupé. Pendant un atroce instant je restai figée sur place, ne sachant que faire. Si Morozzi avait véritablement réussi à pénétrer dans l'enceinte du Vatican, je ne pouvais le laisser s'enfuir. Mais si ses complices de la Fraternité étaient dans les parages ? J'avais promis à Rocco que Nando serait en sécurité. Dans ce cas, où était l'enfant ?

Je regardai autour de moi frénétiquement en espérant repérer Vittoro ou l'un de ses lieutenants, mais bien qu'il y ait davantage de gardes présents sur la place, c'étaient tous de simples soldats qui ne comprendraient probablement pas mon inquiétude et y répondraient d'autant moins. Chaque minute passée avec eux serait du temps perdu.

Deux choix s'offraient à moi, soit courir après l'homme moi-même, soit trouver Nando — où qu'il soit. Avant même que j'aie le temps de me décider, une voiture à deux chevaux (dont le toit et les côtés n'arboraient aucunes armoiries) stoppa près de l'entrée. Le moine en ouvrit la portière et s'y engouffra, avant de la refermer prestement derrière lui, ce qui fit dodeliner l'équipage quelques secondes. Déjà le cocher fouettait les chevaux pour repartir, en direction du pont Sisto à ce que je voyais.

Si je ne me faisais pas d'illusion quant aux goûts de luxe du clergé, je savais aussi pertinemment qu'il n'était guère habituel pour un moine de se déplacer en voiture, un tel confort n'étant réservé qu'aux riches et puissants — et à ceux qui bénéficiaient de leur protection. Je n'avais par conséquent plus aucun doute sur l'identité de l'homme que je venais de voir partir.

Remontant prestement mes jupons, je partis en courant vers la caserne sans me soucier une seconde des regards pour le moins interloqués que je provoquai dans mon sillage.

24

Je trouvai enfin Vittoro aux écuries et lui racontai en haletant ce que je venais de voir. Dieu soit loué, il ne me questionna aucunement sur mon récit et lança immédiatement un ordre pour qu'une dizaine d'hommes tentent de retrouver la trace de la mystérieuse voiture. Pliée en deux, les mains sur les genoux en attendant de retrouver mon souffle, je m'exclamai :

— Dis-moi que Nando est en sécurité.

Vittoro étant l'honnêteté faite homme, plutôt que de chercher à me rassurer sans être vraiment certain de son fait, il me saisit par le bras et se dirigea prestement en direction de sa maison. Je m'accrochai fermement à lui, accablée par une peur qui menaçait de m'écraser ; mais à la vérité, Dieu est (parfois) miséricordieux. Avant même d'avoir atteint la jolie maisonnette, nous aperçûmes Nando. Il était assis devant, sa tignasse brune penchée au-dessus d'une tablette sur laquelle il dessinait.

Je pris ma première vraie respiration depuis que j'avais aperçu l'ombre de Morozzi sur la place, et repris contenance autant que je pus. Ensuite, j'accrochai le sourire le plus sincère possible à mes lèvres et m'approchai de l'enfant.

— Et qu'avons-nous là, Nando ? m'exclamai-je.

Il leva les yeux et sourit en me voyant. Puis il leva son carnet, et entreprit de m'expliquer :

— Moïse recevant les dix commandements sous la dictée. J'ai essayé de copier la fresque de la chapelle Sixtine, mais ça ne ressemble pas vraiment, tu ne trouves pas ?

En réalité ce n'était pas mal du tout, surtout si l'on songeait à la grande jeunesse de l'artiste. Pour autant, j'étais troublée.

— Quand es-tu allé visiter la chapelle ? m'enquis-je. J'avais envisagé de l'y emmener, mais l'occasion ne s'était pas présentée ; et je doutais que Vittoro y aurait pensé.

— Ce matin, répondit Nando, en continuant à considérer son croquis d'un œil critique. C'est le moine qui m'y a emmené.

Comme de très loin, je m'entendis demander :

— Quel moine ?

— L'ami de papa. Il a dit que nous pourrions y retourner, et que tu viendrais peut-être avec nous.

Vittoro et moi échangeâmes vivement un regard. Il semblait autant pris de court que moi, constatai-je.

Le plus calmement possible, je poursuivis mon questionnement :

— Te souviens-tu du nom de ce moine ?

L'enfant secoua la tête. Il avait l'air de commencer à comprendre qu'il y avait peut-être un problème.

— Mais il a des cheveux dorés, comme un ange.

Je pourrais dire que tout mon corps, jusqu'à mon sang, en fut glacé d'effroi. Mais ce ne sont que des mots imagés, incapables de traduire la rage qui venait de s'emparer de tout mon être. Morozzi s'était introduit en ces lieux où Nando (sans compter Borgia) était censé être en sécurité. Il avait circulé à sa guise et ce faisant, m'avait laissé un message on ne peut plus limpide : il pouvait frapper où et quand il le voulait ; nous étions impuissants face à lui.

— Comment cela a-t-il pu arriver ? soufflai-je à Vittoro, tout en espérant ne pas alarmer l'enfant. Le ton que je pris était lourd de reproches, mais la détresse que je lus sur son visage me fit changer d'avis. Le capitaine de la garde était visiblement bouleversé.

— Je ne comprends pas… J'ai des hommes partout…

— Quelles instructions ont-ils reçu ? De chercher un prêtre aux cheveux blonds ? Assurément, ils devaient être trop occupés à cela pour voir quoi que ce soit d'autre.

C'est ainsi, les gens ne voient que ce qu'ils s'attendent à voir

— et quasiment tout le reste dans notre vaste monde bouillonnant leur échappe. Un moine, et non un prêtre, se mouvant d'un pas confiant plutôt que furtivement n'aurait certainement pas attiré leur attention.

— Est-ce que je n'aurais pas dû aller avec lui ? demanda Nando d'une toute petite voix où pointait le remords. Il a dit qu'il était l'ami de papa, et il connaissait ton nom aussi, Donna Francesca. (Il baissa la tête, scrutant le sol.) Je ne pensais pas que c'était mal.

J'en étais bien certaine. Pour sûr, Rocco avait dû faire la leçon à son fils de ne jamais aller avec un inconnu, mais comment empêcher un enfant de faire d'emblée confiance à quelqu'un qui semble être un ami, et qui plus est une figure d'autorité ?

— Ce n'est pas de ta faute, lui dis-je du ton le plus apaisant possible.

Soudain, une idée me vint :

— Crois-tu que tu arriverais à le dessiner ?

Nando hocha la tête avec enthousiasme.

— Oh oui, bien sûr.

Aussitôt, il alla à une page vierge de son carnet et se mit au travail. Rapidement, un portrait plutôt ressemblant de Morozzi commença à prendre forme.

— Je vais m'assurer que ce dessin sera montré à tous mes hommes, m'indiqua Vittoro au bout de quelques minutes. Et qu'ils comprennent bien que ce démon peut prendre n'importe quelle apparence. (Il eut un temps d'hésitation.) Francesca, je ne saurais te dire combien je suis désolé. Vous m'avez confié cet enfant et j'ai promis qu'il serait en sécurité. Si Morozzi avait…

Je vis l'homme qui était maintes fois père et grand-père blêmir, et toute envie de le réprimander me quitta aussi vite qu'elle était venue.

— Tu n'es pas le seul fautif, Vittoro. Moi aussi, je l'ai sous-estimé.

Il regarda autour de lui, puis me fit signe de le suivre un peu à l'écart, là où ne traînerait aucune oreille indiscrète.

— Je te remercie de ta mansuétude, me dit-il alors. Pardonne-moi mais étant donné les circonstances, je n'ai d'autre choix que de soulever un autre problème. Veux-tu bien me dire où en sont les choses entre notre maître et toi ?

— Il semblerait que je sois pardonnée, du moins pour l'instant.

— Je suis heureux de l'entendre. Dans un moment comme celui-ci, Sa Sainteté a besoin de tous ses amis.

— Sauf qu'elle ne fait confiance à personne en dehors de La Famiglia, ironisai-je mais sans rancune, car je savais pertinemment que Vittoro voyait aussi bien que moi ce que je voulais dire.

— Eh bien, sa confiance est peut-être mal placée.

Je le regardai soudain avec intérêt, me demandant comment il était possible qu'il ait su pour la supercherie échafaudée par César. Toutefois, il s'avéra que le capitaine ne songeait pas à lui.

— Quand le Signore Juan est ivre, comme c'est souvent le cas, il ne peut s'empêcher de parler à tort et à travers. Il me fait le triste effet d'un homme engagé dans une partie de dés où il est obligé de tout miser, alors même qu'il sait qu'il ne l'emportera pas.

— C'est-à-dire ?

— Il hait son frère mais le craint encore plus, car il est convaincu que César ne reculerait devant rien pour avoir la vie que leur père a choisie pour Juan. Mais ce n'est pas tout : il est persuadé que César et toi vous êtes ligués contre lui.

Je secouai la tête d'un air consterné, en constatant que je n'avais pas su voir le danger incarné par Juan — alors que nos quelques brèves rencontres auraient dû amplement suffire à m'alerter.

— Tu ne crois tout de même pas qu'il irait jusqu'à faire quelque chose de stupide, n'est-ce pas ? Pas maintenant ?

— En toute honnêteté, je n'ai aucune idée de ce qu'il serait capable de faire. Je dis seulement que je le trouve de plus en plus agité et qu'il serait judicieux de garder un œil sur lui.

— Borgia est au courant ?

Assurément, quelques-uns de ses nombreux espions pouvaient être dépêchés pour suivre le fils dévoyé ?

— S'il l'est, il n'a pas l'air disposé à l'admettre. Il s'avère que Juan fréquente certaines tavernes du Trastevere. Hier soir, avant que n'éclate tout ce charivari dans le quartier, il a déclaré à qui voulait l'entendre que son père était l'esclave d'une sorcière. On ne peut plus clair, tu ne crois pas ?

— C'est comme ça qu'il m'a appelée ?

Décidément, le mot était à la mode.

Vittoro me le confirma d'un signe de tête :

— *Strega*, a-t-il dit. Et il a ajouté que tu brûlerais sur le bûcher.

Ma gorge se serra si brusquement que j'en eus le souffle coupé. Je détournai le regard, espérant ainsi dissimuler à Vittoro l'abîme d'effroi que ses paroles avaient ouvert en moi. L'incendie faisait rage en moi, et rien ne pouvait l'éteindre.

Je fis entrer tant bien que mal de l'air dans mes poumons et me forçai à me rappeler qui (et ce que) j'étais.

— C'est un imbécile.

— Et les imbéciles sont dangereux.

Vittoro marqua un temps d'arrêt, me considéra avec sérieux et ajouta :

— On ne peut pas le laisser faire ; il doit être arrêté.

— Mais je ne peux tout de même pas tuer le fils de Borgia !

L'idée même était scandaleuse. Vittoro devait bien le savoir, tout de même. Eussé-je été tentée de lever la main contre Juan, Borgia la trancherait d'un coup sec, avant de se débarrasser du reste de mon corps à sa guise ; il n'y aurait point de douce mort pour moi, assurément.

— Ce n'est pas ce que j'insinue.

Dans ce cas pourquoi me l'avoir dit… ? Bien vite, je compris quelle était son intention. Je pouvais confier mes problèmes à mon amant sur l'oreiller, et le laisser s'en occuper. Et pourquoi pas ? César voulait vraiment avoir la vie que son père destinait à Juan, et si quiconque avait une chance de surmonter l'ire de Borgia, c'était bien ce fils pour qui il avait de si grandes ambitions.

— Pourquoi ne m'en as-tu pas parlé plus tôt ?

En homme pratique, Vittoro avait une réponse toute trouvée :

— Parce qu'il fallait d'abord que tu survives à la colère de Borgia. Maintenant, il va falloir que tu trouves le moyen de survivre à la menace d'après.

— Et d'après, et d'après, et d'après. Cela n'en finira jamais.

Je commençais seulement à le comprendre, et cela me terrifiait — tout comme cela me remplissait d'une tristesse insupportable.

Vittoro soupira, comme s'il devait reprendre un élève qui n'aurait pas bien saisi sa leçon mais n'en serait pas moins prometteur.

— Ainsi en va-t-il avec les vies que nous avons choisies.

— Mais je n'ai pas choisi ! Ni que mon père soit assassiné, ni que je sois la seule personne suffisamment concernée par cela pour tenter de faire justice.

J'étais choquée que Vittoro puisse envisager les choses autrement. Assurément, quiconque me connaissait savait que si j'agissais ainsi, c'était par contrainte ?

— Nous faisons tous des choix, Francesca. Tu n'es pas différente des autres à cet égard. Si tu le penses vraiment, c'est que tu te berces d'illusions.

De mémoire, je ne me souvenais pas avoir jamais vu Vittoro me parler aussi ouvertement et aussi sévèrement. Il semblait bien parti pour ne rien m'épargner. L'espace d'un instant, je ne songeai qu'à prendre congé de lui, avant que ne sortent de ma bouche des paroles irréparables. Mais le regard qu'arborait mon vieil ami m'arrêta.

— D'après toi, le danger est tel que tu te sens obligé de m'ôter le masque pour me forcer à l'affronter ?

Il me parut alors si mal à l'aise que je crus qu'il ne répondrait pas. Finalement, il me dit dans un souffle :

— J'ai fait un rêve, cette nuit.

Vittoro, l'homme d'action doté d'un solide bon sens. L'homme qui croyait uniquement aux choses qu'il était à même de voir, de toucher, ou de tuer.

— Un rêve ?

— Un rêve pour le moins désagréable. Felicia a insisté pour que je t'en parle.

— De quelle nature était-il ?

Je n'étais pas tout à fait certaine d'avoir envie de le savoir, la question me rappelant par trop le cauchemar pour toujours tapi dans les recoins de mon esprit. Je n'avais pas vraiment envie de songer à ce genre de chose en plein jour, mais au vu des circonstances, il aurait été sot de ma part d'ignorer ce qui semblait tant troubler Vittoro.

Il détourna le regard, manifestement gêné.

— Je me tenais devant une énorme pile de fagots placés autour d'un bûcher, sur une place que je ne connaissais pas. Le feu était déjà allumé, de la fumée s'en élevait et les flammes venaient lécher le pourtour. Des corbeaux volaient en cercle dans le ciel, ils ne cessaient de croasser. Il y avait un homme : je suppose que c'était un moine parce qu'il en portait l'habit et avait relevé son capuchon, ce qui fait qu'on ne voyait pas son visage. Il a tendu le bras, et pointé du doigt. J'ai regardé dans la direction qu'il indiquait, et je t'ai vue sortir d'une église. Tu étais distraite par autre chose, et tu avais l'air de ne pas te rendre compte du danger.

— Qu'est-il arrivé ensuite ?

— J'ai essayé de t'appeler mais en vain, tu ne m'entendais pas. Après ça, je me suis réveillé.

— Et c'est tout, le moine pointait seulement du doigt ?

— Je sais que ça n'a pas l'air bien grave, dit comme ça, mais l'effet…

Il avait bel et bien été terrifié pour moi. Ce brave homme avait été si inquiet à son réveil qu'il s'était confié à sa femme et s'était armé de courage pour me mettre en garde.

— Le comportement de Juan te préoccupe vraiment, à ce que je vois.

— Si ce n'était que cela. Imagine que Borgia vienne à être déchu…

Il n'avait pas besoin de m'expliquer ce qu'il adviendrait alors. Si Borgia était chassé du trône de Saint-Pierre, ses ennemis n'auraient de cesse d'anéantir tous ceux qu'ils considéraient comme proches de lui. Vittoro, Felicia, leurs filles et leurs petits-enfants, tous auraient de la chance s'ils en réchappaient sains et saufs. Et il en allait de même pour moi. Ainsi en va-t-il à Rome, la grandeur et la décadence des puissants ont toujours été accompagnées de sang dans les rues, et ce depuis des temps immémoriaux. J'avais accepté ce risque en entrant au service de Borgia, car j'avais besoin d'un certain pouvoir pour venger la mort de mon père. Mais à présent Vittoro m'obligeait à réfléchir au fait que si j'étais sans famille, je n'étais pas sans amis, et eux aussi se retrouveraient en danger. Rocco, le petit Nando même, pouvaient être traqués et passés par l'épée. Quant à Sofia et David (et les juifs en général), on pouvait dire sans détour qu'une telle éventualité les condamnerait.

— Borgia ne sera pas déchu, affirmai-je. C'est l'homme le plus rusé, le plus impitoyable et le plus déterminé de notre époque. En outre, nous sommes là pour l'aider. Ce sont ses ennemis, plutôt, qui devraient se réveiller en sursaut la nuit.

— C'est très loyal de ta part, mais…

— La loyauté n'a rien à voir là-dedans.

Borgia représentait pour moi le moyen d'arriver à mes fins ; je remplissais mon devoir envers lui avec zèle, mais sans jamais perdre de vue mon objectif.

Mais César était une autre affaire : je ne voulais vraiment pas qu'il lui arrive du mal. Dès lors, je ne pouvais décemment envisager de l'inciter au fratricide. Juan était un problème que je ne pouvais espérer résoudre seule. Il ne me restait plus qu'à prier pour que son père parvienne à négocier un mariage grandiose qui l'enverrait loin, très loin de Rome.

Ce fut plus tard seulement, lorsque j'eus pris congé de Vittoro en l'assurant de mon intention de réfléchir sérieusement à notre conversation, que je me souvins l'avoir entendu dire que dans son rêve, je regardais dans la mauvaise direction. Je tournai et retournai cette idée dans mon esprit, essayant de comprendre pourquoi je n'arrivais pas à m'en défaire. Avais-je réellement négligé quelque possibilité dans ma traque de Morozzi ? Se cachait-il dans un endroit auquel je n'avais pas songé jusque-là ? Luigi et son armée de *portatori* n'avaient rien découvert qui soit digne d'intérêt. Alfonso et les contrebandiers avaient retrouvé sa trace, mais n'étaient pas remontés jusqu'à sa tanière. De la même façon, David, Sofia et Benjamin n'avaient trouvé aucun signe de lui, et ce même s'il paraissait se mouvoir à sa guise dans toute la ville — et jusque dans l'enceinte du Vatican, à présent. Guillaume n'avait plus donné de nouvelles depuis qu'il avait envoyé ce message rapportant des divisions au sein de l'ordre dominicain. Plus curieux encore, même les « yeux » de Borgia, comme on les surnommait, semblaient aveuglés.

Comment un homme pouvait-il se rendre invisible dans une ville où les meilleurs amis du monde s'espionnent et où l'on jase comme l'on respire ?

Pendant un bref instant, la crainte que Morozzi soit quelque chose d'autre qu'un être humain à strictement parler s'éveilla en moi. J'avais déjà connu cette peur et eu raison d'elle, du moins c'est ce que je me plaisais à croire. Et pourtant la voilà qui revenait me tourmenter.

Mais c'était ridicule. Morozzi était un homme, rien de plus et rien de moins qu'un homme. Ainsi que Borgia l'avait si bien dit, lui aussi avait besoin de manger, de dormir, d'uriner — et peut-être même de satisfaire d'autres besoins.

En traversant le Pons Ælius, je me promis de redoubler d'efforts dans ma quête du prêtre fou. Chaque tunnel, chaque passage, chaque église, chaque bordel — tous les lieux où il était susceptible de se cacher devaient être surveillés, mais discrètement pour ne pas éveiller son attention. Cependant, je ne pouvais me contenter de m'asseoir et d'attendre les résultats. Il me fallait trouver le moyen d'attirer le prêtre fou hors de sa cachette, même si cela signifiait mettre de nouveau ma vie en danger.

25

Je n'avais guère hâte d'expliquer mon plan à César, je l'avoue. Sans le savoir, ma bonne Portia eut la gentillesse de me donner un peu de répit. Me voyant arriver par la loggia, elle me fit signe de venir depuis son poste habituel. Elle n'avait plus le bras en écharpe et semblait parfaitement guérie de son agression du mois précédent, ce qui me mit du baume au cœur.

— Il est là-haut, m'annonça-t-elle sans préambule. Arrivé il y a quelques minutes.

Je le savais déjà, ayant vu les hommes de César postés dans la rue. Pour sûr ils m'avaient tous reconnue, mais aucun n'avait osé même jeter un œil dans ma direction. Je me demandais bien ce qu'ils pensaient des relations de leur maître avec une femme d'aussi sinistre réputation que moi.

— Des domestiques ont laissé des paniers de provisions chez vous, ajouta Portia. Je crois que vous allez manger du poulet, ce soir.

Maintenant qu'elle en parlait je sentais son arôme, avec une pointe de romarin et d'huile d'olive, dans la loggia. Cette recette était l'un de mes plats préférés, et César le savait. Je me demandais bien ce qu'il avait prévu d'autre pour détourner mon attention et ainsi m'empêcher de lui poser la question de ce qu'il avait fait depuis que nous nous étions quittés, il y avait de cela plusieurs heures.

Je la remerciai pour son rapport détaillé, mais elle n'en avait pas fini.

— S'agissant de l'affaire dont vous m'aviez demandé de m'occuper…

Il me fallut un instant pour comprendre qu'elle me parlait de Carlotta d'Agnelli. Soudain gênée à l'idée de lui avoir confié pareille mission, je tentai de faire comme si cela ne m'intéressait que très modérément ; mais j'oubliais qu'il ne fallait pas en conter à Portia.

— Une jeune femme modèle, semblerait-il. De beaux cheveux blonds, une peau crémeuse, très jolie silhouette. Un parangon de vertu, en plus, dévouée à sa famille, pas même un parfum de scandale lié à son nom ou le début d'une rumeur la concernant. Elle va à la messe tous les jours, fait l'aumône aux pauvres, traite ses domestiques avec gentillesse et a la voix d'un ange.

— Elle chante ?

Je me concentrai sur ce détail en particulier plutôt que de m'appesantir sur la douleur qui me saisit soudain au niveau de la poitrine. La future femme de Rocco était charmante, digne de confiance, honorable — exactement le genre de femme dont il tomberait amoureux. Mais aussi, tout ce que je n'étais pas.

— À merveille, à ce que tout le monde dit. Ses voisins font même en sorte de rester à la maison aux moments où elle est le plus susceptible de s'exercer, pour ne pas en perdre une miette.

— Un tel talent l'aura rendue vaniteuse, insinuai-je, de désespoir.

Portia soupira en secouant la tête.

— Apparemment ce n'est même pas le cas. Elle est en tous points modeste, que ce soit dans ses tenues comme dans ses manières. (La *portatore* s'approcha un peu plus près, le front plissé.) Ce qui pose la question de savoir pourquoi un homme comme lui, dit-elle en levant les yeux vers l'étage du dessus, s'intéresserait à une femme comme elle.

Je ne pouvais guère en vouloir à ma *portatore* d'avoir mal interprété ma soudaine curiosité envers Carlotta d'Agnelli. Peut-être savait-elle que je connaissais Rocco, mais elle n'avait aucun moyen de soupçonner les sentiments que je lui portais en réalité ; je ne les dissimulais que trop bien, en premier lieu à moi-même.

— Oui, eh bien… les goûts et les couleurs ne se discutent pas comme on dit, n'est-ce pas ? Merci, en tout cas. Maintenant, je…, fis-je en levant vaguement la main en direction de mon appartement.

— Faites-lui oublier qu'elle existe, me conseilla Portia. Épuisez-le, qu'il oublie jusqu'à son nom.

Je lui promis d'être impitoyable, et sortis à reculons dans la loggia. De là, je montai quatre à quatre les escaliers menant à mon appartement. César était étendu sur l'un des sofas, Minerve perchée sur son torse. Il avait ôté ses bottes, et n'était qu'en chemise et haut-de-chausses. La facilité avec laquelle il s'était habitué à faire comme chez lui dans *ma* maison me laissait sans voix, pour tout dire.

— Je commençais à me demander où tu étais passée, me lança-t-il lorsque j'entrai.

— Je suis revenue aussi vite que j'ai pu. (Ne voulant pas avoir à lui expliquer ce qui m'avait retenue si longtemps, je changeai prestement de sujet.) Portia m'a dit qu'elle avait senti une bonne odeur de poulet.

Se fendant d'un grand sourire, il bondit sur ses pieds, me prit par le bras et m'amena vers le garde-manger. Minerve était restée calée contre lui.

— Je songe à lui demander de venir travailler pour moi.

— Ah bon ? Pourquoi ?

À dire vrai ce n'était pas une mauvaise idée que César envisage de former son propre réseau d'espions, plutôt que de toujours compter sur celui de son père. Mais je doutais qu'une telle proposition intéresse Portia. À l'évidence elle aimait travailler pour Luigi d'Amico, qui appréciait son talent et la rémunérait en conséquence.

— Rien ne lui échappe, elle a de la présence d'esprit, et elle sait juger les gens.

— Tu dis ça seulement parce qu'elle a un faible pour toi. As-tu déjà rencontré une femme qui n'en avait pas un ?

Il me dévisagea et sourit d'un air un peu contrit.

— Il y en a une, je crois.

Sans même me donner le temps de répliquer, César me mit le chat dans les bras et commença à s'affairer en cuisine. La kyrielle de domestiques qui satisfaisaient ses moindres caprices aurait été surprise de le voir découper le volatile avec une telle dextérité. Il alla jusqu'à déposer un peu de persil sur les assiettes, pour la touche finale.

Nous dînâmes sur la table à large pied, confortablement installés dans les fauteuils offerts par Sa Sainteté, et accompagnâmes le succulent plat d'un vin de Toscane corsé, légèrement rafraîchi dans un récipient en pierre rempli d'eau glacée. Minerve mordit élégamment dans les petits morceaux que nous lui donnâmes tour à tour, avant de s'assoupir à nos pieds.

Nous étions en train de nous lécher les doigts lorsque finalement je me lançai :

— Vas-tu te décider à me dire ce que tu as fait cet après-midi ?

César paraissait aussi peu disposé que moi d'en parler. Plus tard, peut-être, je lui dirais que j'avais vu Morozzi ; mais pour l'instant je ne voulais pas entamer sa confiance en Vittoro ni, d'ailleurs, lui parler de quoi que ce soit ayant trait à Rocco.

— Pas encore, et peut-être jamais, répliqua-t-il. Mais si tu t'inquiètes, sache que je n'étais pas aux trousses de Morozzi, du moins pas directement. Il nous faut un plan.

Mais j'en avais déjà un, pour ma part. Lorsque que je le lui exposai toutefois, il se renfrogna.

— Je n'aime pas du tout cette idée. C'est bien beau de vouloir le faire sortir de son terrier comme un renard, mais qui te dit qu'il ne va pas de nouveau t'attaquer par surprise ?

— Non, insistai-je, cela n'arrivera pas. Par ailleurs, tu seras là… ou tout au moins, dans les parages.

C'était le compromis que j'étais disposée à faire, que César soit sur place avec autant d'hommes qu'il juge nécessaires, mais que la mise à mort me revienne. Pour moi, c'était la solution la plus juste et la plus sensée.

Mais lui n'était pas du même avis.

— Ton idée nécessite de faire parvenir un message à Morozzi, pour lui indiquer que tu es prête à parlementer. En mettant de côté la question de savoir s'il te croira et se laissera persuader de sortir au grand jour, comment exactement comptes-tu t'y prendre pour le contacter ?

— Je ne sais pas… encore. Mais mon petit doigt me dit que ton père a un espion parmi Il Frateschi, quelqu'un qui n'est peut-être pas suffisamment infiltré pour savoir où Morozzi s'est réfugié, mais peut tout de même faire passer l'information. Cela expliquerait, en tout cas, comment Morozzi a su que je serais à la villa.

— Mais tu ne crois pas que papa nous l'aurait déjà dit, si une telle personne existait ?

Comment lui répondre de la façon la moins blessante possible ?

— Ton père chérit davantage ses précieuses informations que sainte Agnès de Rome sa virginité.

César éclata d'un rire bruyant, et tendit le bras pour nous resservir du vin.

— Tu as bien raison. Chercher à obtenir une réponse franche de lui revient à vouloir démêler le nœud gordien. S'il a bien un défaut, c'est celui-là.

À part moi je craignais que Borgia en ait bien davantage, mais pour rien au monde je ne le lui aurais dit. J'avais cependant un problème : j'étais singulièrement incompétente dans l'art vénérable de la flatterie — ce qui était un véritable scandale, pour une Romaine. Je tentai tout de même ma chance.

— Ton Père a plus confiance en toi qu'en aucun autre. Assurément, si tu lui posais la question il te révélerait ce que nous avons besoin de savoir ?

Un désir si ardent se peignit alors sur son visage que j'en détournai le regard.

— Tu crois vraiment qu'il me fait confiance ?

J'aurais pu, du moment que je fermais les yeux sur les folles divagations de Sa Sainteté s'agissant du complot que son fils serait en train d'ourdir contre elle. Borgia avait été aussi près de s'excuser à ce sujet qu'il était capable de le faire, mais comment avoir la certitude qu'il y croyait vraiment ? Parfois je me demandais si lui-même le savait.

— Oui, répondis-je sans hésitation, bien sûr qu'il te fait confiance. Tu es son fils aîné, celui qu'il a choisi pour marcher sur ses traces. À l'évidence, il te fait plus confiance qu'aux autres.

César fit tourner sa coupe entre les doigts, puis laissa échapper un long soupir.

— Il passe beaucoup de temps avec Juan, en ce moment.

— Mais n'envisage-t-il pas de lui arranger un grand mariage ? Il tente peut-être de l'assagir quelque peu en prévision.

Versatile comme il l'était, Juan pourrait fort bien perturber les délicates négociations qu'il serait nécessaire d'engager en vue du genre de mariage que Borgia voulait pour son fils — une union destinée à servir ses propres intérêts avant tout.

— C'est possible, concéda César. Peut-être y a-t-il une princesse aux Indes, ou du moins là où le grand Colomb est allé, qui voudra bien de lui comme mari.

Je souris et levai mon verre à cela.

— Quelle excellente idée. Je crois que tu devrais le lui suggérer.

— Hélas, il semblerait que l'heureuse élue soit la cousine du roi Ferdinand, Maria Enriquez de Luna.

Ainsi donc, ce serait une union espagnole — ce qui paraissait plutôt logique vu combien Borgia avait besoin du soutien de Leurs Majestés très catholiques ; mais qui n'aiderait assurément pas à le réconcilier avec les Français. L'idée me traversa l'esprit de demander à Portia de miser un peu d'argent pour moi. Avec ma renommée grandissante, cela devenait compliqué de le faire moi-même.

— Il a encore un entretien avec de Haro ce soir, poursuivit César. Je lui parlerai après. Mais en attendant… En attendant, tu ne m'as toujours pas dit ce qui te trouble autant.

Il me regarda d'un air sérieux et s'empara d'une de mes boucles, qu'il fit tourner entre ses doigts.

— Tu connais la situation aussi bien que moi…

— Je ne parle pas de ça, mais de ces moments où tu te réveilles les joues baignées de larmes, ou bien quand je te retrouve recroquevillée dans un fauteuil, comme si tu venais tout juste d'échapper à des monstres venus de l'enfer.

Tel est le piège de l'intimité, qui met au jour ce que nous voudrions voir enfoui le plus profondément possible.

J'allais mentir (une fois de plus) en lui assurant qu'il se faisait des idées, lorsque je me souvins de la gêne de Vittoro à évoquer son rêve, mais aussi de sa détermination à le faire quand même par égard pour moi.

Alors je me levai et allai jusqu'à la fenêtre du salon, où les dernières lueurs du couchant faisaient flamboyer d'or et de rouge les tuiles des toits environnants. Des volées d'étourneaux décrivaient de longues courbes gracieuses en direction de leurs nids, sous les toits des églises. Çà et là, une chouette lançait un appel timide dans la pénombre grandissante.

César vint se serrer contre moi. Je lui pris la main pour me donner courage, et me lançai :

— Je fais des cauchemars… Non, disons plutôt que j'en fais un en particulier, mais qu'il revient sans cesse.

— Tu veux me le raconter ?

— Il n'y a pas grand-chose à en dire, vraiment. Je me trouve derrière un mur, il y a un trou par lequel je vois des éclairs de lumière et du sang, une quantité astronomique de sang. Je me noie dedans.

— Et rien d'autre ?

Ah oui, j'oubliais.

— Il y a une femme… en train de crier.

— Qui est cette femme ?

— Maman.

La réponse me vint instinctivement et sans hésitation aucune. Pourtant, elle ne faisait visiblement aucun sens.

— Mais c'est impossible. Ma mère est morte à ma naissance.

Son bras protecteur se referma sur moi, m'attirant plus près de lui encore, et de la chaleur de son corps.

— Dans ce cas, il s'agit peut-être de quelque chose qui n'est pas encore arrivé.

— Non, c'est tout autant impossible. Dans mon rêve, je suis toute petite et sans défense, incapable de me sauver, moi ou quiconque.

— Pourtant, ce n'est pas toi.

Je refoulai les larmes que je sentais monter en moi, et secouai la tête.

— Par le diable, c'est même tout le contraire de moi.

J'étais une femme capable de provoquer le plus grand effroi chez autrui. Les gens baissaient les yeux en ma présence, et craignaient par-dessus tout mon inimitié. Je connaissais mille façons de tuer, et n'hésitais pas une seconde à en faire usage, si nécessaire — du moins c'est ce que je voulais que l'on croie.

J'étais Francesca Giordano, l'empoisonneuse du pape, et ma vie dépendait du fait que personne ne l'oublie jamais. Encore moins moi-même.

— Où vas-tu comme ça ? me demanda César en voyant que je m'écartais brusquement de lui.

Je ne me retournai même pas pour lui répondre.

— Trouver le moyen de débusquer Morozzi.

Il eut un soupir théâtral mais l'instant d'après, je le sentis derrière moi. Me prenant par le bras, il s'exclama :

— Le moment est mal choisi pour demander audience à mon père.

Qu'entendait-il par là ? Certes il était tard, mais tout le monde savait que Sa Sainteté travaillait (ou tout au moins s'occupait) jusque tard dans la nuit. Quelques heures de sommeil et de courtes siestes dans la journée semblaient lui suffire.

— Je ne comprends pas, tu n'as pourtant pas hésité à aller le voir sur-le-champ lorsque je t'ai informé de l'arrivée de Morozzi en ville.

— C'était différent. Après encore une de ces interminables entrevues avec l'émissaire espagnol, papa ne sera pas de belle humeur, crois-moi. Il est préférable d'attendre.

— Pendant combien de temps, et pour quoi faire ? Je fais de mon mieux, tout comme Vittoro, mais quand bien même nous ferions tous les efforts du monde, Morozzi finira par passer à travers les mailles de nos filets. Chaque jour, chaque heure qui passe augmente ses chances de réussite.

Je n'exagérais pas en disant cela, et César le savait parfaitement. Cependant, après la plus brève des hésitations, il me dit :

— Je suis… en train de me renseigner. Il est très important que nous ayons tous les faits. Lorsque ce sera le cas, je…

— De quoi parles-tu ? Quels faits ?

Une grande frustration s'abattit alors sur moi. J'avais frôlé la mort à plusieurs reprises à cause de ce dément, et je ne tolérerais pas que l'on contrecarre davantage mes plans. Je m'en pris violemment à César, sans réfléchir.

— Alors ça, vous êtes bien tous les mêmes ! Chez les Borgia, tout n'est qu'intrigue, complot et conspiration. Rien ne peut jamais être simple et direct. Mais bon sang, il faut agir, maintenant !

— Francesca, tu oublies à qui tu parles !

N'importe quelle femme ayant une once de bon sens s'en serait tenue là ; de fait, cllc scrait même allée plus loin, et aurait demandé pardon. Car peu importait que l'on se connaisse depuis toujours, ou que l'on partage une certaine intimité. César avait été élevé comme un prince par un père qui se considérait lui-même comme l'égal, voire l'aîné, des rois et des empereurs. Il accepterait peut-être que son père lui parle ainsi (et encore), mais c'était tout.

Il n'était pas trop tard. Je pouvais encore l'apaiser avec des mots doux et une caresse. Mais la colère m'avait durci le cœur, ainsi que la sensation qu'il y avait une autre explication à son comportement déconcertant. Une explication qu'il refusait de me donner.

Et pour cette raison, il eut un aperçu de ma langue acérée.

— Je suis en train de me bagarrer avec un enfant qui aurait bien besoin de devenir un homme ! Cesse donc de craindre ton père, et sois enfin le chef que tu prétends être !

Avant qu'il n'ait le temps de répondre, j'extirpai des vêtements propres d'un coffre et me retirai pour me laver — à l'eau froide, n'ayant absolument pas la patience d'attendre qu'elle chauffe. Puis je m'habillai, m'attendant à tout moment à entendre la porte claquer de rage.

La possibilité que nous soyons brouillés pour de bon faisait comme un grand vide à l'intérieur de moi, mais je n'avais pas le temps de m'appesantir là-dessus. Quelle que soit la partie à laquelle César jouait, les enjeux étaient tout simplement trop élevés pour que je lui cède. Finalement, n'ayant plus aucune raison de ne pas ressortir, je retournai au salon. À ma surprise, mon amant ténébreux m'attendait en faisant les cent pas. En me voyant, il me lança d'un air renfrogné :

— Pour une femme qui disait être pressée, tu as pris ton temps.

Je m'efforçai tant bien que mal de dissimuler mon soulagement.

— Je ne savais pas que tu étais encore là.

— J'ai failli ne pas l'être, rétorqua-t-il en allant ouvrir la porte prestement et en me faisant signe de passer. Mais mon père escompte que l'on fasse équipe. Par conséquent, je te suggérerais de contenir ta colère à l'avenir, si tu ne veux pas que je le fasse pour toi.

Il me restait à prier pour que mon silence passe pour un signe de repentir suffisant, car j'étais bien trop fière pour concéder quoi que ce soit d'autre. Une fois dans la rue, nous attendîmes que ses hommes lui amènent son cheval. César monta, puis me hissa derrière lui. Aussitôt, nous partîmes au trot. Derrière nous, plusieurs gardes se dépêchèrent de monter également pour nous suivre. D'autres coururent le long du chemin en tenant des torches pour nous éclairer. Des chiens se mirent à aboyer à notre passage. Ici et là, aux fenêtres où les volets n'avaient pas encore été fermés tant l'air était encore doux, j'aperçus des têtes qui se penchaient pour voir ce qui causait un tel tumulte à cette heure du soir. Mais je m'appliquai avant tout à m'accrocher fermement à César, de crainte de me couvrir de honte en dégringolant de sa satanée monture.

En bonne citadine que je suis, je n'ai naturellement pas une grande affection pour les chevaux. Ils sentent mauvais, ils sont trop gros, et sont capables quand ils s'y mettent de causer des ravages dans une rue animée. Les ânes ont leur utilité, tout comme les mules, et les petits poneys qui nous viennent de Bretagne ont l'air plutôt inoffensifs. Mais dès que l'on me force à monter à cheval, je n'y peux rien, des mauvaises pensées me viennent à l'esprit. Ainsi, nous approchions du Pons Ælius et j'étais en train de songer au meilleur moyen de piéger Morozzi pour ensuite l'achever, lorsqu'un cri strident transperça l'air de la nuit.

Le cheval eut un mouvement de recul, mais César le calma aussitôt. Il aurait continué son chemin sans y songer plus avant, mais je lui mis tout à coup une main sur l'épaule.

— Attends.

Mon sang s'était soudain figé dans mes veines : je reconnaissais ce bruit. Un second coup de sifflet répondit au premier, suivi d'un troisième, puis il y en eut tellement qu'on ne les compta plus. Tous envoyaient le même message urgent :

Venez vite.

26

Le temps que nous arrivions à la piazza di Santa Maria in Trastevere, le feu faisait déjà rage. L'air était lourd des fumées et de l'odeur nauséabonde mais étrangement sucrée de la chair humaine en train de brûler. Le corps avait été retiré du bûcher et aspergé d'eau. Le liquide, qui avait coulé, faisait à présent des petites flaques sur les pavés, où se réfléchissaient les flammes des torches éclairant cette scène macabre.

Ayant mis pied à terre, César et moi nous frayâmes un chemin à travers la foule qui grossissait de minute en minute. Je n'en étais pas fière mais je lui avais pris le bras, bouleversée comme je l'étais par la vision d'horreur que nous venions d'avoir. Elle était jeune, à ce que j'en voyais, et vêtue d'une simple chemise blanche, dont la partie inférieure avait brûlé en même temps que sa peau. Ce qu'il restait d'elle, en bas, n'était que brûlures et crevasses, d'où suintaient encore du sang et d'autres fluides. Au-dessus de la taille elle était quasiment intacte, hormis les taches formées par la fumée noire autour de son nez et de sa bouche, là où elle avait respiré les émanations qui avaient eu finalement raison d'elle, mais pas assez rapidement pour empêcher ses traits d'être tordus par l'agonie. Ses cheveux dorés restaient d'une beauté incongrue dans ce sinistre tableau, retombant joliment sur ses épaules, comme si quelqu'un les avait brossés avant de l'abandonner aux flammes.

Alfonso était agenouillé à côté d'elle, tenant son corps dans ses bras, sanglotant bruyamment. Une garde de jeunes contrebandiers à l'air interloqué avait formé un cercle autour d'eux, et plusieurs d'entre eux semblaient sur le point de vomir. Je réprimai une soudaine envie d'en faire autant, et me serrai un peu plus encore contre César.

Malgré mon dégoût, je m'agenouillai à côté d'Alfonso pour observer la jeune fille. Lorsque je parvins à voir au-delà de l'horreur de ses derniers instants sur terre, je la reconnus comme étant l'une des deux blondes qui décoraient le trône du roi des contrebandiers le jour où Benjamin et moi avions pénétré dans son repaire. Un bref instant, je tentai de me convaincre qu'elle était peut-être la victime d'une dispute entre Alfonso et l'un de ses rivaux, mais cette hypothèse ne concordait pas avec les faits. Encore moins lorsque j'écartai délicatement le haut de sa chemise et découvris le mot qui avait été inscrit à la pointe d'un couteau sur ses petits seins : *Strega*.

Morozzi s'était vengé de l'attaque dont il avait été victime, et dans le même temps avait envoyé un message on ne peut plus clair quant à ce qu'il avait l'intention de me faire. Me remémorant soudain le rêve de Vittoro, je fus prise de panique.

— Elle n'aurait jamais fait de mal à une mouche, gémit Alfonso les joues baignées de larmes, serrant la fille contre lui et la berçant d'avant en arrière. Jamais. Elle était la plus gentille, la plus douce…

Si grande était sa peine qu'il ne trouvait plus les mots.

Derrière nous, un cri transperça le silence consterné qui planait sur la place. Je me retournai et vis courir vers nous la jumelle de la victime — car vraiment, elle lui ressemblait comme deux gouttes d'eau. Plusieurs des acolytes d'Alfonso s'avancèrent pour lui faire barrage, mais cela ne l'empêcha pas de voir ce qu'il restait de sa sœur. Le hurlement qu'elle poussa alors faillit bien déchirer les cieux.

César m'aida à me relever. Je ne lui avais jamais vu un air aussi sombre, mais je suis bien persuadée que je devais faire la même tête. La place était entourée d'édifices sur ses quatre côtés, le plus grand et le plus impressionnant de tous étant la basilique Sainte-Marie, ainsi que la résidence à deux étages directement mitoyenne où logeaient les prêtres. À côté se trouvait une bâtisse plus petite mais non moins opulente, abritant une pension réservée à des gens de passage en tous points respectables. À vue de nez, il devait donc y avoir plusieurs centaines de personnes qui vivaient sur cette place ; et pourtant, pas une lumière n'était allumée, nulle part. Aucun membre du clergé n'était sorti pour voir ce qu'il s'était passé, prier pour la morte ou offrir un peu de réconfort à ses proches. Les seuls individus rassemblés sur la place étaient Alfonso, ses hommes, César et moi-même.

— Les salauds, murmura César en regardant vers l'église. Je suivis son regard, songeant exactement la même chose. Car tout de même, il était impossible que quelqu'un ait pu arriver sur cette place, installé un bûcher, attaché une fille dessus et mis le feu au bois qui l'avait brûlée vive sans qu'au moins des dizaines et des dizaines de témoins voient ce qu'il se passe. Pour autant, ils n'avaient rien fait pour l'arrêter.

Pour pénible que ce soit de l'admettre, je comprenais que les humbles gens vivant dans l'ombre de Sainte-Marie aient pu hésiter à prendre parti dans une situation qui n'avait certainement pas manqué de les terrifier et de leur soulever le cœur. Au vu d'une telle atrocité, ils avaient dû s'en remettre à l'autorité de l'Église ; et en constatant que personne ne sortait de la basilique ou de la résidence des prêtres pour stopper les assaillants, ils avaient compris que toute chance de trouver de l'aide ailleurs serait vaine.

Mais peut-être s'agissait-il davantage que d'une simple défaillance à faire œuvre de bonté chrétienne. Peut-être ce crime odieux avait-il eu lieu avec la bénédiction des prêtres de Sainte-Marie, ces mêmes hommes que j'avais récemment soupçonnés d'aider Morozzi.

Scrutant toujours la basilique, César grommela :

— Il est peut-être encore à l'intérieur en ce moment même, à nous observer. Le seul moyen d'en avoir le cœur net serait de s'emparer de l'église et de la résidence des prêtres et de les démonter toutes les deux pierre par pierre.

Je compris qu'en cet instant précis il se délecterait d'ordonner une telle mission à ses hommes, mais je secouai la tête.

— Il est parti depuis longtemps. Nous ne sommes pas plus près de le retrouver qu'avant, et cela durera tant que Sa Sainteté ne nous dira pas tout ce qu'elle sait.

La réticence que César avait manifestée plus tôt dans la soirée à l'idée de braver son père à ce sujet-là s'était envolée. Il jeta un dernier regard au corps de la jeune fille et demanda à ce qu'on lui amène sa monture, puis donna l'ordre à plusieurs de ses hommes de rester là et de porter toute l'assistance nécessaire. C'est ainsi que je remontai sur le cheval, appuyai ma tête contre son dos et me concentrai sur le simple fait de respirer. L'air redevint relativement propre, une fois la place derrière nous ; mais cette odeur de chair brûlée me resta dans les narines jusqu'au Vatican. J'en arrivai à craindre qu'elle ne me suive jusque dans mes rêves.

Nous nous rendîmes tout de suite au palazzo Santa Maria in Portico. Les hommes de garde paraissaient considérablement plus éveillés que la fois précédente, au palais. Ils sc mirent au garde-à-vous d'un bond au passage de César. Je n'aurais su dire en revanche ce que ma présence à ses côtés leur inspira comme commentaires.

Dans l'antichambre des appartements de La Bella, une domestique aux yeux ensommeillés nous reçut et s'en fut aussitôt prévenir sa maîtresse de notre présence. Giulia apparut bientôt, l'air bien trop éveillé pour une heure aussi tardive ; mon intuition fut confirmée lorsque je remarquai les cernes qui soulignaient ses yeux lumineux. Comme vous le savez sûrement, elle était considérée comme une femme d'une grande beauté, la plus grande de toutes à notre époque, et possédait ce mélange très rare d'attraits physiques et de belles manières, capable de rendre fou d'amour le plus droit des hommes. Borgia ne faisait pas exception à la règle : il l'adorait, la choyait à l'excès et, à en croire la rumeur, s'apprêtait à inonder sa famille de richesses toujours plus mirifiques dès que l'enfant qu'elle portait serait venu au monde sans incident.

Même ce soir-là, alors qu'elle était visiblement soucieuse, elle avait l'air ravissante avec ses longs cheveux dorés qui lui tombaient presque aux pieds, sa bouche, petite mais charnue, et sa peau veloutée. Je n'aurais su dire comment elle parvenait à entretenir cette extraordinaire chevelure en particulier, hormis l'usage manifeste de feuilles de saule, de racines de verveine et peut-être d'écorces d'épine-vinette pour l'illuminer ; j'avais entendu dire qu'elle avait assigné deux de ses domestiques à cette seule tâche.

Giulia me regarda d'un air méfiant, ce que je ne pouvais lui reprocher. Je lui avais sauvé la vie l'année précédente, mais ce faisant elle avait perdu son enfant ; elle n'avait donc aucune raison de se montrer particulièrement bienveillante envers moi. Elle prit tout juste le temps de nouer son vêtement intérieur de façon à souligner ses nouvelles rondeurs, et dit à César, en le gratifiant d'un beau sourire :

— Dieu merci, tu es là. Je ne sais plus quoi faire avec lui.

Je fus surprise (et secrètement ravie) de voir César la frôler sans plus de cérémonie pour s'introduire directement dans la chambre. Giulia se précipita à sa suite. Quant à moi je suivis à distance discrète. Borgia était avachi dans le lit, en position assise et torse nu ; un drap recouvrait ses membres inférieurs. Dans sa jeunesse il avait véritablement été un homme fort et robuste, aux larges épaules, au torse puissant et aux muscles affinés par de longues heures passées à cheval. Mais l'âge et la vie d'excès qu'il avait menée l'avaient sérieusement ébranlé. Marbrée de taches marron, sa peau pendait là où le gras ne l'avait pas fait gonfler — ce même gras qui lui avait ramolli le ventre et lui donnait presque l'air d'avoir une poitrine de femme. Mais le plus préoccupant présentement était son visage rubicond et le fait qu'il transpirait abondamment.

— J'ai bien peur qu'il ne soit malade, souffla Giulia. Il refuse de me parler. J'ai proposé de faire venir le médecin, et pour toute réponse il a jeté un vase contre le mur.

Elle montra d'un geste les morceaux de porcelaine qui gisaient au sol. Cet incident l'avait manifestement secouée, et à juste titre puisque Borgia n'avait même jamais haussé le ton envers sa maîtresse adorée.

César s'agenouilla devant son père et lui mit une main sur l'épaule. Calmement, en ne montrant aucunement l'inquiétude qu'il devait pourtant ressentir, il lui murmura :

— Papa, dis-moi ce qui ne va pas. Je veux t'aider, mais tu dois me parler.

En voyant Borgia rester silencieux, je commençai à établir dans ma tête la liste des substances qui pourraient le revigorer. Peut-être trouverez-vous cela curieux au vu de ma profession, mais il y a quantité de plantes destinées à tuer qui sont aussi à même de guérir. Comme tant de choses dans la vie, c'est bien souvent une question de mesure. J'étais en train de me demander si je devrais me fier à ma propre expérience ou solliciter l'aide de Sofia lorsque Sa Sainteté prit lui-même les choses en main, enfin.

— De l'eau.

J'empoignai la carafe posée près du lit, remplis une coupe et la tendis à César, qui la donna ensuite à son père. Borgia devait avoir considérablement soif : il vida la coupe en une seule et longue gorgée.

Ensuite il s'essuya la bouche du revers de la main, soupira profondément et dit d'une voix douce :

— La Bella, mon trésor, ne me dis pas que tu as fait mander mon fils et… (il jeta un œil dans ma direction)… son inséparable, à cette heure indue, par inquiétude pour moi ?

Giulia joignit les mains juste sous ses seins, cligna des yeux humides et se jeta aux pieds de Borgia.

— Oh, mon seigneur ! Mon maître ! Comment ne pourrais-je pas être folle d'angoisse à votre sujet ? Assurément, les fardeaux que vous devez porter écraseraient tout autre que vous. Quelle chance que Notre Père dans les Cieux ait doté notre père ici sur terre d'une telle sagesse et d'une telle force, pour nous aider en ces temps difficiles.

J'étais stupéfaite (je le suis encore, d'ailleurs) de voir à quel point les gens croyaient véritablement à ce genre de fadaises. Même un homme aussi expérimenté, aussi brillant, et par-dessus tout aussi cynique que Borgia, hochait invariablement la tête d'un air suffisant à ce genre de remarque, qu'il considérait à l'évidence comme son dû. Quant à César, cela ne le fit même pas sourciller. J'imagine que lui aussi devait entendre ce genre de niaiseries plutôt souvent.

Comme dans cette pièce personne ne semblait visiblement décidé à le faire, je posai la question qui s'imposait :

— Avez-vous mal quelque part, Votre Sainteté, ressentez-vous le moindre symptôme de maladie ?

Ou bien (comme je l'espérais) avait-il simplement un peu trop présumé de ses forces avec La Bella, ainsi qu'un homme de soixante-deux ans à l'appétit charnel développé plus que de raison serait logiquement enclin à le faire ?

Il agita une main impatiente.

— Je vais bien. Une défaillance momentanée, rien de plus. Giulia, ma douce, ne crains rien. Je reste toujours ton intrépide taureau.

Pendant que La Bella était occupée à minauder et César à regarder au plafond, je rongeais mon frein : le petit nid du pape avait beau être charmant, tous les plaisirs au monde ne changeraient rien à la hideuse réalité qui nous attendait de pied ferme au-dehors.

— Une jeune fille a été brûlée vive dans le Trastevere, cette nuit.

La Bella poussa un petit cri et me regarda d'un air blessé, comme si elle ne comprenait pas pourquoi je m'escrimais à vouloir lui faire de la peine. Il Papa, quant à lui, se contenta de secouer la tête avec lassitude.

César se leva, regarda son père et lança :

— Quiconque protège Morozzi doit assurément être puissant, pour que le prêtre agisse avec un tel aplomb.

Presque imperceptiblement, Borgia battit des cils. Le moment passa si vite que je me demandai même si je ne l'avais pas imaginé.

— Il est protégé par Il Frateschi, répliqua-t-il. Nous le savons déjà.

— Dans ce cas, l'homme que tu as infiltré au sein de la Fraternité sera en mesure de nous dire comment le joindre, rétorqua à son tour César.

Borgia tendit alors une main à sa maîtresse, qui la prit pour se lever gracieusement. Il lui sourit gentiment.

— *Amore mio*, lui susurra-t-il, voudrais-tu avoir la bonté d'aller préparer une carafe de cet excellent jus de pêche que tu aimes tant ? J'ai une soudaine envie d'en boire.

Giulia n'était sûrement pas dupe, mais on l'avait trop bien élevée pour qu'elle montre une quelconque rancœur à l'idée d'être exclue. Avec un sourire ravissant et un petit signe de tête, elle se retira prestement pour aller faire ce qu'on lui demandait.

Une fois la porte refermée le pape soupira profondément, puis se souleva du lit avec effort. Je détournai le regard, de crainte que le drap ne glisse, mais il le resserra fermement sous son large ventre et alla jusqu'à la fenêtre où une légère brise offrait un peu de répit par cette chaude nuit.

Dos à nous, il expliqua :

— L'homme que j'avais réussi à infiltrer dans la Fraternité a été repêché dans le Tibre il y a quelques semaines. On lui avait ôté les yeux et coupé la langue.

Je me souvins soudain de ce que Guillaume avait raconté à Rocco.

— Une mort similaire a causé une grande agitation chez les dominicains, récemment.

— C'en était un, reconnut Borgia, avant de se retourner pour nous faire face. En temps normal je me satisferais grandement de voir les chiens du Seigneur s'écharper entre eux, mais au vu des circonstances…

— Es-tu en train de nous dire qu'avec la mort de ton espion tu n'as pas la moindre idée de là où se terre Morozzi, ni du moyen de le joindre ? s'enquit César.

— Mais que crois-tu ? s'emporta Borgia. Que j'aurais une telle information en ma possession et la garderais pour moi ? Tu es devenu fou ou quoi ?

Le visage de César s'assombrit devant l'insulte, mais il garda son calme.

— Morozzi monte une fausse attaque contre une villa possédée par l'un des plus grands banquiers de Rome. Il tue un frère dominicain. Il suit partout l'empoisonneuse du pape, avant de se volatiliser. Il se sert d'une jeune écervelée pour discréditer ma sœur, et toi par la même occasion, de la façon la plus ignoble. Il va jusqu'à brûler vive une pauvre malheureuse au beau milieu de la piazza di Santa Maria. Et pour autant, personne n'a aucune idée de l'endroit où il est. Ah ça vraiment, c'est stupéfiant !

— Ventrebleu ! s'écria Borgia. Ne vous moquez pas de moi, jeune homme, ou vous pourriez le regretter !

Je fis un pas pour tenter de modérer César, mais m'arrêtai net en voyant son visage. Je ne savais que penser de l'intense mélange de douleur et de colère que j'y lus — et encore moins comment réagir face à cela.

— Tu es aveugle, rétorqua-t-il mais doucement, comme si parler était devenu un effort insurmontable. Délibérément aveugle.

Sur ce, il tourna les talons et sortit à grands pas de la chambre, manquant de se cogner à La Bella qui avait choisi ce moment entre tous pour revenir, une carafe ornée de perles dans les mains. Son sourire interdit fit rapidement place à un froncement de sourcils en voyant son cher et tendre plus contrarié encore que lorsqu'elle l'avait quitté. En sortant, je l'entendis vaguement dire que le cerveau masculin, vraiment, n'avait parfois rien à envier à celui du lombric.

Rattrapant César en bas des marches, je l'apostrophai :

— Que veux-tu dire par « délibérément aveugle » ?

Il m'écarta de son chemin et sortit au pas de course sur la place, où il ordonna d'une voix forte qu'on lui amène son cheval. Alors que ses hommes se précipitaient pour lui obéir, je lui saisis le bras.

— Dis-moi ce que tu sais !

Il me paraissait pour le moins inconcevable que César continue à me cacher le moindre élément à ce stade-là, et pourtant c'est exactement ce qu'il avait l'air de vouloir faire.

De nouveau, il m'écarta d'un geste et somma un condottiere de venir.

— Escorte Donna Francesca jusque chez elle et assure-toi qu'elle ne quitte pas les lieux. Mets des gardes devant l'immeuble, derrière, dans le jardin, dans la loggia, devant sa porte. Me suis-je bien fait comprendre ?

Le jeune homme le gratifia d'un hochement de tête si vigoureux que la plume rouge de son casque remua d'avant en arrière, telle la queue d'un grand oiseau face au danger.

Mais César n'en avait pas terminé.

— Je sais que tu es terrifié par elle ; il n'y a que les insensés qui ne le seraient pas. Mais souviens-toi, tu as bien plus à craindre de moi. Suis-je clair ?

De nouveau, le garde dodelina de la plume. L'officier aboya un ordre et une demi-douzaine d'hommes se déployèrent autour de nous. En quelques secondes, je fus encerclée et piégée.

— Tu n'as pas le droit de faire ça ! Je ne pourrai pas protéger ton père si tu m'enfermes !

Un page arriva avec le grand destrier couleur d'ébène. Le cheval s'agita, mais César sauta en selle et eut tôt fait de maîtriser la bête. Il m'accorda ensuite un regard. Ce même mélange de douleur et de colère que j'avais détecté un peu plus tôt était toujours là, et restait tout autant incompréhensible.

— Je n'arriverai jamais à traquer Morozzi si je dois tout le temps avoir peur qu'il ne t'attrape en premier.

À ce moment-là je vis sur le côté, nous observant et n'ayant pas l'air de vouloir bouger le petit doigt, Vittoro. Un regard passa entre les deux hommes ; ils étaient certes de situations et d'âges différents, mais c'étaient aussi deux guerriers, et en cela ils raisonnaient pareillement. Une sorte d'accord tacite fut conclu entre eux, un arrangement quant à la marche à suivre. Manifestement, je n'en faisais pas partie.

— Tu veux dire que tu as peur que je l'attrape avant toi, oui ! criai-je, mais cela ne servait à rien. L'homme et sa monture s'élancèrent d'un bond, et le bruit des sabots frappant le pavé résonna longtemps sur l'immense place, jusqu'à ce qu'il s'évanouisse dans la nuit.

27

Sur le chemin du retour vers mon appartement, alors que ma monture était encerclée par des hommes en armes, je fis de mon mieux pour me tenir tranquille. Les chances de faire comprendre à quiconque le ridicule de ma situation étaient négligeables, mais je me sentis tout de même obligée d'essayer, ne serait-ce que parce que je n'avais pas d'autre idée. Malgré l'heure tardive, Portia se trouvait dans la loggia à mon arrivée. Elle leva un sourcil en voyant mon escorte, mais se garda de tout commentaire jusqu'à ce que j'aie retrouvé la terre ferme et marché jusqu'à elle.

— Allons donc, qu'avez-vous encore fait pour qu'il vous renvoie chez vous sous escorte ?

— C'est pour ma propre protection, ne voyez-vous pas ? Je ne suis qu'une pauvre femme sans défense, et il faut me séquestrer pour être sûr et certain qu'il ne m'arrivera rien.

Portia émit un petit gloussement.

— En vrai, pourquoi fait-il cela ?

Je me le demandais bien moi-même. Je ne pouvais totalement exclure que César veuille vraiment me protéger ; après tout, il m'avait sauvé la vie dans le grenier de la basilique Saint-Pierre, l'année précédente. Mais l'extraordinaire possibilité qui m'était venue à l'esprit en le voyant échanger ce regard avec Vittoro ne pouvait non plus être ignorée. Je me raisonnai en me disant que j'avais nécessairement faux, mais j'avais beau essayer je n'arrivais pas à m'ôter cette idée de l'esprit.

— Je vais avoir besoin que vous me fassiez quelques courses, puisqu'on tient tant à m'enfermer, visiblement, repris-je suffisamment fort pour que les gardes entendent. Montez avec moi, et je vous donnerai la liste.

— Naturellement, Donna Francesca, répondit Portia au même volume.

Elle se fendit d'une petite révérence appuyée tout en jetant un regard mauvais aux condottieri, comme s'ils étaient autant de saleté qu'elle était obligée de gratter sous ses souliers.

Une fois Portia et moi seules dans mon appartement, avec deux gardes postés directement de l'autre côté de la porte, je me précipitai vers un petit bureau pour y prendre du papier et de l'encre.

— Il faut absolument que je fasse passer un message au Signore d'Amico. Pouvez-vous le lui amener ?

— Bien sûr, mais si vos geôliers décident de me fouiller…

— Ne vous inquiétez pas, cela semblera parfaitement innocent.

Mon cher Signore d'Amico, écrivis-je alors, *vous me voyez désolée de ne pas être en mesure de vous rejoindre, ainsi que nos amis, comme prévu ce matin. Je vous prie également de m'excuser sincèrement auprès de Sofia et de Guillaume. Affectueusement, Francesca Giordano.*

Je montrai la missive à Portia, autant pour la rassurer que lui épargner le désagrément de devoir la recacheter, puisque de toute façon elle allait la lire. Elle saisit tout de suite son sens caché.

— Pour sûr il comprendra que vous voulez tous les réunir demain, mais comment allez-vous faire pour être au rendez-vous ? Il fera bientôt jour, et l'immeuble est cerné de partout.

— Je trouverai bien une astuce.

Du moins l'espérais-je. La fatigue m'accablait tellement que le peu d'esprit que j'avais déjà en temps normal semblait me faire complètement défaut, présentement.

Une fois Portia partie, je me déshabillai dans l'intention de m'allonger un peu. De l'une de mes poches tomba le petit sachet que Sofia avait consenti à me donner. Pendant un instant, je caressai l'idée de prendre un tout petit peu de sa poudre, dans l'espoir de dormir d'un sommeil sans rêves. Seule la crainte d'en prendre plus que nécessaire et de rester assoupie trop longtemps me retint. Cela et, je le confesse, le fait de savoir que Sofia serait probablement réticente à l'idée de me fournir encore de cette poudre dont je semblais devenir de plus en plus dépendante, ces derniers temps.

De toute façon je n'escomptais pas vraiment dormir mais plutôt somnoler, rester en équilibre entre sommeil et rêves, ainsi que j'ai déjà vu faire les acrobates sur des cordes suspendues dans les airs, au-dessus de la piazza sur le Corso, là où Borgia aimait offrir des divertissements aux citoyens de Rome avant d'être pape. Si le cauchemar venait, je pourrais toujours me réveiller d'un bond. Toutefois, j'avais sous-estimé combien les événements de ces dernières heures m'avaient épuisée. À peine m'étais-je allongée que Morphée m'emporta loin d'ici.

Je n'ai jamais su expliquer pourquoi le cauchemar venait à certains moments et pas à d'autres. En tout état de cause, il semblait logique qu'il me visite maintenant. Or, au lieu de me retrouver derrière le mur, sans défense et terrifiée, je me vis soudain marcher sur une grande place dont je ne voyais pas les limites. Je cheminai un long moment, puis soudain j'entendis une voix chanter, une voix limpide et pure. Je m'arrêtai alors et me retournai, pour découvrir à quelque distance de moi une jeune femme blonde dans une longue robe blanche, qui me sourit et me tendit les bras comme si elle me faisait signe de la rejoindre. Une soudaine vague de froid s'abattit sur moi. Je tentai de reculer ; j'étais figée sur place. Des flammes vinrent me lécher les pieds mais ne purent aller plus loin, protégée comme je l'étais par le mur de glace qui m'entourait. Soudain je vis que le mur commençait à fondre et je criai, d'une voix discordante en comparaison de la douce mélopée de la jeune femme. Tout près de moi j'entendis un homme rire à gorge déployée, et je vis Morozzi qui ouvrait ses ailes et s'envolait au-dessus d'une ville drapée dans les ténèbres.

Je me réveillai en nage. Minerve dormait à côté de moi,

indifférente à ma détresse. Les premiers rayons du soleil pointaient entre les cheminées. Il ne me restait plus qu'à m'extraire du lit d'un pas chancelant et à me passer de l'eau sur la figure, en espérant que cela suffirait à chasser cette saisissante vision. Je regardai par la fenêtre dans le jardin, et constatai que les hommes de César étaient bien à leur poste. Ils n'étaient pas allongés paresseusement sous les platanes comme je l'aurais souhaité, mais debout, armes en main et en tous points vigilants. Qu'ils soient poussés par la loyauté envers leur maître ou par la crainte, le fait était que le zèle qu'ils mettaient à leur tâche m'ôtait toute chance de pouvoir m'esquiver par en bas. Mais à vrai dire, je m'y attendais.

Dans le garde-manger je trouvai un peu de pain et de fromage, et me forçai à manger. Le plan qui avait pris forme dans mon esprit pendant mon sommeil exigeait de prendre des forces. Après avoir enfilé mes habits d'homme et pris le temps de bien dissimuler tous mes cheveux sous un chapeau de feutre, je me rendis au salon pour observer la grande cheminée qui occupait tout un pan du mur. Luigi d'Amico mettait un point d'honneur à intégrer les dernières inventions en date dans les immeubles qu'il possédait. Ainsi, dans le mien, l'eau arrivait par un tuyau directement chez moi depuis un réservoir collectif situé sur le toit, et une cheminée innovante recrachait toute la fumée au-dehors.

Or, nous étions presque en été maintenant, et je n'avais pas fait de feu depuis quelques mois. Je n'avais plus qu'à prier que c'était également le cas de mes voisins.

Je me mis à genoux pour examiner le sombre conduit qui montait de la cheminée. Il avait l'air juste assez large pour que je puisse passer. En maudissant César de me contraindre à recourir à des mesures aussi désespérées, j'entrai lentement, tête la première, dans le conduit. Les briques étaient d'une fraîcheur rassurante, voire presque humides : je me souvins qu'elles avaient été nettoyées quelques semaines à peine auparavant par des petits ramoneurs. Par ailleurs j'y rentrais juste bien, comme je l'avais espéré.

Un étage me séparait du toit. En prenant en compte la hauteur du plafond, j'estimai avoir moins de dix mètres à parcourir. Ce n'était certes pas négligeable, mais pour sûr ce n'était pas non plus insurmontable. Je me calai contre la paroi et commençai à monter en m'aidant des prises pour les mains et les pieds construites dans le conduit, afin d'en faciliter le ramonage. Centimètre par centimètre, et avec force contorsions, je me hissai toujours plus haut. La cheminée eût-elle été plus large, je n'aurais eu aucune chance d'y arriver. Au bout de deux mètres peut-être (j'étais en tout cas suffisamment haut pour ne pas avoir envie de tomber), je songeai soudain que j'avais vraiment perdu la raison. Qui ferait pareille chose ? Une femme normale serait dans sa maison, à s'occuper de son mari et de ses enfants. Une femme normale ferait la cuisine et la couture, donnerait ses instructions aux domestiques, que sais-je encore. Elle n'en serait pas réduite à faire des folies pour échapper à ses gardes dans le but d'ourdir de sombres complots avec des individus risquant autant qu'elle de finir sur le bûcher.

Je continuai. À environ trois mètres, je me dis qu'il n'était plus question de faire marche arrière. Si je relâchais la pression qui maintenait mon dos, mes mains et mes pieds en contact avec les parois de la cheminée, je tomberais et me ferais à l'évidence très mal. Je mis donc de côté la douleur qui me transperçait les bras et les jambes, oubliai les battements frénétiques de mon cœur et ma difficulté à respirer, et me concentrai sur la faible lueur que j'entrevoyais tout là-haut. Cela renforça ma détermination comme rien ne l'aurait probablement fait.

À six mètres du sol à peu près, je m'arrêtai un instant pour rassembler mes forces en vue de l'effort final. Un peu tardivement et, je l'avoue, plutôt risiblement, il me vint soudain à l'esprit que le chef des condottieri avait peut-être eu la bonne idée de placer des hommes sur le toit. Si c'était le cas, tous mes efforts auraient été en vain. Dans ces conditions autant renoncer tout de suite, non ?

Je repris mon ascension. Je m'étais écorché les genoux, les

épaules et les mains, mais c'est à peine si je le sentais. Je voyais un bout de ciel qui grossissait de minute en minute au-dessus de moi, là où le conduit se terminait par une souche de cheminée d'une largeur considérablement moins grande (de façon à réduire la prise au vent), et maintenue en place par une entretoise en cuivre. Rassemblant tout mon courage, je m'appuyai contre la paroi avec les genoux de façon à libérer ma main droite. Le maillet en acier dont je m'étais servie pour pulvériser les diamants de Borgia allait m'être utile — du moins l'espérais-je. L'empoignant fermement, je donnai un coup sur l'entretoise ; elle ne bougea pas. Lorsque je me mis à envisager la possibilité qu'après avoir fait autant de chemin j'allais peut-être me retrouver bloquée par une vulgaire pièce de métal, la colère s'empara de moi. Bonté divine, je n'allais tout de même pas me laisser abattre par un misérable bout de cuivre ! De toutes mes forces je frappai de nouveau, encore, et encore. Le cuivre est un métal facilement malléable, et personne n'aurait jamais songé que cette entretoise subirait un jour de si mauvais traitements. Au bout de quelques instants je réussis à glisser une extrémité du maillet sous l'un des coins et à faire levier : elle céda enfin. La souche de terre cuite, qui n'était désormais plus maintenue en position, se mit à pencher dangereusement. Je grimaçai en l'entendant se fracasser sur les tuiles. Si l'un des gardes avait l'ouïe fine, ou si un bout de terre cuite leur tombait dessus, tous les yeux se braqueraient sur le toit.

Quand bien même, je n'avais d'autre choix que de continuer. L'ouverture étant dégagée je pus m'extraire, le plus lentement possible, tout en veillant à rester bien accroupie. À mon immense soulagement, le toit était vide et je n'entendis aucun signe de remue-ménage en bas.

Pliée en deux, je traversai le toit d'un pas aussi léger que possible, gardant toujours à l'esprit les pentes raides recouvertes de tuiles rouges lisses sur lesquelles je n'aurais aucune prise si je venais à tomber. Dieu merci le réservoir d'eau était derrière moi, sans quoi il m'aurait fallu en plus trouver le moyen de le contourner. Les paumes de mes mains étaient glissantes tant je transpirais, et j'avais l'estomac tellement noué que j'arrivais à peine à respirer. Je ne suis pas spécialement sujette au vertige, mais j'avançais tout de même en me gardant bien de regarder vers le bas.

Je sautai sur le toit de l'immeuble voisin et le parcourus rapidement, en prenant toujours toutes les précautions possibles pour ne pas me faire voir. La rue en dessous fourmillait comme d'habitude de marchands, de chalands, de mendiants, de voleurs et de nouveaux venus à Rome, tous tentant comme ils pouvaient de se frayer un chemin entre les charrettes et les chevaux qui encombraient le passage. À tout moment, quelqu'un pouvait lever les yeux et m'apercevoir. Je continuai à détaler comme un rat, traversai un autre toit, puis un autre encore, avant finalement d'atteindre l'immeuble au bout de ma rue. C'était l'une de ces nombreuses bâtisses construites à la hâte ces dernières années dans l'unique but de tirer profit de l'afflux de population à Rome. Plutôt que de gaspiller son argent à installer un escalier intérieur, le propriétaire s'était contenté d'en fixer un à l'extérieur, en bois branlant. Je pris le temps de remercier le brave homme de son avarice, avant de le descendre prestement.

Une fois dans la rue, je me dépêchai de me perdre dans la foule. À plusieurs reprises je m'arrêtai pour feindre un intérêt pour un objet quelconque, afin de déterminer si j'étais suivie. Lorsque je fus bien certaine que ce n'était pas le cas, je me dirigeai au pas de course vers le palazzo de Luigi d'Amico.

Le banquier avait dû donner ses instructions pour que l'on me fasse entrer sans délai, car à peine eus-je mis le pied dans la loggia qu'un serviteur affecté me précéda à toute allure jusqu'à une pièce située à l'écart de l'effervescence qui caractérise tous les domaines des grands hommes, à l'étage. C'est ainsi que j'entrai dans un petit bureau, et trouvai Sofia et Guillaume en train d'attendre. L'instant d'après, Luigi nous rejoignait.

— Ma chère Francesca, mais nous étions malades d'inquiétude à ton sujet, s'exclama-t-il dès que la porte fut refermée derrière lui. Ce qui s'est passé hier soir…

— Comment a-t-on pu laisser une chose aussi ignoble arriver ? le coupa Sofia. (Elle avait le visage blême, les cheveux moins bien apprêtés que d'habitude et ses mains, lorsqu'elle les posa sur les miennes, étaient glacées.) C'est déjà bien affreux comme cela que l'Église s'octroie le droit de mener de pauvres gens au bûcher, mais que quelqu'un le fasse de sa propre autorité…

Elle avait véritablement confiance en Guillaume, pour parler ainsi sans détour de ses semblables dans la foi. Le bon dominicain ne montra d'ailleurs aucun signe de désaccord ; ses yeux, qui brillaient d'enthousiasme habituellement, étaient ternis par la tristesse.

— C'est Morozzi le coupable, n'est-ce pas ? demanda-t-il. Il se murmure au chapitre que quelqu'un de très puissant en ville le protège. J'ai tenté de savoir de qui il s'agissait, mais sans succès jusqu'à présent.

— As-tu pu découvrir quoi que ce soit d'autre ? m'enquis-je.

— Seulement que six membres d'Il Frateschi sont logés à la pension voisine de Sainte-Marie. Ils sont déguisés en marchands florentins venus à Rome pour discuter de la rénovation de la basilique.

C'était une information potentiellement utile, mais je n'avais guère le temps présentement de m'arrêter pour y réfléchir.

— C'était bien Morozzi hier soir, confirmai-je. J'ai tenté de le tuer un peu plus tôt, mais hélas, j'ai encore échoué.

— Tu omets de dire que tu as bien failli y perdre la vie, renchérit Sofia.

Luigi n'avait pas l'air particulièrement surpris, ce qui me fit songer qu'on l'avait déjà informé de mes exploits dans la basilique. Mais le pauvre Guillaume, lui, était horrifié.

— Loué soit le Seigneur de t'avoir protégée, fit-il dans un souffle. Tu dois être plus prudente, Francesca.

Je n'avais pas le cœur de détromper le brave frère de l'idée que Dieu puisse protéger un être tel que moi. Je poursuivis :

— Il ne peut y avoir qu'une raison pour que Morozzi ait pris autant de risques pour revenir à Rome. Il veut s'assurer que Borgia tombe, non aux mains du roi de France, de della Rovere ou de tout autre ennemi, mais de lui-même. S'il arrivait à contrôler les circonstances de la mort du pape, il est certain que les chances de contrôler également son successeur seraient grandement accrues.

— Savonarole, cracha Sofia.

Luigi devint blanc comme un linge. Pendant un instant je crus qu'il allait se signer, mais il finit par simplement dire :

— Dieu nous préserve qu'un homme comme lui obtienne autant de pouvoir sur la chrétienté.

Guillaume hocha la tête.

— À la vérité, nous vivons à une bien triste époque pour que des hommes de Dieu se lancent dans une telle entreprise.

Le pauvre homme n'avait malheureusement pas l'air surpris.

— Tu as un plan pour l'arrêter ? me demanda Luigi.

Si l'idée désespérée, pour ne pas dire bizarre, qui s'était formée dans mon esprit pendant que j'étais à la lisière entre ce monde et celui des rêves pouvait passer pour un plan. J'aurais presque souhaité l'oublier au réveil, mais au lieu de cela elle s'était implantée dans ma tête, devenant plus concrète de minute en minute, tandis que j'escaladais le conduit de cheminée, me frayais un chemin à travers les toits et finalement atterrissais dans le bureau privé de Luigi, où mes trois compagnons me regardaient à présent avec empressement.

— Asseyons-nous, et mettons-nous à l'aise autant que faire se peut, leur proposai-je dans une tentative pour gagner un peu de temps et m'éclaircir les idées.

Le problème avec les amis, c'est qu'il est bien plus difficile de leur mentir qu'aux ennemis. À peine nous étions-nous assis que Sofia me questionnait :

— Y a-t-il une raison pour que Rocco ne soit pas parmi nous ?

— Il n'approuverait pas ce que je suis sur le point de vous proposer.

D'un autre côté, l'honnêteté a aussi ses avantages — le principal étant l'élément de surprise.

— Tout ce que je vous demande, c'est de m'écouter jusqu'au bout, m'exclamai-je prestement. C'est bien la raison qui guide mes pas dans cette affaire. Seulement, vous devez me donner la chance de m'expliquer.

Pendant que Luigi se hâtait de nous servir du vin et de nous passer les coupes, je poursuivis :

— Vous savez sûrement que César a jugé bon de m'enfermer chez moi sous bonne garde.

Malgré son air sévère, Sofia ne put s'empêcher de pouffer de rire.

— Ce qui explique sans doute pourquoi tu es devant nous en ce moment ?

— Exactement. César a beau avoir tous les droits, il se trompe grandement s'il s'imagine que je vais simplement me conformer à ses désirs.

— Certes, mais peut-être agit-il pour te protéger…, se hasarda Guillaume.

Je pris une gorgée de vin — un bon millésime du Piémont, si je ne m'abusais.

— Certains éléments me portent à croire que ses motivations sont plus complexes que cela. En donnant l'ordre de m'enfermer aussi ouvertement, il espère que tout le monde croira Borgia plus vulnérable, ce qui d'après lui fera sortir Morozzi de son trou.

— Que dis-tu ? s'exclama Luigi. Il utiliserait son propre père, le pape lui-même, comme appât ?

Cette idée le choquait visiblement.

Pour ma part, je confesse avoir ressenti un certain plaisir à la pensée de Sa Sainteté clouée à son tour sur l'échiquier, comme elle-même savait si bien le faire avec ses pions. Ce qui ne veut pas dire que je ne cernais pas les faiblesses d'un tel plan ; mais il est vrai que je pourchassais Morozzi depuis plus longtemps (bien trop, même) que le fils de Jupiter.

— Par deux fois j'ai servi d'appât, à la villa et à la basilique, et par deux fois cela a échoué. Pire, tout ce que l'on a réussi à faire ainsi, c'est inciter Morozzi à commettre son acte atroce de la nuit dernière.

C'était une vérité difficile à accepter pour moi, mais je n'avais pas le choix : j'avais bien ma part de responsabilité dans la mort de la jeune fille.

— Cela étant, poursuivis-je, il n'y a de toute façon plus d'autre issue que de se servir de Borgia.

— Mais les risques…, commença Guillaume.

— César déborde de confiance. À coup sûr, il ne doute pas de réussir à protéger son père. Pour ce faire, il s'est assuré le concours de Vittoro Romano, le propre capitaine de la garde du pape.

— Mais c'est de la folie, protesta Luigi. César ne peut espérer prédire comment Morozzi va réagir en pareille circonstance. L'attaque contre Borgia pourrait venir de n'importe quelle direction, personne ne saurait parer à toutes les éventualités.

— Tu as raison, approuvai-je. Je suis d'avis que César compte sur le fait que Morozzi commette une imprudence, quand il apprendra que je ne suis plus dans la course, concrètement. À ceci près que le prêtre fou est bien plus intelligent que César ne veut l'admettre. Il ne se laissera pas berner aussi facilement.

— Dans ce cas, que proposes-tu ? s'enquit Guillaume.

J'avais soigneusement réfléchi à ce que je leur dirais pour les convaincre, sachant bien que ce ne serait pas chose facile. Mais à peine avais-je commencé à leur détailler mon plan que Luigi faillit s'étrangler en buvant, et recracha prestement son vin dans la coupe. Il devint rouge comme une pivoine (de gêne ou parce qu'il avait manqué s'étouffer, je n'aurais su dire), et me regarda d'un air horrifié.

Quant à Sofia, elle était devenue aussi pâle que les statues d'albâtre qui ornent les lieux saints.

Seul Guillaume parut positivement intéressé. Me scrutant de son regard sombre, il demanda :

— Et comment comptes-tu t'y prendre, exactement, pour mourir ?

28

Arranger son propre trépas n'est pas sans attrait — bien que ce soit un attrait macabre, je vous l'accorde. Un événement sur lequel on n'a en règle générale aucune prise devient soudain susceptible d'être orchestré à la perfection. Mais avant de me plonger plus avant dans les détails, il y avait des problèmes d'ordre pratique à régler, le premier étant le choix de ma « dernière » demeure.

Je proposai de faire de Luigi mon exécuteur testamentaire : à ce titre, il pourrait m'enterrer dans le tombeau familial des d'Amico. Je priai ensuite Guillaume de me servir de témoin à la rédaction de mon testament, et d'aider Luigi dans toutes les démarches. Quant à Sofia, seule elle pouvait me donner le moyen de quitter temporairement notre monde.

— Il n'en est pas question, s'écria-t-elle. Le risque est trop grand. C'est de la folie, ne serait-ce que d'envisager une chose pareille. Tu n'as vraiment donc aucune idée de ce que…

— Je me passerai de ton aide, si je ne peux faire autrement.

Pendant un instant je crus qu'elle allait quitter les lieux en claquant la porte. L'effort qu'elle fit pour se contrôler était bien réel, en tout cas. Une fois qu'elle fut calmée, ses mains n'en continuèrent pas moins à s'agripper aux accoudoirs du fauteuil et ses yeux à me fixer intensément.

— Si Morozzi est vraiment revenu à Rome pour tuer Borgia, raisonna-t-elle, il agira sans se soucier de ce qu'il peut bien t'arriver. Mais lorsqu'il frappera, il s'exposera à être capturé, voire tué. Il n'y a aucune raison pour que tu prennes un tel risque dans l'unique but de provoquer ce qui finira par arriver de toute façon.

Ses paroles vinrent me rappeler que l'apothicaire, en plus d'être mon amie, était une femme intelligente et pleine de sagesse ; je ne pouvais simplement passer outre ses inquiétudes.

— Tu oublies que César sous-estime Morozzi, expliquai-je. Tout porte à croire qu'il flairera le piège et prendra toutes les précautions possibles pour l'éviter, au lieu de tomber dedans.

— Alors que s'il te croit morte il relâchera vraiment son attention, d'après toi ? demanda Sofia.

— Cela fait presque un an qu'il veut me voir morte. Si on arrive à lui faire croire que c'est enfin le cas, il exultera. Il est même possible qu'il voie cela comme le signe que Dieu approuve son entreprise. Il se sentira alors suffisamment en sécurité pour attaquer le pape, et s'il plaît à Dieu, il tombera dans le piège de César. Mais plus important, *moi* je serai vivante, et en mesure de le frapper à son insu. Il ne me verra pas, jusqu'à ce qu'il soit trop tard.

— Si tu te trompes…

— Je ne me trompe pas. Et il n'y a pas d'autre solution.

Je vis alors Sofia commencer à hésiter, à peser le pour et le contre. Je sus que j'avais remporté la bataille lorsqu'elle orienta ses objections vers autre chose.

— La moindre erreur de calcul dans le dosage des ingrédients et jamais tu ne te réveilleras.

— J'y ai déjà songé ; mais je suis sûre qu'en prenant toutes les précautions nécessaires, on peut y arriver.

En dépit de mes moroses rêveries quelques jours plus tôt sur le pont enjambant le Tibre, je n'avais sincèrement pas envie de mourir. Pas maintenant. Mais César n'était pas le seul à se rendre coupable d'un excès de confiance. J'avais tellement foi en mes capacités, ainsi qu'en Sofia, son bon sens et son expérience, que j'étais persuadée de pouvoir éliminer quasiment tout risque.

Inutile, toutefois, de nous étendre davantage sur l'étendue de ma stupidité. Pour ma défense, je dirai qu'en ce temps-là j'étais encore bien jeune.

— Existe-t-il vraiment une substance capable d'accomplir un tel miracle ? fit observer Luigi. Il avait suivi avec attention l'échange entre Sofia et moi, sans pour autant mettre en doute mes conclusions — ce qui ne l'empêchait pas, à ce que je voyais, d'espérer ardemment que je lui réponde par la négative.

— Il y a bien des potions qui arrêtent les battements du cœur, ainsi que la respiration, concéda Sofia. Mais comme je viens de le dire, les risques…

— … ne devraient pas être exagérés, insistai-je, puisqu'il suffit que je sois vue morte et déclarée comme telle par des individus dignes de foi. Borgia tentera de dissimuler mon décès, bien entendu, pour sa propre protection. C'est là le seul vrai danger pour moi dans cette affaire. C'est triste à dire, mais il est tout à fait capable de me faire enterrer en secret dans une tombe sans nom. Il l'a déjà fait — avec mon père.

C'était faire preuve d'un singulier manque de respect, et je ne lui avais jamais pardonné cela. Lorsque j'en aurais fini avec Morozzi, j'exigerais en signe de reconnaissance que Giovanni Giordano ait une sépulture décente.

Je me tournai vers Luigi et lui dis :

— Tu devras agir vite pour prendre possession de mon corps, et ensuite tenir bon face aux pressions qui ne manqueront pas d'arriver. Il te faudra brandir le testament te donnant toute latitude pour agir en mon nom, et insister pour que je sois enterrée selon mes souhaits.

— Ce sera un plaisir pour moi de contrecarrer les souhaits de Sa Sainteté.

Visiblement, le banquier ne lui avait pas pardonné la destruction de sa villa.

— Dans ce cas, il ne nous reste plus qu'à déterminer le meilleur moment pour agir, repris-je, avant de croiser le regard de Sofia. Si Borgia se fait ravir sa place par Savonarole, il n'y aura plus aucun avenir pour nous autres qui croyons à l'avènement de la lumière et de la raison dans notre monde. Cela signera notre arrêt de mort et de celui de dizaines de milliers d'autres gens, peut-être davantage. Tout ce pourquoi nous avons œuvré sera détruit. Assurément, cela justifie de prendre tous les risques du monde pour empêcher cela ?

Lorsque je la vis refouler ses larmes et détourner la tête, je sus que j'avais réussi à la rallier à la cause.

Les détails pratiques du plan prirent ensuite le pas sur le reste. Nous descendîmes à la cave, où Luigi s'était aménagé une pièce à l'abri des regards pour ranger tous ses instruments, dont une balance. Une fois là, les hommes se retirèrent par courtoisie. Suivant les instructions de Sofia, j'ôtai tous mes vêtements hormis ma chemise, et me soumis à la plus rigoureuse des pesées. Puis Luigi revint en compagnie du plus loyal de ses secrétaires, qui prit sous la dictée mon dernier testament. J'attribuai tout d'abord les fonds nécessaires à des funérailles simples — et l'espérais-je, les plus courtes possibles. Ensuite, je divisai la majeure partie de mes maigres richesses entre Sofia (qui protesta mais qui, à n'en pas douter, saurait en faire bon usage) et Rocco, pour l'éducation de Nando. Mes livres devaient également être légués à Sofia. Je laissai une petite somme à Portia en lui demandant de s'occuper de Minerve. Sur un coup de tête, je décidai de léguer à Lucrèce le coffre de mariage de ma mère ; elle possédait des objets de bien plus grande valeur, à l'évidence, mais je sentais qu'elle apprécierait le geste et saurait en prendre soin. Quant à mon coffre à double fond, j'en fis don à César, qui serait à même d'en apprécier l'ingéniosité. Guillaume certifia l'authenticité de ma signature en y accolant la sienne ; après quoi mon testament fut rangé en sécurité dans le coffre-fort de Luigi.

Tout était en ordre, excepté une dernière chose. Je ne suis pas femme sentimentale, étant d'avis que ce genre d'émotion ne mène qu'à la sottise. Mais Sofia m'ayant forcée à au moins envisager la possibilité que je puisse vraiment périr dans cette aventure, j'avais une dernière visite à rendre.

En prenant garde aux patrouilles qui sillonnaient la ville de long en large, je me hâtai d'aller au Campo dei Fiori. Rocco se trouvait dans la cour arrière de son échoppe. Du coin où je me trouvais je l'observai couper au bout de sa canne de souffleur une sphère parfaite de verre pourpre strié d'or, avant de poser délicatement la pièce sur une étagère, pour la faire sécher. Je m'avançai alors et il eut l'air étonné mais, à mon soulagement, plutôt content de me voir.

— Je croyais que César Borgia t'avait fait enfermer.

— Mais c'est le cas, ne vois-tu pas ?

Une bien piètre tentative de plaisanterie, à mettre sur le compte de mon état nerveux ; c'était ridicule, mais je me faisais l'effet d'une jouvencelle intimidée.

Rocco ôta ses épais gants de cuir et les posa.

— On dirait bien que notre jeune seigneur se fait une fausse idée de toi, n'est-ce pas ?

N'ayant aucune envie de débattre avec Rocco des errances de César à mon propos, je me contentai de dire :

— Il peut bien croire ce qu'il veut. En fait, je n'ai pas beaucoup de temps…

À chaque minute passée dehors, le risque augmentait que l'un des condottieri ait soudain l'idée de s'assurer que j'étais encore bien sous les verrous.

— Je suis simplement venue te dire que… J'y ai réfléchi, et…

— Ne t'inquiète pas, me coupa Rocco. Il s'approcha prestement et me prit les deux mains. Je sentis leur chaleur, vis la lueur dans ses yeux — et en oubliai de respirer. Toute raideur le quitta, et il me parut tout à coup jeune et empressé.

— Je suis désolé de t'avoir parlé de cela, m'expliqua-t-il. Rien n'est décidé, de toute façon. Je ne désire pas spécialement m'allier avec la famille d'Agnelli. En fait…

— Mais tu devrais.

Je me hâtai de parler, craignant soudain de perdre courage si je le laissais prononcer un seul autre mot, tant ma détermination était fragile.

— Carlotta d'Agnelli est une femme merveilleuse, tout le monde le pense, et c'est une grande chance pour toi. Une chance que tu as méritée.

Tout comme il ne méritait certainement pas une femme tourmentée par ses démons intérieurs et qui, d'une manière ou d'une autre, serait morte avant longtemps.

Il s'immobilisa, et m'observa si attentivement que je n'eus d'autre choix que de détourner le regard, de crainte qu'il ne voie clair dans mon jeu trouble.

— C'est pour cette raison que tu es venue ici, pour me dire ça ?

C'est vrai, pourquoi ? Parce que si mon plan tournait court et que je meure vraiment, je voulais que Rocco se sente libre de poursuivre sa vie sans se sentir coupable de n'avoir su changer la mienne ? Ce serait faire preuve d'une arrogance étonnante, tout de même. Non, la vérité était que j'étais venue me libérer, moi. Quoi qu'il se passe par la suite, je ne voulais plus me bercer de faux espoirs concernant un avenir de toute façon impossible entre nous.

— Nous vivons en des temps incertains, continuai-je. Personne ne sait ce qu'il peut se passer d'un jour à l'autre. Tu ne devrais pas hésiter à faire ce qui est bon pour toi. Carlotta d'Agnelli…

Il me lâcha les mains et recula d'un pas. Pour la première fois depuis que je le connaissais, son regard se fit froid.

— Je n'ai pas besoin de conseils matrimoniaux, surtout venant de toi. Vraiment, parfois j'ai l'impression que tu es la femme la plus bornée de toute la Création.

Au vu des circonstances, je ne m'attendais pas exactement à des compliments. Mais je n'étais pas non plus disposée à l'entendre se plaindre de ma nature alors que je tentais, pour une raison obscure, de m'élever au-dessus de mes instincts les plus viscéraux.

— C'est peut-être vrai, mais cela ne change rien au fait que…

— Tout de même, se balader en ville dans cette tenue,

m'apostropha-t-il d'un geste de la main. Juste après l'atrocité commise dans le Trastevere, en plus. Je n'aurais jamais pensé être un jour d'accord avec César Borgia mais franchement, je trouve qu'il a eu raison de te faire enfermer. Tu es autant une menace pour toi-même que pour les autres.

J'avais déjà ouvert la bouche pour lui lancer une réponse cinglante, mais je me retrouvai tout à coup muette de stupeur. Son alliance inattendue avec César (n'avaient-ils pas failli en venir aux mains il n'y avait pas si longtemps que cela ?) me fit l'effet d'une trahison de la pire sorte. Rocco était censé être mon ami, patient, loyal, celui qui ne perdrait jamais espoir en moi. Et voilà qu'il faisait précisément cela.

Parfait. Dans ce cas, le diable pouvait bien l'emporter.

— Pourquoi ne vas-tu pas le lui dire toi-même ? l'apostrophai-je. Vous pourriez aller vous saouler dans une taverne et disserter pendant quelques heures sur la folie des femmes. Je suis sûre que vous passeriez un bon moment.

— Francesca…

— Il n'y a pas de Francesca qui tienne ! Je suis venue te voir par simple politesse après que tu m'as brusquement annoncé, au pire moment, que tu avais trouvé la compagne idéale. Et à mon avis tu as raison, c'est la femme parfaite ! Alors épouse-la, bon sang, et tu en auras enfin fini avec moi !

— S'il n'y avait pas Nando…

— Balivernes ! Elle est belle, douce, pure, gentille, elle chante comme un ange et sa famille fera de toi un homme riche. Bien sûr que tu veux l'épouser ! Admets-le, enfin !

Il regarda ses pieds, puis de nouveau vers moi.

— Elle n'est pas totalement déplaisante.

Ne vous méprenez pas sur cette appréciation quelque peu mitigée — assurément, ce ne fut pas mon cas. Rocco n'agissait jamais sans réfléchir. S'il arrivait à ne serait-ce qu'envisager une union avec Carlotta d'Agnelli, c'est qu'il se savait prêt à lui offrir sa couche, à lui être fidèle et à se construire une vie avec elle.

Eh bien, soit.

— J'ai dit ce que j'avais à te dire.

Je tournai alors les talons, et partis avec autant de dignité que possible.

Il tendit le bras pour m'arrêter mais je lui fis lâcher prise et continuai mon chemin, passai par l'échoppe, me retrouvai dans la rue et bien vite tournai au coin, bien décidée à me perdre dans la foule anonyme. Derrière moi, j'entendis Rocco crier mon nom — mais peut-être n'était-ce que le vent, car après plusieurs jours d'accalmie il avait recommencé à souffler de plus belle.

Le temps que je revienne sur mes pas et que je regagne mon appartement, mes dernières forces m'avaient quittée. Une fois dans le conduit de la cheminée, je me laissai glisser sur les derniers mètres et atterris sur les mains et les genoux. Je sortis de l'âtre à quatre pattes, pour me cogner aussitôt dans deux robustes jambes ; je levai alors les yeux, et tombai sur un froncement de sourcils interloqué.

— Je commençais à me demander quand vous alliez bien pouvoir revenir, me fit Portia. J'ai passé des heures ici à faire du bruit et à parler toute seule pour que ces nigauds, dehors, ne se doutent de rien.

Elle tendit une main pour m'aider à me relever. Je recrachai un peu de suie, m'essuyai sur ma manche et dis :

— Merci. Je suis désolée de vous donner autant de mal.

C'était ce que je pouvais faire de mieux en termes d'excuses par avance pour le fardeau que j'allais sous peu lui imposer : si mon plan fonctionnait comme je l'entendais, ce serait Portia qui trouverait mon corps. Sa réaction, pour ne pas dire sa foi absolue en mon trépas, était donc cruciale. Pour cette raison je ne pouvais lui souffler mot de mes intentions.

— Vous n'avez pas besoin de vous excuser, Donna, répondit-elle gaiement. Vous êtes de loin la locataire la plus amusante que j'ai jamais eue. Je vous ai apporté les provisions que vous m'aviez demandées. Est-ce que vous avez faim ?

J'étais affamée même, et comme je ne savais pas exactement quand (ou si) je serais à même de remanger, j'acceptai de bon cœur l'offre de Portia quand elle me proposa de faire la cuisine.

— Venez, fit-elle en se dirigeant vers le garde-manger. Je dois vous donner les dernières nouvelles.

Je la suivis volontiers. Après ma difficile entrevue avec Rocco (sans parler du fait que je venais d'organiser ma propre mort, tout de même), je préférais largement avoir de la compagnie plutôt que de me retrouver en tête à tête avec mes fiévreuses pensées. Lorsque la *portatore* m'ordonna de me laver les mains pour hacher le fenouil, je lui obéis docilement. Minerve vint nous rejoindre, en quête d'une friandise. Elle avait déjà étonnamment changé, par rapport au petit chaton hirsute que j'avais adopté. Je commençai même à me demander jusqu'où exactement elle allait grandir — et si je serais là pour le voir.

Les simples tâches domestiques ont cette capacité à chasser la morosité. Tandis que ma compagne, l'air décidé, s'affairait à nous préparer un bon repas, je m'acharnai sur le fenouil jusqu'à ce qu'il n'en reste quasiment rien. Mon adresse en matière de lames ne s'étendait visiblement pas à la préparation des légumes.

— Les rumeurs vont bon train sur César et vous, m'informa Portia en mettant de l'eau à bouillir au-dessus du petit poêle. Elle y ajouta bientôt de fines bandelettes de pâte faite à partir de farine de blé dur et d'un peu d'eau. D'aucuns prétendent que cet aliment a été introduit en Italie par le vénéré Marco Polo, mais ce ne sont que billevesées. Quoi qu'il ait vu dans le lointain empire de Chine, cela lui a simplement rappelé ce qu'il avait déjà eu l'occasion de déguster dans son pays natal. D'autres disent que nous avons toujours su faire cette *pasta*, si délicieuse et qui s'accommode avec tout ; d'autres encore affirment que ce sont les Arabes qui nous ont transmis cet art en envahissant la Sicile. Quelle que soit leur origine, les pâtes constituent une nourriture saine et consistante

— et confiées aux bons soins de Portia, elles dépassent toutes les espérances.

— Ce qui revient le plus souvent, ajouta-t-elle, c'est que vous avez eu une querelle amoureuse.

— Oh, pour l'amour du ciel.

— Je ne fais que rapporter ce que j'ai entendu. Vous savez bien comment les gens sont friands de ragots.

— Friands de débiter des sornettes, oui. Ils feraient mieux de s'occuper de leurs affaires et de me laisser tranquille.

Comme ils ne manqueraient pas de le faire dès que je passerais de vie à trépas.

Un peu d'huile d'olive, quelques sardines de l'Adriatique (dont les eaux froides produisent les poissons les plus goûteux), le tout accompagné de ce qu'il restait de fenouil, et le festin put commencer. Portia avait même sorti de son panier un vin blanc d'Ombrie, aux notes de miel parfumé.

J'entendis mon estomac grogner.

De crainte que vous ne me preniez pour une sauvage, à me laisser ainsi transporter par des besoins aussi vils à un moment comme celui-ci, permettez-moi de préciser que mon appétit a toujours été capricieux et me fait invariablement l'effet de disparaître sur un coup de tête, pour réapparaître sans crier gare comme un loup sortant d'une grotte à la fin de l'hiver.

Tout en mangeant, la *portatore* me régala d'histoires sur les hommes affectés à ma garde. Apparemment les malheureux étaient pris au piège entre l'effroi (à l'idée de ce que César leur ferait subir s'ils manquaient à leur devoir) et l'ennui — un ennui insoutenable, rendu pire encore par les facéties des enfants de mes voisins qui, à chaque heure qui passait sans que rien d'intéressant arrive, s'enhardissaient davantage. Aux dernières nouvelles ils s'amusaient à passer comme des flèches devant mes geôliers, avant de disparaître la seconde d'après, dans l'unique but de les tourmenter.

— Il y aurait presque de quoi s'attendrir sur leur sort, poursuivit-elle. Les pauvres sont armés de pied en cap, par cette chaleur, et ils ne savent même pas qui craindre le plus, vous ou César.

— Moi, naturellement, répliquai-je en me laissant aller en arrière, une main sur le ventre. Mon assiette était vide, mais Portia avait veillé à ce que mon verre soit toujours rempli. La sombre tristesse qui ne m'avait pas lâchée depuis que j'avais quitté l'échoppe de Rocco rôdait toujours dans les parages, mais elle était à distance suffisante pour que je puisse au moins feindre de l'ignorer.

— Portia, vous devriez changer de métier et devenir chef de cuisine, fis-je. Borgia vous embaucherait. Je l'y obligerais.

— Jamais je ne travaillerais pour cet homme, même s'il se mettait à genoux pour m'offrir du travail, rétorqua-t-elle d'un air méprisant.

Elle non plus n'avait pas lésiné sur le vin.

— C'est un coureur de jupons, vous savez, se sentit-elle obligée d'ajouter. Mais malheureusement, ce n'est pas le pire de ses défauts.

— Vous n'avez pas besoin de m'en dresser la liste. Auriez-vous oublié que je suis supposée le garder en vie ?

— Et ça ne doit pas être une tâche facile. Se lève-t-il tous les matins déterminé à se faire davantage d'ennemis dans la journée ? Les Français, la plupart des princes de l'Église, les Espagnols s'il n'accède pas à leurs désirs, la famille Sforza si au contraire il cède. Redites-moi, pourquoi a-t-il été élu pape, déjà ?

— C'était la volonté de Dieu.

Nous attrapâmes toutes deux le fou rire. J'étais un peu ivre, je vous l'accorde. Cependant, pour ma défense, j'étais loin d'être la seule femme (ne nous aventurons même pas à compter le nombre d'hommes) à tenter de faire s'éloigner l'ombre de la mort dans les bras du gentil Bacchus.

— La vraie question, c'est pourquoi Borgia n'a pas envoyé ses propres hommes pour vous libérer, reprit Portia. Qu'est-ce que César a bien pu lui dire pour qu'il tolère votre absence ?

— Au hasard, je dirais que son père me croit enfermée parce que je sers d'appât pour attirer un ennemi dans un piège.

— Vous-même paraissez en avoir un certain nombre, fit-elle remarquer d'un air sagace.

Je haussai les épaules.

— À l'opposé, peut-être le pape pense-t-il que l'on s'est brouillés parce qu'il nous a obligés à travailler ensemble. Peut-être même était-ce ce qu'il voulait.

— Mais cela n'a pas de sens. Pourquoi voudrait-il cela ?

Je levai la coupe et la fis lentement tournoyer, comme si elle recelait la clé du mystère.

— C'est qu'il a une face cachée, notre pape. On ne le croirait pas à le voir comme ça, mais elle est bien là. Et elle lui murmure à l'oreille que César et moi sommes de mèche contre lui.

Portia eut l'air choquée, mais guère surprise. Plus un homme s'élève en ce monde, plus il est exposé à tous vents. Toutefois, ce genre de détail n'était pas censé venir dans une conversation informelle comme la nôtre, et elle le savait.

— Je vais nettoyer, Donna. Allez vous reposer, vous en avez besoin.

Peut-être, mais ce que je voulais moi, c'était davantage de vin et un peu de compagnie pour tenir mes sombres pensées à distance.

— Le soleil vient à peine de se coucher. Je n'arriverai jamais à dormir aussi tôt.

— Dans ce cas, contentez-vous de vous allonger, proposa-t-elle en me menant comme un enfant revêche à mon lit, où elle s'attarda jusqu'à ce que mes vêtements d'homme gisent sur le sol et que je sois couchée dans des draps de lin frais, avec Minerve pour veiller sur moi.

En dépit de mes protestations, je sombrai rapidement dans le sommeil — mais pas avant d'avoir saisi la main de Portia et de lui avoir murmuré :

— Je suis tellement désolée. Pardonne-moi.

— Mais pour quoi, Donna ? fit-elle en haussant les sourcils. Qu'avez-vous fait ?

Si je tentai de lui répondre, je n'en ai aucun souvenir. Était-ce le vin, le bon repas, ou le fait d'avoir été bordée comme l'enfant que je n'avais jamais été, toujours est-il que je dormis d'un sommeil profond et, Dieu soit loué, sans rêves. Ce furent les balayeurs et les ramasseurs de fumier qui me réveillèrent le lendemain, à l'aube.

Deux jours passèrent. Portia vint me voir régulièrement, pour emmener Minerve au jardin, m'apporter à manger et me tenir compagnie. Jamais elle ne mentionna mes piètres excuses avinées, si tant est qu'elle ait gardé l'incident en mémoire. Je soupçonnais Luigi de lui avoir demandé de garder un œil sur moi, mais je savais aussi pertinemment qu'il ne lui aurait jamais soufflé mot de ce que nous projetions de faire. Mon sentiment de culpabilité envers elle ne me quitta donc jamais, pendant que nous bavardions, faisions la cuisine, jouions aux cartes.

Portia avait en effet apporté des *carte de trionfi* qui, d'après elle, étaient la réplique exacte d'un jeu fabriqué pour les Sforza par un grand devin. La future belle-famille de Lucrèce était effectivement connue pour se contenter uniquement du meilleur, mais aussi chercher à prédire l'avenir dans les cartes — même si je ne peux ajouter foi à cette rumeur.

Dans mon petit appartement, Portia et moi jouâmes à une version simple du jeu, prenant et reposant les cartes, dans le but de trouver les combinaisons les plus intéressantes. Elle se montra meilleure que moi, ou peut-être plus chanceuse. Main après main, je retombais sur le fâcheux duo de Jupiter et de Mars, le père et le fils, tous deux se disputant éternellement le pouvoir à travers l'Univers. Pire encore, Mercure ne cessait d'apparaître — ce dieu malin, si adroit pour apaiser Jupiter et contrecarrer les plans de son frère Mars. Eussé-je été encline à cela, j'aurais fini par m'imaginer que les cartes auguraient d'événements qui dépassaient largement le cadre d'un simple amusement. Mais au vu de mon caractère j'étais tout bonnement contente d'une telle diversion, car le temps passait bien lentement, pendant que j'attendais des nouvelles de Sofia.

29

Au troisième jour de mon incarcération, dans la matinée, Portia était partie s'acquitter de ses autres obligations lorsqu'une soudaine clameur en bas me fit tendre l'oreille. Je me trouvais dans un état d'ennui et d'anxiété extrêmes, et aurais été prête à tout pour quelque diversion. J'ouvris donc ma porte, pour voir Sofia monter les marches d'un air affairé, un garde rougissant sur ses talons.

— Toutes mes excuses, Donna, s'écria-t-il. Je ne voulais pas manquer de courtoisie…

— Bande d'incapables, vous ne reconnaissez même pas le sceau de votre propre maître, rétorqua-t-elle sans même regarder en arrière. Et il faut vous fourrer ses ordres sous le nez pour que vous soyez au courant de ce qu'il se passe. À quoi bon se donner autant de mal, je vous le demande !

Il n'eut pas le temps de se justifier qu'elle était déjà devant ma porte. Elle m'observa de la tête aux pieds, puis hocha la tête.

— Au moins, tu manges. C'est bien. J'en frémis d'avance, si je devais signaler au Signore César que tu n'es pas bien traitée.

— Mais elle l'est, protesta le garde. La *portatore* vient la voir plusieurs fois par jour avec les mets les plus raffinés, du vin, toutes les distractions possibles et imaginables. Vraiment, nous avons fait de notre mieux pour nous occuper de la… (Il s'arrêta soudain, me regardant craintivement ; à l'évidence il serait imprudent de m'appeler *strega*, mais quel autre terme conviendrait-il ?)… prisonnière.

— La prisonnière ! répéta Sofia en secouant la tête d'un air dégoûté. Et votre maître qui dit partout chercher uniquement à protéger Donna Francesca. Combien de temps croit-il pouvoir tenir avec un tel mensonge, si ses gardes répètent la vérité à tout bout de champ ?

Cette fois-ci le garde devint cramoisi et il écarquilla les yeux. Tout cela m'amusait beaucoup, mais Sofia coupa court à la scène en me prenant par le bras, en m'attirant à l'intérieur et en claquant la porte derrière nous.

Une fois Sofia et moi seules, elle me relâcha et poussa un gros soupir.

— Quel benêt, celui-là.

Elle jeta le papier qu'elle tenait dans les mains sur la première table venue. Curieuse, je le pris et le parcourus rapidement : le document stipulait qu'une certaine Sofia Montefiore (juive) était autorisée à me voir, et de surcroît à me parler en privé. Or, en l'examinant de près, on voyait bien que le papier avait été blanchi pour effacer le message précédent, dont on décelait de vagues traces par-dessous. Quant au sceau et à la signature, à ce que j'en voyais c'étaient bien ceux de César.

— Que disait la lettre, au départ ? demandai-je en levant le papier vers la lumière. Pour impatiente que je sois de mettre fin à mon attente, l'arrivée de Sofia m'avait prise au dépourvu et j'avais besoin d'un peu de temps pour contenir mes émotions et remettre un peu d'ordre dans mon esprit.

— Que César Borgia autorisait Luigi à transférer des fonds d'une banque à une autre. Peu importe ; le principal, c'est qu'elle ait pu nous resservir. Comment te sens-tu, en vrai ?

Je reposai le papier et lui fis un sourire.

— Je ne me plains pas, à part que je deviens folle d'ennui. Et toi ?

— C'est à peine si j'ai eu le temps de dormir. J'ai passé la moitié de mon temps à me disputer avec David, et l'autre à tenter d'établir le plus sûr moyen de mener ton projet à bien. À nous deux, nous avons attrapé une bonne migraine, à force de nous creuser la tête pour trouver une alternative.

— Et est-ce le cas ?

Je ne posais pas la question pour la forme ; même à ce stade j'aurais envisagé toute autre possibilité, pour peu qu'elle soit sérieuse.

— Non, reconnut-elle. (Je remarquai que ses mains étaient serrées devant son ventre, au point que les jointures en étaient devenues blanches.) Il y a autre chose que tu devrais savoir. Ces derniers jours, quelqu'un a fait circuler des rumeurs dans l'intention manifeste de jeter le discrédit sur le cardinal della Rovere. Partout en ville, on raconte que sa soif de pouvoir est si grande qu'il se fiche bien de voir les Français ravager notre pays avec une guerre, du moment qu'il devient pape. David pense que les responsables sont à chercher du côté de la Fraternité. Ils attiseraient le feu en prévision de l'élection prochaine d'un nouveau pape.

— Tu veux dire en prévision de la mort de Borgia ?

Sofia acquiesça d'un signe de tête.

— Tout indique qu'une attaque contre le pape est imminente. Et il semblerait que della Rovere se soit grandement fourvoyé dans cette affaire. Dès qu'il fera mine de réclamer la papauté, la populace envahira les rues pour l'arrêter.

Les Romains étaient tristement célèbres pour se livrer à des actes séditieux dès qu'ils apprenaient la mort d'un pape, comme le pillage des propriétés de tout individu considéré comme futur candidat à la papauté, cela afin de rappeler le plus clairement possible à leurs dirigeants que la volonté du peuple ne se laissait pas si facilement piétiner. En des temps aussi incertains, il était tout à fait possible que le Sacré Collège finisse par se sentir si menacé qu'il n'ose s'élever contre les citoyens en colère.

— Mais il y a pire, ajouta-t-elle. On entend également dire que l'émissaire espagnol, de Haro, a reçu des instructions très précises du roi Ferdinand et de la reine Isabelle : si Borgia venait à mourir leur soutien irait aux chiens du Seigneur, et en aucun cas à un allié de la France.

Ce qui laissait à supposer que Leurs Majestés très catholiques avaient au moins une vague idée de ce que projetait de faire Savonarole. Vraiment j'évoluais dans un nid de vipères, et c'était à se demander comment il se faisait qu'ils ne s'étaient pas encore entre-dévorés.

— Il y a bien d'autres candidats…, hasardai-je sans conviction. Hormis quelques pieux vieillards, tous les princes de l'Église se sentaient amplement autorisés à la posséder, tel un maître arrogant et sa jeune soubrette. Mais je doutais qu'il y en ait même un pour barrer courageusement le passage à une foule en colère, qui plus est soutenue par la puissante Espagne. Et pendant qu'ils tergiverseraient, Savonarole l'emporterait.

Je vis les larmes briller dans les yeux de Sofia juste avant qu'elle ne détourne la tête, mais lorsqu'elle reporta son attention sur moi il n'y avait plus que de la résolution dans son regard. Nous savions toutes deux ce qui devait être fait.

— Je devrais rester avec toi.

— C'est impossible, ta religion ferait de toi la coupable idéale. En aucun cas il ne faut qu'on te soupçonne.

— Qu'en est-il de la *portatore* ?

Je lui indiquai d'un geste le fatras de tubes en verre, de cornues et autres creusets que j'avais disposés sur ma table de travail dans l'unique but que pour l'œil inexercé, cela apparaisse tout de suite comme un sinistre présage.

— Ne dirait-on pas que je me suis adonnée à de viles activités, peut-être même avec l'intention de m'ôter la vie ?

— Tu veux vraiment être perçue comme une désespérée qui s'est suicidée ?

— Je veux surtout que les choses aillent vite. Quelle meilleure façon de le garantir ?

Aucun prêtre ne prierait pour la dépouille de pareille créature ; aucune messe ne saurait être dite. Une fois que j'aurais été vue morte par des gens dignes de foi, qui ensuite feraient passer le mot, Luigi serait libre de me faire enterrer en hâte dans le tombeau familial — hâte qui, eussé-je succombé dans la grâce de Notre Seigneur, aurait au contraire été qualifiée d'inconvenante.

— Je suis obligée de te demander une nouvelle fois de considérer la chose de nouveau.

— Même après ce que tu viens de me dire ? Tu sais aussi bien que moi qu'il n'y a pas d'autre moyen.

— Mais si j'ai commis la plus petite erreur…

— Je suis absolument certaine que non. À présent je t'en prie, pour toi comme pour moi, ne tardons pas davantage.

Car vraiment, je sentais que je ne supporterais pas la situation beaucoup plus longtemps. Un sentiment de grande urgence s'était éveillé en moi, qui me poussait à embrasser le destin qui m'attendait — quel qu'il soit.

Les lèvres de Sofia bougèrent, mais n'émirent aucun son. Je me demandai si elle priait le dieu d'Abraham, implorait qu'il la guide. Pendant un instant je l'enviai, car moi aussi j'aurais aimé pouvoir prier. Je n'ai aucun talent pour cela, et ce depuis toujours, mais il m'arrive encore parfois de ressentir un grand désir qui m'attire bien au-delà de mon simple être, vers quelque chose que j'entraperçois à peine et assurément ne saisis pas du tout.

Elle glissa une main dans la poche de sa robe et en retira une petite fiole de verre grande comme mon pouce. Je ne pouvais en détacher le regard, proprement étonnée qu'un objet aussi ordinaire puisse revêtir une importance aussi capitale.

— Te rends-tu compte, si j'ai mal évalué le dosage…

— Je sais que ce n'est pas le cas. Je n'aurais confié cette mission à personne d'autre que toi.

La fiole contenait un liquide noir qui semblait absorber toute lumière. Je la pris dans mes mains avec grand soin ; le verre était froid au toucher. Ou peut-être le frisson que je ressentis alors était-il en moi, car l'effroi vint clapoter à mes pieds telle une grande et impitoyable vague qui menaçait soudain de me submerger.

Heureusement, ma curiosité prit le dessus.

— Puis-je te demander ce dont tu t'es servie pour parvenir à ce résultat ?

Je ne répéterai pas ici la liste qu'elle me dressa, car Dieu me garde de vous tenter, vous ou quiconque d'autre, de commettre un péché. Toutefois je peux vous dire que les ingrédients sont rares et difficiles à manipuler, ce qui à mon avis est aussi bien.

— La potion fera effet presque aussitôt, expliqua-t-elle. Tout ce que j'ai pu lire et apprendre à ce sujet me laisse à penser que ce sera indolore. En revanche, je ne peux dire avec certitude à quel point tu te rendras compte de ce qui t'arrive. Peut-être en auras-tu vaguement conscience pendant un temps.

Cette idée ne me réjouissait guère, mais il était bien trop tard pour faire marche arrière.

— Cela n'a pas d'importance, répliquai-je en montrant un courage que je ne ressentais pourtant pas. Je dois le faire, coûte que coûte. Combien de temps faudra-t-il pour que mon corps prenne l'apparence de la mort ?

— Quelques heures, tout au plus. Tu vas te refroidir et ta peau va devenir très blanche. Ton cœur battra si lentement et faiblement que personne ne sera en mesure de déceler de pouls. Et tu ne montreras plus aucun signe que tu respires.

— Et cet effet durera… ?

— Je ne peux te le dire avec certitude. Certainement des heures, peut-être une journée. Suffisamment en tout cas, s'il plaît à Dieu, pour que Luigi emporte ton corps.

Elle prit une profonde inspiration et je la vis déglutir difficilement, comme si elle aurait voulu ravaler tout ce qu'elle venait de dire, stopper le temps et nous faire prendre un autre chemin. Mais nous savions toutes deux qu'il n'y en avait qu'un seul.

— Je serai dans le tombeau, continua-t-elle. Et je ferai tout ce qui est en mon pouvoir pour te ranimer : j'ai déjà prévu des couvertures, des tisanes fortifiantes, tout. Je te promets que quoi qu'il arrive, je ne renoncerai pas.

— Je le sais, la rassurai-je en l'étreignant prestement, avant que l'une ou l'autre ne remettent en question ce qui était sur le point d'arriver. Pars maintenant, sinon les gardes vont finir par se poser des questions.

— Francesca…

— Sofia, vraiment, il n'y a rien d'autre à ajouter. Tu es mon amie, et j'ai totalement confiance en toi. Mais si un malheur devait arriver, sache que tu n'as rien à te reprocher. C'est mon choix, à moi seule.

Nous nous dîmes alors au revoir, en espérant très fort que notre séparation ne serait que temporaire. Je crus qu'elle allait de nouveau parler, comme s'il restait encore quelque chose à dire ; mais elle se ravisa.

Elle recula de quelques pas, me toucha légèrement la joue, et s'en fut. La porte se referma derrière elle si doucement que je l'entendis à peine. J'étais de nouveau seule, avec la fiole que je serrais dans la paume de ma main.

J'attendis que Portia soit venue et repartie pour sa dernière visite de la journée ; que l'obscurité soit descendue sur Rome, et les bruits de la rue atténués. Lorsque je n'entendis plus que le bourdonnement des cigales dans le jardin et le léger frottement du cuir contre le métal, indiquant que l'un de mes gardes changeait de position, de l'autre côté de la porte, je commençai enfin mes dernières préparations.

Minerve avait déjà mangé mais je lui en redonnai un peu plus, ainsi que de l'eau. Même si Portia venait le lendemain matin, je voulais m'assurer que la petite chatte ne souffrirait pas de mon inéluctable négligence. Une fois cela fait, je me déshabillai et me lavai, puis revêtis une chemise propre. D'ordinaire je dormais nue, mais à l'évidence je préférais que l'on ne me trouve pas en tenue d'Ève. Cette concession à la pudeur aiderait à prouver si besoin était que j'avais bien projeté ma mort.

À ce moment-là j'eus un moment d'hésitation, je le confesse, et m'assurai une fois de plus que tout était bien en ordre, mes livres, le garde-manger, toutes les substances potentiellement dangereuses enfermées sous clé. Lorsque je n'eus vraiment plus rien à faire, je restai quelques instants au centre du salon, observant les lieux qui avaient été ma maison pendant quelques mois seulement. J'avais laissé ici une empreinte comme dans aucun autre endroit où j'avais vécu auparavant, et pourtant déjà celle-ci semblait s'estomper, sans aucun doute à cause de l'excès d'ordre que j'avais tenu à y mettre. Un inconnu aurait pu emménager ici, et avec très peu d'efforts se sentir chez lui.

Mais cela n'arriverait pas. J'allais vivre, vaincre Morozzi et, ce faisant, sauver Borgia. Et la vie continuerait.

Ou pas.

Assise au bord du lit, je respirai calmement et passai en revue, une fois de plus, la liste de toutes les choses que je m'étais senti un devoir d'accomplir avant d'en finir. Je n'avais rien oublié. Il n'y avait donc plus aucune raison de repousser l'échéance.

Je levai la fiole et la regardai. Sofia ne m'avait pas dit quel goût la potion aurait. Et si c'était répugnant, au point de me donner envie de vomir ? Tout se terminerait avant même d'avoir commencé.

Je retournai dans le garde-manger, trouvai un reste de vin laissé là par Portia, me versai une coupe et en bus la moitié avant de retourner dans la chambre. Prenant la coupe dans une main et la fiole dans l'autre, je me servis de mon pouce pour ôter le bouchon de cire. Ce simple geste me souleva le cœur, et l'espace d'un instant je craignis de ne rien pouvoir avaler.

Sans plus attendre, je penchai la tête en arrière, portai la fiole à mes lèvres et bus son contenu d'un trait. Aussitôt après, je vidai la coupe et fis tomber l'une comme l'autre par terre. J'avais le cœur battant et soudain chaud, au point de transpirer. Gardant fermement mes lèvres closes, je m'allongeai sur le lit et m'obligeai à respirer profondément.

Au début, rien ne se passa. Je n'eus pas la nausée, comme je l'avais craint ; lentement mais calmement, mon rythme cardiaque revint à la normale. Je commençai à respirer plus facilement, et même à me sentir quelque peu soulagée. Ce n'était pas si horrible que cela, en fin de compte.

Tout de suite après, je songeai que Sofia, se souciant tellement de ma sécurité, avait peut-être par erreur rendu la potion inefficace. J'étais en train de me demander combien de temps j'allais attendre avant de décider que c'était bien le cas, et ce que je ferais en pareille éventualité, lorsque je sentis un léger picotement dans mes mains et mes pieds.

Était-ce mon imagination ? Visiblement non, car la sensation se propagea rapidement à mes membres inférieurs, puis à tout mon corps. Ce n'était pas douloureux, il n'y avait donc pas lieu de s'inquiéter — du moins jusqu'à ce que je tente de lever la tête et découvre que je n'y arrivais pas. Je tentai de bouger un doigt, puis un orteil, pour arriver au même résultat. J'étais paralysée.

La panique monta en moi mais je m'obligeai à me calmer, en me disant que j'aurais dû m'attendre à une telle réaction. Sauf qu'à la vérité je n'avais pas réfléchi à ce que cela me ferait d'être allongée sans défense aucune, incapable de bouger, pendant que la potion faisait son œuvre. Au bout de quelques minutes je sentis un grand froid s'abattre sur moi. Je voyais encore le mur en face de mon lit et la nuit par la fenêtre, et j'arrivais encore à cligner des yeux, mais mon champ de vision semblait se rétrécir davantage à chaque minute. Lorsque mes paupières se baissèrent et que je me trouvai soudain incapable de les rouvrir, je fus plongée dans une obscurité éclairée par d'étranges rais de lumière rouge qui semblait exister seulement dans mon esprit. Toutefois, malgré tout cela, je restai dans un état de conscience totale.

Lorsque je me rendis compte de cela, je fus saisie d'une terreur totalement déraisonnable et impossible à maîtriser. L'eussé-je pu, je me serais certainement débattue comme une forcenée pour tenter de fuir cet état. La paralysie me faisait l'effet d'un immense serpent s'enroulant autour de la moindre parcelle de mon corps et serrant. Je tentai de crier, mais découvris que j'étais désormais muette. Le seul moyen d'expression qu'il me restait était les larmes, qui coulèrent sur mes joues glaciales. C'est à peine si je les sentis m'effleurer. À présent qu'il était totalement coupé de mon corps, mon esprit était en effervescence. Des images saisissantes se mirent à défiler dans ma tête : je vis César à cheval, traversant au galop la place devant Saint-Pierre, avec tous ces effroyables souvenirs qu'elle évoquait encore pour moi ; puis Borgia enveloppé dans un drap, tout à coup vieux et tremblotant, tandis que La Bella se penchait au-dessus de lui langoureusement. Ensuite le monde s'évanouit et je me retrouvai à flotter au-dessus de la rue où mon père avait succombé. Il faisait nuit ; rien ne bougeait, hormis les rats qui décampèrent à mon approche. J'aperçus un homme au loin et tentai de l'appeler, mais en vain. Il se retourna quand même, et je vis alors que c'était Morozzi, et qu'il était en train de rire.

À ce moment-là j'entrai dans une pièce que je ne reconnaissais pas, mais qui pourtant me paraissait familière. Une petite fille était assise dans un lit. Elle tourna la tête vers moi et je me retrouvai soudain face à l'enfant que j'avais dû être. Puis soudain, des voix :

— Je ne sais plus quoi faire.

— Elle est possédée.

— Sortez ! Jamais je ne vous laisserai…

— C'est ma faute, Seigneur, ma très grande faute.

Une femme était en train de chanter très doucement et cet air me remplissait de joie, visiblement. Ma peur se volatilisa, et je tendis les bras pour qu'elle me prenne. Je sentis son souffle contre ma joue, et entendis les paroles de sa chanson :

Luciole, luciole, brillant au firmament
Mets la bride à la jument,
Car la veut mon enfant, mon roi,

Luciole, luciole, viens avec moi.

— Encore, *mamma*, chante encore.

Luciole, luciole, brillant au firmament...

— Je crois en un seul Dieu, le Père Tout-Puissant, Créateur du Paradis et de la Terre, de l'Univers visible et invisible. Et en un seul Seigneur, Jésus-Christ, le Fils unique de Dieu, né du Père avant tous les siècles.

— *Converso !*

— Sale juif !

— *Maman !*

— Chut, ne dis rien. S'il vous plaît mon Dieu, faites qu'elle ne voie pas !

Une terreur comme je n'en avais jamais connue me submergea. En esprit je hurlai, je griffai, prête à tout pour m'échapper ; mais j'étais totalement prise au piège. Derrière le mur. J'allais en perdre la raison, c'était évident.

Toutefois, j'eus le temps d'éprouver la miséricorde de Dieu. Alors que j'avais l'impression d'être sur le point de me briser en mille morceaux, les ténèbres m'engloutirent pour de bon. Je me sentis attirée vers le bas et les profondeurs glaciales, puis conservée, intacte et entière, dans le linceul de mon propre corps.

J'ignore combien de temps je restai ainsi. De temps à autre, mon esprit s'animait mollement, tel un animal blessé. Je savais que j'étais encore de ce monde sans toutefois en faire partie, car je flottais dans cet entre-deux, à la lisière entre la vie et la mort.

Pendant ce temps, il se passa beaucoup de choses ; mais je ne l'apprendrais que plus tard, lorsque les héros de cette histoire me racontèrent ce qui suit.

30

Tout avait pourtant commencé comme prévu, avec la découverte de mon corps par Portia lorsqu'elle vint me porter le petit-déjeuner le lendemain matin. Elle entra dans l'appartement sous la surveillance d'un garde et alla directement au garde-manger, où elle posa un panier rempli de pain frais, d'œufs et d'un peu de ce bon fromage de chèvre de Vénétie qui, comme elle le savait, était l'un de mes péchés mignons. En ne me voyant pas arriver, elle alla dans la chambre sur la pointe des pieds. Elle ne voulait pas me réveiller, si je dormais encore. Naturellement, elle se disait aussi que je m'étais peut-être de nouveau évadée, auquel cas elle ne voulait pas faire quoi que ce soit qui puisse éveiller l'attention de mes geôliers.

Il lui fallut quelques instants pour que ses yeux s'adaptent à la pénombre. Au début elle crut que j'étais réellement endormie, mais la raideur de ma posture l'interpella : il se passait quelque chose d'anormal. Elle approcha discrètement du lit et me regarda de près. Ainsi qu'elle me le décrivit après, « Ta peau était aussi pâle que l'albâtre, tes lèvres vides de toute couleur, et rien n'indiquait que tu respirais encore. »

Portia poussa alors un cri ; elle ne put s'en empêcher, mais parvint tout de même à l'étouffer en pressant sa bouche des deux mains. Ses yeux tombèrent ensuite sur la coupe vide et la fiole gisant au sol. Elle saisit tout de suite leur signification.

Elle tourna les talons et quitta l'appartement, ses jambes manquant de se dérober sous elle. Au garde, elle annonça que j'avais une soudaine envie de miel et qu'elle partait m'en chercher. Ne remarquant rien d'inhabituel dans son attitude, l'homme la laissa passer et se remit en position devant ma porte sans même le signaler aux autres condottieri.

La *portatore* se rendit directement chez Luigi, où le pauvre homme était en train de faire les cent pas dans son bureau en attendant des nouvelles. Il la fit aussitôt entrer, et la pauvre femme fondit en larmes en lui racontant ce qu'elle venait de découvrir.

Luigi lui ordonna de rester là, et se rendit immédiatement chez moi. Lorsque le condottiere refusa de le laisser passer, il fit un tel charivari que des fenêtres s'ouvrirent bientôt dans toute la rue et des têtes curieuses en sortirent, se demandant bien ce qu'il se passait.

— Bonté divine, je te dis que je dois voir Donna Francesca sur-le-champ ! Je m'inquiète pour sa santé. S'il lui est arrivé quoi que ce soit et que tu sois resté là sans bouger, ton maître te fera écarteler. Et je veillerai personnellement à fournir les chevaux pour le spectacle !

Le condottiere devint blême, mais il n'était pas sans courage. Insistant pour que Luigi attende dans la loggia, il monta lui-même jusqu'à mon appartement d'un pas bruyant, ordonna au garde d'ouvrir la porte et entra.

L'instant d'après il ressortait en ayant l'air d'un homme qui venait de voir sa propre mort et non la mienne.

Dans la confusion qui s'ensuivit, Luigi réussit à pénétrer lui aussi dans ma chambre. Il confirma que j'étais selon toute vraisemblance décédée, tout en priant prestement pour que ce ne soit pas le cas en réalité. Il produisit également le document qu'il avait apporté avec lui, expliquant que c'était mon testament et que je lui donnais les pleins pouvoirs concernant mon enterrement et ma succession.

Deux hommes avaient été envoyés chercher César. Lorsqu'il arriva, les gens commençaient déjà à se rassembler dans la rue, et la rumeur de ma mort à se répandre. César entra, seul, et trouva Luigi dans la chambre ; il lui ordonna de quitter les lieux, pour se voir essuyer un refus. Le plus gentiment possible, Luigi lui expliqua ce qu'il avait dû se passer.

Mais César refusa de le croire. Je dormais simplement d'un sommeil profond, rien de plus, et il alla jusqu'au lit pour le constater par lui-même. En voyant qu'il ne parvenait pas à me réveiller, il exigea que l'on fasse mander un médecin. Le brave homme arriva à son tour, et prononça mon décès sans tarder. Il prit note de la coupe et d'une fiole gisant sur le sol.

En voyant arriver l'homme de science, la foule rassemblée dehors s'était faite silencieuse. Mais lorsqu'il ressortit de l'immeuble quelques minutes après seulement, arborant un air sombre et visiblement pressé de quitter les lieux, les derniers doutes furent balayés : cette fois-ci, l'empoisonneuse du pape n'était bel et bien plus. La plupart des gens firent preuve de bon sens en rentrant chez eux, mais d'autres se dépêchèrent d'aller colporter la nouvelle dans toute la ville. Rocco l'entendit alors qu'il était en train d'ouvrir son échoppe. Aussitôt il reposa les volets qu'il avait en main, ferma la porte au verrou et partit en courant, dans l'espoir de trouver quelqu'un à même de lui confirmer que tout cela n'était qu'un tissu de mensonges.

Il arriva devant mon immeuble au moment même où César en sortait. Le fils de Jupiter était visiblement dans une rage folle : il avait saisi le condottiere par la gorge et le traînait derrière lui, proférant de sinistres imprécations contre le malheureux tout en hurlant des ordres. Les renforts arrivèrent peu après, menés par Vittoro. Il somma ses hommes de boucler le quartier, puis essaya de calmer César afin de tirer l'affaire au clair.

Ayant désormais toutes les raisons de craindre pour ma santé, Rocco tenta de pénétrer de force et finit par en venir aux mains avec plusieurs gardes. Son angoisse était telle qu'il eut tôt fait d'avoir le dessus sur eux — pour être maîtrisé l'instant d'après par Vittoro, qui l'étreignit fermement et le retint jusqu'à ce qu'il se soit calmé.

— Elle est partie, lui dit Vittoro. On ne sait pas encore comment ni pourquoi, mais c'est la vérité. Je suis désolé. Il n'y a rien à faire, à part tenter d'empêcher que la situation devienne incontrôlable.

Pendant ce temps, César était retourné à l'intérieur. On l'entendait maintenant hurler après Luigi.

— Vous ne l'emmènerez pas, vous m'entendez ! Jamais je ne l'autoriserai ! Comment osez-vous même suggérer pareille chose…

Luigi tenta alors de le raisonner. Il fit remarquer ce qui, à ce stade, était déjà colporté du Palatin au Capitole : l'empoisonneuse de Borgia s'était elle-même empoisonnée. Pire, son geste était délibéré.

Je me plais à imaginer qu'à présent la ville entière était en train de se parer d'un voile de terreur délicieuse. Les gens sont toujours prédisposés à se réjouir du malheur des autres, mais jamais autant que s'ils sont convaincus que les souffrances sont méritées. J'étais une femme qui s'était élevée au-dessus de sa condition, et avait fui la vie que nous sommes toutes censées désirer pour devenir un personnage craint et antipathique. Et voilà que j'avais été frappée subitement, à n'en pas douter par une main divine exprimant ainsi son mécontentement à mon endroit. Qui plus est, j'allais à présent devoir expier mes péchés pour l'éternité. À la vérité je suis même surprise qu'il n'y ait pas eu de célébration impromptue, au moins à la Fraternité, car les disciples de Savonarole ont certainement pensé que la voie était désormais libre pour envoyer Borgia en enfer à ma suite. Mais peut-être étaient-ils simplement trop occupés à mettre la touche finale à leur plan pour festoyer.

César et Luigi continuaient à se disputer à mon propos, le premier refusant de donner son autorisation pour que mon corps soit emporté, au motif qu'il y avait erreur : peu importait ce que cet imbécile de docteur avait déclaré, il était tout simplement impossible que je sois morte. Nous étions maintenant dans la deuxième heure depuis ma découverte par Portia, et Luigi commençait à juste titre à s'impatienter. Au bout d'un moment il eut tout de même l'impression de progresser avec César, mais sur ces entrefaites un messager envoyé par Lucrèce arriva.

Sa missive était à peine lisible, apparemment, tant elle avait versé de larmes dessus. Elle disait tout d'abord que ce qu'elle venait d'apprendre était nécessairement « le mensonge le plus calomnieux et le plus vil qui lui ait été donné d'entendre de sa vie », et qu'il fallait rétablir la vérité au plus vite. Mais dans le cas où il s'avérerait que ce ne soit pas une invention fallacieuse, elle exigeait que je sois ramenée immédiatement à la maison, pour permettre à ceux qui m'aimaient de me pleurer de façon décente et de m'accompagner jusqu'à ma dernière demeure. Pour elle, « à la maison » signifiait apparemment le palazzo Santa Maria in Portico, où je n'avais vécu que très brièvement après l'ascension de Borgia à la papauté — et d'où Lucrèce semblait à présent décidée à organiser mes funérailles.

À l'évidence, mon plan grandiose n'avait pas paré à toutes les éventualités.

Luigi protesta. Il brandit le testament, s'époumona, sollicita, cajola. Il finit par supplier. César n'en eut cure : sa sœur chérie avait tout à fait raison. Je ne m'étais pas suicidée ; j'avais forcément péri aux mains du prêtre fou, Morozzi, qui allait payer pour ce qu'il avait fait en subissant l'agonie la plus atroce de toute l'histoire de la Création. D'ailleurs, il allait offrir un prix à quiconque proposerait des idées novatrices pour lui infliger une mort si terrible qu'on en parlerait encore dans plusieurs siècles. La ville entière serait sommée d'y prendre part ; les gens viendraient de centaines de kilomètres à la ronde ; un banquet serait organisé en mon honneur, et aussi des jeux. Oui, des jeux, par le diable ! Il sacrifierait lui-même un taureau.

En attendant, pour empêcher que l'immonde rumeur sur mon soi-disant suicide n'enfle, on donnerait une messe en mon honneur, dite par Sa Sainteté elle-même, le pape Alexandre VI. Je me demande bien ce que Borgia pensa de cette idée lorsqu'on lui en fit part, certainement peu après. Peut-être était-il disposé à accepter, dans l'espoir de mettre un peu de baume au cœur de sa fille, dont le mariage n'était plus qu'à quelques jours maintenant. Il devait aussi à n'en pas douter craindre pour sa propre sécurité, et s'attendre à voir Morozzi jaillir à tout moment de derrière une colonne pour l'attaquer. Avec un tel danger pouvant s'abattre sur lui à tout instant, il ne pouvait se permettre d'avoir des tensions au sein de sa famille. Mais au bout du compte, peu importe la raison qui le poussa à accepter : de fait, tout espoir que j'avais d'être rapidement enterrée dans le tombeau familial de Luigi s'envola en cet instant-là.

Pire encore (vraiment, toute cette situation allait de mal en pis à une vitesse effrayante), Rocco était d'accord avec César. Il apostropha le pauvre Luigi en lui disant qu'il était proprement scandaleux de suggérer que j'aie pu m'ôter la vie, et lui affirma que j'aurais droit à ce que mon père n'avait pas eu (et ce à mon grand regret), à savoir des funérailles dignes de ce nom. Et le premier qui trouverait à redire à cela verrait de quel bois il se chauffait.

Tout cela explique pourquoi (pour autant que l'on puisse véritablement expliquer quoi que ce soit des événements de cette journée), alors que la matinée était déjà avancée, je fus transportée sur un brancard, d'abord dans les escaliers, puis dans la loggia, pour enfin arriver dans la rue et commencer ma procession, devant la foule silencieuse, jusqu'à la basilique Saint-Pierre.

Ou, pour être plus précis, jusqu'à la chapelle Sixtine. Là, on me posa sur le premier catafalque venu — celui-là même, je présume, qui avait accueilli le corps du pape Innocent VIII l'année précédente pour la veillée funèbre. Piquante ironie, n'est-ce pas, si l'on songe qu'il s'était peut-être retrouvé là à cause de moi. Borgia se tenait à l'entrée de la chapelle pour m'accueillir. Lucrèce était à ses côtés, sanglotant d'un air pitoyable tout en surpassant son frère dans ses vœux de vengeance. Juan n'était pas là, mais il y avait tout de même un nombre remarquable de personnes présentes. La plupart étaient des ecclésiastiques, qui n'étaient pas davantage prémunis que le commun des mortels contre l'excitation grandissante autour de mon trépas. Les ambassadeurs étrangers furent quelques-uns à s'inviter également, ayant hâte de rapporter à leurs maîtres la tournure que prenaient les événements. Et même une poignée de religieuses, qui se tenaient le plus loin possible du centre de la chapelle, persuadées comme elles l'étaient que la foudre allait tomber dès que la *strega* entrerait dans le sanctuaire, et réduire en cendres tous ceux qui auraient le malheur de se trouver trop près de moi. Elles durent être rudement déçues en constatant que rien de tout cela n'arrivait.

Rocco se fraya un chemin à l'intérieur et alla trouver Vittoro, qui était là en compagnie de Felicia, de Nando et du reste de la famille : tous étaient venus, filles, gendres et petits-enfants, ce qui me fit vraiment chaud au cœur lorsque je l'appris. Renaldo s'affairait ici et là, veillant à ce que tout se déroule au mieux, tout en se tamponnant les yeux avec sa manche. À un moment donné il s'effondra et se mit ouvertement à pleurer, mais se domina rapidement et retourna vaillamment à sa mission. Portia réussit à entrer au moment même où ils fermaient les portes, et alla se poster à côté de Luigi — qui était dans tous ses états, comme vous pouvez l'imaginer. Dans son affolement il laissa échapper la vérité à la *portatore*, fort heureusement à voix basse. Elle accueillit cette nouvelle avec une telle joie qu'une nouvelle rumeur naquit sur-le-champ : pour être aussi heureuse en pareil moment, elle devait forcément être impliquée dans ma fin prématurée.

La seule lueur d'espoir dans tout cela vint de Borgia, qui s'était suffisamment remis du choc de mon décès pour se rendre compte qu'il était vraiment sur le point de perdre le contrôle de la situation. La populace était par trop excitée, et lui-même par trop vulnérable. En conséquence il expédia la messe autant que possible, se contentant d'une brève homélie dans laquelle il me compara tout de même à Esther, qui avait sauvé son peuple de l'extermination à Babylone. Ce faisant, il suggérait également que j'étais une juive qui allait être enterrée avec les honneurs dus aux plus dévots des catholiques, ce qui ne manqua pas de causer une certaine commotion dans la chapelle ; sur ce, le pape bénit toute l'assemblée et lui dit d'aller en paix. À peine en eut-il terminé qu'il donna l'ordre à Vittoro de doubler la garde autour du Vatican et d'envoyer tous ses espions dans les rues de Rome, histoire d'humer un peu le vent.

Toujours en pleurs, Lucrèce s'approcha de moi et m'embrassa tendrement sur le front. Puis César lui fit signe de venir dans ses bras, et ensemble ils sanglotèrent de plus belle. Ce fut elle qui le fit sortir au final, en lui murmurant qu'il fallait se réjouir pour moi car je me trouvais dans un monde meilleur, maintenant, tout en exigeant que Morozzi meure à petit feu et en suppliant qu'on l'autorise à participer à sa mise à mort.

Luigi n'était plus très loin de s'effondrer, à présent. Oubliant toute dignité, il se jeta sur Borgia pour l'implorer :

— Laissez-moi l'emmener maintenant, pour l'amour du ciel ! Nous sommes au bord du précipice, ici, vous le savez comme moi. Laissez-moi ramener son corps, avant que quelque chose de terrible n'advienne !

Je ne saurais dire si le pape croyait vraiment que les Romains étaient sur le point de se soulever, indignés par la présence d'une sorcière apparemment juive dans le saint des saints. Ou peut-être craignait-il que je finisse comme Hypatie d'Alexandrie, une autre femme qui n'était pas à sa place : dans l'Antiquité, elle avait été lapidée et brûlée vive par une foule en colère, pour avoir commis l'impardonnable péché d'être mathématicienne et philosophe. Toujours est-il que Borgia devait savoir qu'il ne pouvait faire davantage pour maintenir la paix au sein de sa famille et, soit dit en passant, apaiser mon âme vengeresse.

Il agita une main, comme pour être débarrassé au plus vite de cet épineux problème.

— Soit, emmenez-la, mais discrètement. Et assurez-vous que personne ne vous verra l'enterrer, ou la lune ne sera pas encore levée que son corps aura déjà été déterré.

Vittoro proposa de passer par l'un des deux tunnels qu'il n'avait pas fait sceller au palais du Vatican. L'idée était de me faire sortir de là au plus vite, puis de me cacher dans un chariot jusqu'au tombeau familial de Luigi.

Une petite procession se forma alors rapidement, composée de Vittoro, d'une dizaine de condottieri, de Rocco (qui faisait de son mieux pour consoler Nando), de Luigi — et de moi-même, bien sûr. Deux des gardes furent désignés pour porter le brancard, et le reste se répartit entre l'avant et l'arrière du cortège, afin d'empêcher toute intrusion.

Mais c'était compter sans César. Quand il entendit les gardes libérer bruyamment le passage devant l'entrée du tunnel, il se retourna pour voir ce qu'il se passait. Et en constatant que l'on m'emportait à la hâte, il en oublia sur-le-champ son chagrin, bomba le torse et annonça sans détour qu'il mènerait le deuil et veillerait lui-même à ma mise au tombeau. Après tout c'était son droit, car il était ce que j'avais de plus approchant d'un mari.

Je préfère ne pas savoir ce que Rocco en pensa, même s'il ne dut être guère surpris. Il avait été aux premières loges, ce fameux matin sur la place devant Saint-Pierre, lorsque César s'était montré si possessif envers moi. Par ailleurs, il devait forcément savoir que j'étais une femme peu orthodoxe en matière d'amour, voire ouvertement passionnée. De grâce, faites qu'il l'ait vraiment su et ne l'ait pas découvert ce jour-là, même s'il prétend que le passé n'importe pas. Toujours est-il qu'il décida alors de ne pas continuer, visiblement peu enclin à assister au spectacle de César portant le deuil pour moi.

Et c'est ainsi que nous partîmes tous, d'abord à pied, puis en chariot, jusqu'à arriver au tombeau de la famille d'Amico, dans un petit jardin ravissant juste à côté du palazzo de Luigi. Il avait fait construire là un petit bijou de chapelle, et en dessous une crypte en brique polie et au plafond en voûte abritant plusieurs bières en marbre. La coutume voulait à l'époque (et encore aujourd'hui) que les riches reposent de façon à ce qu'avec le temps, lorsque leur dépouille mortelle se serait totalement désintégrée, leurs os soient transférés dans un ossuaire. Luigi étant le premier de sa famille à s'élever à une telle position sociale, le tombeau n'avait encore jamais servi — ce qui était en partie la raison pour laquelle je l'avais choisi. Je n'avais pas exactement envie de me réveiller au milieu de cadavres décomposés.

Mais assez de tout cela. Sofia et David attendaient non loin, à moitié cachés derrière un bouquet de tilleuls, en compagnie de Benjamin qui avait insisté pour venir. C'est ainsi qu'ils virent la petite procession arriver, et Luigi guider tout le monde au tombeau ; César, quant à lui, marchait à côté du brancard. Les doubles portes furent déverrouillées, puis ouvertes. On me transporta en bas d'un petit escalier ; l'intérieur était déjà éclairé par des torches. Selon les instructions de Luigi, mon corps fut placé sur l'une des bières en marbre. Un linceul de soie vaporeuse (envoyé à cette fin par Lucrèce) fut placé sur moi, m'enveloppant de la tête aux pieds.

César congédia Vittoro et ses hommes, leur ordonnant de retourner au Vatican pour protéger le pape.

— Soyez assuré, Signore, déclama Luigi lorsqu'ils furent partis, qu'elle sera en sécurité ici. Elle n'a pas eu une vie facile, mais elle est en paix maintenant. Laissons-la, à présent.

Mais à sa grande horreur, il vit que César ne bougeait pas. Avec beaucoup de dignité, le fils de Jupiter exigea alors qu'il sorte du tombeau. Il souhaitait prier pour le repos de mon âme.

31

Les souvenirs que j'ai de mon retour à la vie sont ténus. L'image la plus parlante pour moi est celle d'eaux sombres au fond desquelles je serais restée pendant un temps indéterminé, et d'où peu à peu je serais remontée vers la surface. Je n'avais aucune idée de mon identité, ni aucun désir de le savoir. J'*étais*, tout simplement, un état qui me remplissait d'une béatitude indescriptible.

Progressivement, la conscience de mon être se fit plus nette. J'étais séparée, distincte de l'endroit d'où j'émergeais maintenant, où que ce fût. Une sorte de curiosité s'éveilla alors en moi, chassant de fait la tranquillité.

Où étais-je ? Que se passait-il ?

Je sentis ma poitrine se soulever et retomber, et compris que j'étais en train de respirer. Aussitôt ce fut le soulagement. J'étais en vie ! Mais où, et dans quelles conditions ?

Hésitante, j'ouvris les yeux mais à peine, craignant à moitié ce que j'allais voir. Mon plan avait-il mal tourné ? Étais-je enterrée pour de bon, ainsi que je l'appréhendais, si Luigi n'avait pas été suffisamment convaincant ? Ou bien m'avait-on ensevelie dans quelque catacombe, avec de vrais morts ?

Au début jc perçus seulement la lueur des torches fixées dans les murs, qui faisait d'autant plus ressortir l'obscurité entre elles. Au bout de quelques instants, je sentis que je n'étais pas seule. Mais au lieu de Sofia s'affairant à côté de moi pour me ranimer, curieusement ce fut César que je vis agenouillé devant la bière, la tête dans ses mains. J'entendis un murmure imperceptible émaner de lui, ce qui laissait à penser qu'il priait — et là, je l'avoue, ma première réaction fut la stupéfaction à l'idée qu'il fasse pareille chose pour moi. Je n'étais pas loin de regretter toutes ces fois où je l'avais cru bien trop vaniteux pour se rabaisser devant le Tout-Puissant, lorsque je compris qu'en fait il était en train de Le réprimander vertement, exigeant de savoir pourquoi Dieu lui avait fait cela, à lui.

À lui ? Un sentiment mêlé d'incrédulité et d'exaspération monta soudain en moi. Je me souvenais par trop tardivement que pour les Borgia, la vie n'était rien d'autre que ce qu'ils voyaient dans le miroir. Ils étaient finalement d'une grande cohérence, dans leur égoïsme.

Après plusieurs minutes passées à subir la tirade de César, je me sentis obligée d'intervenir.

— Pour l'amour du ciel…

Ma voix ne devait pas être plus forte qu'un pépiement d'oiseau, mais elle fit pourtant l'effet d'un coup de tonnerre. César se releva d'un bond et s'écarta de la bière, le visage révulsé.

— Ahhhhh !

Loin de moi ici l'idée de gloser sur sa réaction ; je vous dirai donc juste que ce ne fut pas exactement son heure de gloire.

Je me remis très lentement en position assise, en partie car je me sentais encore très raide et faible mais également, je le confesse, car le voir ainsi ébranlé m'amusait beaucoup. Il n'est jamais bon pour un homme d'avoir une trop haute opinion de sa position dans l'Univers.

— Cesse de crier, ça me fait mal aux oreilles.

Il recula encore d'un pas et me regarda fixement.

— Sainte-Marie Mère de Dieu !

Je grimaçai de douleur.

— Bon sang de bois, tu vas arrêter, oui ?

J'avais la tête qui m'élançait et les lieux étaient un peu trop éclairés à mon goût, mais hormis cela je me sentais mieux que je ne l'aurais cru. Déjà, la froide étreinte de la mort me quittait doucement, et mes forces revenaient. Découvrant que j'étais capable de bouger, je fis pivoter mes jambes sur le côté et tentai de me lever — une erreur, comme je m'en rendis compte aussitôt. Mes genoux se dérobèrent sous moi et j'allai m'effondrer sur le sol en pierre. César étant totalement figé sur place, je n'eus d'autre choix que de remonter tant bien que mal sur la bière, où je restai assise jusqu'à reprendre mon souffle.

— Je ne suis pas morte. Je vais tout t'expliquer…

Je n'avais pas précisément hâte, mais sa présence dans le tombeau ne me laissait pas le choix.

— Mais d'abord, repris-je, pourquoi es-tu là, et où est donc Sofia Montefiore ?

Rien n'indiquait qu'il m'avait entendue, mais il finit par avancer d'un pas, puis d'un autre.

— Tu n'es pas morte ?

— Tu vois bien que non, et tu n'es pas non plus en train d'assister à un quelconque miracle.

J'ajoutai cela de crainte que dans sa confusion il ne pense que notre Dieu Tout-Puissant ait pu accorder un traitement de faveur à un être tel que moi.

— Mais alors par l'enfer, que se passe-t-il ici ?

À ce stade il avait déjà certainement résolu une partie du mystère, car son esprit brillant n'avait d'égal que son génie pour l'intrigue. Toutefois l'énormité de la tromperie que j'avais imaginée le laissait à l'évidence pantois. Il avait besoin d'un peu de temps pour l'accepter.

— Tout cela n'est que comédie ? Tu as simulé ta propre mort ?

Je hochai la tête.

— Tu veux que Morozzi se montre, et bien moi aussi. C'était la meilleure façon d'y arriver.

Ce qui faisait de nous deux des complices dans la conspiration visant à se servir de Borgia comme d'un appât. Il ne me restait plus qu'à prier pour que César, au vu de ce nouveau développement, soit disposé à fermer les yeux sur mon petit stratagème.

— Bonté divine, mais pourquoi diable me l'as-tu caché ! (Il avança jusqu'à la bière, me saisit par les bras et me força à me mettre debout.) As-tu seulement idée de ce que j'ai ressenti ? J'ai vraiment cru que tu étais morte. Morte ! Pendant tout ce temps j'ai dit que tu ne l'étais pas, à qui voulait l'entendre j'ai prétendu que cet imbécile de docteur avait tort, et toi tu continuais à rester allongée là, sans bouger. Je n'entendais plus ton cœur, je ne te voyais plus respirer. Tu étais glaciale au toucher. Mais enfin, pourquoi n'as-tu rien dit !

— Parce que j'avais perdu conscience ! Comment aurais-je fait pour avoir l'air d'une trépassée, sinon ? Soit, tu peux me reprocher de ne pas t'en avoir parlé avant d'agir, même si j'avais de bonnes raisons de ne pas le faire et je ne m'excuserai pas. Mais ne me reproche pas d'avoir omis de prendre en compte ta susceptibilité alors que ma vie ne tenait plus qu'à un fil !

L'extravagance pure et simple de mon acte finit par s'imposer à son esprit. Il ne me lâcha pas pour autant, ce qui était probablement aussi bien car je serais retombée ; mais il desserra quelque peu son étreinte.

— Mon Dieu, fit-il. Tu as pris quelque chose.

— C'était absolument sans danger.

Je ne voyais aucune raison de lui préciser que cela aurait pu l'être — ni d'y repenser, d'ailleurs, et ce pour le restant de mes jours.

— As-tu perdu la tête ? Tu aurais vraiment pu mourir !

— C'est précisément ce qu'il m'arrivera si Morozzi se débarrasse de ton père et ouvre la voie du Vatican à Savonarole. Mais il ne s'agit pas que de moi, quantité de gens périront si cela arrive — et il est probable que tu en fasses partie.

Cette possibilité ne semblait pas l'avoir effleuré jusqu'à présent, mais à sa décharge il en était encore à ce stade de la vie où il se croyait immortel. Pour autant, il ne la rejeta pas d'entrée.

— Il y a peut-être du vrai dans ce que tu dis.

Estimant que c'était la meilleure concession que je pouvais espérer de sa part, je lui dis :

— Sofia et Luigi doivent être horriblement inquiets. Pourquoi ne sont-ils pas ici ?

— Parce que tous les deux savaient ? Tu leur as dit à eux, et pas à moi ?

J'envisageai des explications, mais je ne me sentais tout bonnement pas la force de flatter sa vanité. Par conséquent, je décidai de faire preuve de sens pratique en m'affaissant soudain contre lui avec un petit gémissement.

— Francesca !

C'était cruel, je le sais, de torturer ainsi un homme qui venait d'avoir tant de peine à l'idée que je ne sois plus de ce monde. Mais nous n'avions vraiment pas le temps de tergiverser.

Il me prit dans ses bras, et était en train de monter quatre à quatre les marches du tombeau lorsque les portes furent ouvertes à la volée par Sofia. Furtivement, je la regardai se répandre en injures contre César.

— Ça suffit, maintenant ! Vous allez la poser tout de suite et me laisser m'occuper d'elle ! Luigi, amène les couvertures. Binyamin, où est donc ce thé que j'ai préparé ? Et toi David, ne reste pas planté là enfin, prends-lui Francesca !

Il s'avança vers César sans aucune hésitation. Au contraire de Rocco, David ben Eliezer avait grandi au rythme des rixes dans les rues de Rome, où la pire des provocations était de passer pour un juif orgueilleux. Jamais il n'aurait courbé l'échine devant quiconque, et c'est ainsi qu'il n'allait jamais nulle part sans un couteau, une trique, une cordelette pour étrangler et, enfin, la force de ses poings. De ce point de vue là donc, il n'était pas moins expert que César : les deux hommes étaient des guerriers jusqu'à la moelle. Si on les avait laissés faire, ils auraient pu gravement se blesser.

Par chance, je me trouvais au milieu.

— Arrêtez ! m'écriai-je. Nous n'avons pas de temps à perdre en enfantillages. César, pour l'amour du ciel, pose-moi par terre. Ils cherchent seulement à bien faire. Et ils se soucient autant que toi de la sécurité de ton père.

— Mais ce sont des juifs.

— Ce sont avant tout mes amis ! Et ils seraient les tiens, si tu le voulais bien.

C'était peut-être aller un peu loin, mais heureusement ni Sofia ni David ne vinrent me contredire. Encore mieux, César dut certainement se rendre compte de la folie qu'il y avait à attiser la discorde, car il s'adoucit et me reposa sur la bière.

Sofia se précipita à mes côtés. Je fus tout de suite enveloppée dans une couverture et frictionnée par ses mains chaudes, puis elle me donna à boire la tisane fortifiante, et enfin m'assaillit de questions.

— Comment est ta vision ? Est-ce que tu vois comme il faut ?

Lorsque je lui assurai que c'était le cas, elle continua.

— Remue tes doigts et tes orteils. Bien. Maintenant tourne la tête. De l'autre côté aussi. Quel jour est-on ? Qui suis-je ? Quelle est la dernière chose dont tu te souviens ? Entends-tu comme un bourdonnement dans les oreilles ? Ressens-tu un quelconque sentiment de mélancolie, ou de lassitude ? Arrives-tu à uriner ? J'aimerais bien pouvoir en examiner un échantillon, pour être sûre que…

— Assez ! À moins que tu n'aies trouvé le moyen de suspendre le temps, il faut en finir maintenant.

Elle s'interrompit. À cet instant seulement, je remarquai combien César nous observait de près. S'adressant à Sofia, il s'exclama :

— Est-ce toi qui as concocté la potion qui l'a mise dans cet état ?

Sachant pertinemment ce qu'il adviendrait si elle admettait pareille chose, je répondis aussitôt à sa place.

— Non, c'est moi qui l'ai inventée. Sofia a tenté de me dissuader, et a seulement accepté pour pouvoir être là et m'assister.

César n'était visiblement pas convaincu, mais n'était guère en mesure non plus d'interroger Sofia plus avant. En conséquence, il se tourna vers Luigi.

— Et toi, quelle est ton excuse ?

En homme sensé je crus que le banquier allait chercher à apaiser le fils du pape, mais au lieu de cela il répliqua sèchement :

— Francesca a risqué sa vie pour convaincre Morozzi que la voie était libre. Votre sincère chagrin ne peut que contribuer à rendre son décès plus crédible.

— Vous vous êtes servis de moi.

— Mais enfin il ne s'agit pas de toi, rétorquai-je, mon exaspération revenant à grands pas. Je commençais à sentir le froid du tombeau à travers la couverture, et n'avais aucune envie de m'attarder là.

Me tournant vers Sofia, je lui demandai :

— M'as-tu amené des vêtements ?

D'un geste, Sofia me montra son panier. Nous nous mîmes un peu à l'écart, et je m'habillai derrière une couverture qu'elle tendit devant moi. Les hauts-de-chausses, le pourpoint et le chapeau à large bord que je revêtis étaient en tous points la livrée d'un page au service de Luigi. Dans cette tenue je serais libre de mes mouvements, et ne risquerais pas d'attirer l'attention.

Je profitai également de l'aparté pour parler à Sofia. À voix basse, je lui dis :

— Aucun d'entre nous ne s'attendait à ce que César soit là. Il pourrait m'être utile plus tard, mais j'ai besoin d'échapper à sa vigilance un petit moment.

— Pourquoi donc ?

Lorsque je lui expliquai, elle regimba.

— Mais c'est trop dangereux. Je suis sûre que David peut…

— On ne le croirait pas, ni Benjamin. Je dois le faire moi-même.

Alors que je me trouvais entre la vie et la mort, avant de sombrer complètement, il m'était venu à l'esprit que les tragiques événements des jours derniers allaient me fournir l'occasion de m'assurer que Morozzi, qui ne s'était pas précisément montré téméraire jusqu'à présent, n'en profitait pas pour déléguer l'attaque contre Borgia à ses alliés d'Il Frateschi, et fuir sans être vu. Ce que j'omis de préciser à Sofia (même si je la soupçonne d'avoir deviné), c'est que j'avais également à m'acquitter d'une dette d'honneur.

À contrecœur, elle accepta. Me prenant par les épaules, elle me ramena auprès des autres et annonça d'une voix forte :

— Bien. Assez de cet horrible endroit ! Francesca a grand besoin d'air frais, maintenant.

Le plus fugace des regards passa entre David et elle. Aussi facilement que cela, il se mit en position devant César et Luigi et entreprit, l'air de rien, de retarder leur départ du tombeau.

En sentant les premiers rayons du soleil sur ma peau, une immense vague de soulagement me submergea. J'avais fait un pari fou, et j'en étais sortie vivante. Pour cela je me sentais profondément reconnaissante, mais l'expression de ma gratitude devrait pourtant attendre.

Je saluai brièvement Sofia de la tête avant de m'éclipser par le bouquet de tilleuls, qui donnait sur la rue animée.

32

L'après-midi était déjà bien avancé lorsque j'entrepris de traverser le fleuve pour me rendre dans le Trastevere. Je me rendais compte que j'étais davantage fragile que je n'avais bien voulu l'admettre, que ce soit en corps comme en esprit.

Les eaux sombres dans lesquelles j'avais flotté pendant tant d'heures n'avaient pas complètement desserré leur étreinte. C'est ainsi que je continuais à me mouvoir dans la lumière déclinante en sentant tout autour de moi une réminiscence de cette étrange béatitude que j'avais ressentie en revenant à moi. Elle me rattachait comme à un fil à cette sensation que jamais je n'oublierais totalement, de ne faire qu'un avec moi-même.

Dans ma tenue de page, personne ne me remarquait. Tout en marchant j'écoutais des bribes de conversation, ici et là. Pour la majeure partie je n'entendis rien d'intéressant, mais de temps à autre un passant faisait référence à la mort de *la strega*, aux chances de survie de Borgia (que l'on estimait plutôt faibles), ainsi qu'à la terrible guerre que della Rovere et lui semblaient déterminés à infliger au peuple, alors que ce dernier ne demandait qu'une chose : qu'on le laisse tranquille.

Je réfléchissais à tout cela, en traversant le pont Sisto, lorsque j'eus la désagréable surprise d'apercevoir Vittoro venir en face de moi, à cheval. Il était en train de patrouiller avec plusieurs condottieri, dont le malheureux qui avait eu la malchance de se retrouver posté devant ma porte. Je fus heureuse de constater qu'il n'avait pas souffert de ma « mort » même si, selon toute vraisemblance, le pardon qu'on lui avait accordé était moins dû à un soudain accès de clémence de César Borgia qu'au besoin d'avoir à disposition le plus d'hommes armés possible pour assurer la défense du pape.

Vittoro – en voilà encore un à qui je devrais tout expliquer et dont je devrais implorer le pardon, mais plutôt que de me soucier de cela maintenant je songeai à la gentillesse de sa famille venue au grand complet à la chapelle pour me pleurer, ainsi que Luigi me l'avait brièvement rapporté. Faire cela pour quelqu'un que la plupart des Romains accusaient d'être une sorcière demandait du courage et une sincère bonté de cœur. Je me dis alors que j'étais moins seule en ce monde que je ne l'avais pensé jusqu'à présent, et les eaux sombres perdirent un peu plus encore de leur attrait.

Dans le labyrinthe de rues étroites qui se déployaient en éventail depuis les avenues des quartiers cossus, je retrouvai le mur recouvert de lierre dissimulant l'entrée du royaume d'Alfonso. Je me servis du silex et de l'amadou que j'avais empruntés à Luigi pour avoir un peu de lumière. Le tunnel que j'avais devant moi était toujours aussi peu accueillant que dans mon souvenir, mais je n'eus aucune hésitation – c'était le moins que je puisse faire pour Alfonso et la jeune fille que Morozzi avait transformée en torche vivante.

À peine étais-je arrivée au niveau des restes de la villa ensevelie, où j'avais rencontré pour la première fois *il re dei contrabbandieri*, que je me fis repérer par plusieurs de ses acolytes. Aussitôt je fus encerclée par une bande de garçons (et quelques filles) en colère, qui avaient encore les yeux rouges et semblaient prêts à écorcher vif tout intrus osant s'aventurer dans leur fief.

Vite, j'ôtai mon chapeau de page, laissai retomber mes cheveux et annonçai d'une voix forte :

— C'est moi, Francesca Giordano. Si vous tentez de m'attaquer, préparez-vous à mourir.

Je prenais un risque en leur révélant mon secret, mais je me figurais que je n'avais pas le choix. Par ailleurs, j'étais d'avis qu'avec les récents événements, ils choisiraient de le taire plutôt que de risquer d'en faire profiter l'infâme ennemi qui venait de tuer l'une des leurs.

J'assistai alors avec un plaisir certain à leur réaction. À peine quelques heures plus tôt, ils avaient appris non seulement ma mort mais également les honneurs auxquels j'avais eu droit pour mes funérailles, certes expéditives mais qui avaient attiré beaucoup de monde et été conduites par le pape en personne. Incontestablement, il est difficile d'être plus trépassé que lorsque le Vicaire du Christ sur Terre vous envoie lui-même vers votre repos éternel.

Et pourtant j'étais là, et bien vivante. Même Orphée revenant des Enfers n'aurait pas été reçu avec un tel respect inspiré par la crainte. Ils reculèrent tous, bouche bée et les yeux écarquillés, et ne tentèrent aucunement de me faire obstacle lorsque je fis mine d'avancer jusqu'au trône d'Alfonso.

Il re était affalé dans son fauteuil doré, son maigre visage marqué par le chagrin. La jumelle de la morte était agenouillée à ses côtés, éplorée.

Levant les yeux il me vit, et pendant une minute je crus que la terreur allait l'emporter. Mais les événements dont il avait été témoin semblaient lui avoir ôté toute capacité à s'émouvoir, et il se contenta de hausser les épaules.

— Te serais-tu perdue en chemin vers l'enfer ?

— Eh bien non, mais je comprends que tu puisses penser cela. Je suis sincèrement désolée de ce qui s'est passé.

— Ça ne serait jamais arrivé si je n'avais pas accepté de faire cause commune avec toi.

C'était la stricte vérité, je ne pouvais le nier. Bien malgré moi, j'avais joué un rôle dans ce terrible drame – encorc un péché pour lequel jamais je ne pourrais me racheter.

— Je conçois fort bien que tu sois inconsolable, répondis-je. Mais je suis venue te donner une information qui, je l'espère, te sera utile.

Il me regarda de son œil qui ne louchait pas.

— Quelle information ?

— Morozzi n'a pas agi seul. Il s'est fait aider de six membres d'Il Frateschi qui logent en ce moment même à la pension voisine de Sainte-Marie. Ils se font passer pour des marchands florentins.

Alfonso se redressa quelque peu et me regarda avec attention.

— En es-tu sûre ?

— Certaine. Tu dois facilement pouvoir le confirmer, au besoin.

— D'accord, répliqua Alfonso. Et que fait-on du prêtre ?

— Laisse-le-moi.

— J'aime mieux pas.

— Je comprends, mais tu n'as pas le choix. Non que j'aie davantage de droits que toi sur lui, mais il n'empêche qu'il est à moi.

Alfonso y réfléchit un moment. Finalement, il me demanda :

— Tu crois qu'elle a souffert longtemps ?

— Non. Je pense que la fumée l'a suffoquée avant que les flammes n'aient le temps de faire grand-chose.

Ainsi les choses se passaient-elles parfois ; mais si l'on veut s'assurer que le tourment du condamné sera le plus long possible, on peut aussi préparer le bûcher avec du bois vert. J'espérais seulement que la fille n'avait pas eu cette malchance.

— Je veux qu'il souffre, rétorqua Alfonso d'une voix qui tout à coup me parut très jeune, une voix d'enfant presque, mais sortant d'un corps que les épreuves auraient fait vieillir prématurément.

— Je te le promets, soufflai-je, sachant bien que dans le registre que je tenais au fond de mon âme, l'agonie de la fille et la peine de ses camarades s'étaient ajoutées à tous les torts que Morozzi avait déjà causés, sans compter ceux qu'il projetait. Lorsque viendrait le temps pour lui de payer, le prix serait colossal.

Je quittai le monde souterrain avec la certitude qu'Alfonso ferait le nécessaire pour éliminer tous les alliés sur lesquels Morozzi aurait encore pu s'appuyer. Lorsque j'émergeai du tunnel, les derniers rayons de soleil avaient fait prendre une teinte rouge doré aux toits de Rome. La maison de César se trouvait non loin de là, près du fleuve ; et à quelques pas sa jumelle, bâtie pour Juan. Même si un seul homme et ses domestiques y logeaient, elle était à peine moins grande que mon immeuble tout entier, et comportait trois étages, un toit de tuiles en pente et des petites fenêtres à barreaux donnant sur la rue. Seule la finesse des sculptures dans l'encadrement de chaque fenêtre et sous le toit, ainsi que la présence de gens d'armes devant la porte d'entrée, indiquaient que c'était là la résidence d'un grand seigneur.

Je m'en approchai en faisant un détour, et restai un certain temps dans la pénombre d'une porte cochère, d'où je pouvais observer la maison à ma guise. Je remarquai que l'entrée des domestiques se faisait sur le côté. J'attendis qu'un page entre pour me glisser prestement derrière lui avant que la porte ne se referme complètement. Je n'avais pas fait dix pas à l'intérieur que quelqu'un me saisit par le col de ma chemise et me souleva du sol.

— Où te crois-tu, galopin, pour entrer ici en te pavanant de la sorte, comme si tu étais le maître des lieux ?

— Mille pardons, Signore, haletai-je en prenant le ton le plus servile possible. Un message pour le Signore Borgia, du Signore d'Amico.

Pour faire bonne mesure, j'ajoutai :

— À remettre en mains propres, Signore.

L'homme me relâcha, et je réussis de justesse à atterrir sur mes pieds. Il tendit un bras bien en chair, et me montra des escaliers.

— La prochaine fois présente-toi au sergent d'armes, petit morveux, au lieu de fouiner là où tu ne devrais pas. Tu as de la chance d'être tombé sur moi, je te le dis !

Poursuivie par des éclats de rire, je me hâtai de monter pour arriver à l'étage principal de la maison. La loggia, qui donnait sur un jardin intérieur luxuriant, était des plus élégantes avec ses panneaux aux murs, ses colonnes de marbre et ses statues que je soupçonnais fortement d'avoir été « empruntées » aux chantiers de fouilles qui se multipliaient un peu partout en ville. C'est ainsi que je pus admirer en passant un guerrier nu avec son arc dans le dos, un enfant jouant de la harpe et une jeune femme à la poitrine dénudée, qui était peut-être bien Vénus dans toute sa gloire.

Un intendant, à qui je m'empressai de dire que je venais de la part du Signore d'Amico, se contenta de m'indiquer d'un geste brusque une autre volée de marches, qui me mena à un long couloir. Là je repérai une porte conçue pour se confondre avec le mur, dont les domestiques devaient se servir. Je l'ouvris et me retrouvai dans un étroit corridor qui, à ce que j'en voyais, devait courir sur toute la longueur de la maison. Un escalier très raide me mena enfin au dernier étage, où une demi-douzaine de portes se présentaient à moi. En en ouvrant une au hasard, je découvris ce qui était probablement le bureau privé de César ; celle d'après me mena à sa chambre.

Le regain d'énergie qui m'avait fait tenir depuis mon retour à la vie n'allait bientôt plus être qu'un souvenir, je le sentais. Je regardai le lit avec envie, mais songeai que faire montre d'une telle hardiesse dans la maison d'un grand seigneur vaudrait probablement au simple messager que j'étais une bonne correction, si un serviteur venait à entrer là. Par conséquent, j'observai autour de moi jusqu'à repérer une autre porte qui, après examen, s'avéra mener à une petite pièce dont les fenêtres donnaient sur le jardin. Un immense miroir au cadre doré occupait tout un pan de mur. Les trois autres étaient recouverts du sol au plafond d'étagères finement sculptées, sur lesquelles étaient soigneusement pliés des vêtements. Il y avait vraiment de tout : pourpoints en velours, capes en laine avec liseré de soie, chemises de lin fin, cols de brocart, gilets en cuir souple, toutes les couleurs possibles et imaginables de chausses, et pour finir une quantité proprement étonnante de souliers, brodequins, bottes et que sais-je encore. Comme si cela ne suffisait pas, je vis plusieurs coffres fermés au verrou, qui selon toute vraisemblance devaient contenir chaînes, bagues et autres bijoux. Pas de perruques, en revanche : avec la crinière qu'il avait, c'eût été dommage.

Étant trop lasse pour m'émouvoir d'une telle démesure (hormis un soupir, les yeux levés au ciel), je m'assis à même le sol et m'adossai avec délice contre le mur. J'allais fermer les yeux et enfin pouvoir me reposer… lorsque j'entendis des éclats de voix.

— Eh bien, où diable est-il, ce page qui est censé m'apporter un message de d'Amico ?

Murmures, paroles d'apaisement, murmures de nouveau…

— Bon Dieu, mais je suis vraiment entouré d'incapables !

La porte de ma cachette s'ouvrit à la volée et César entra. Dès qu'il me vit assise par terre, il claqua la porte derrière lui.

— Tu me tueras, un jour, fit-il.

— C'est plutôt ta déplorable sécurité qui te tuera, rétorquai-je, et bien avant moi.

Dans son regard passa une lueur impénétrable.

— As-tu une quelconque idée, soupira-t-il, du prix à payer pour ceux qui tiennent à toi ?

J'ouvris la bouche dans l'intention de lui dire que je n'étais pas assez sotte pour prendre sa remarque au sérieux, mais restai muette. Quelle qu'en soit la raison (ma nature contrariante, les ténèbres qui m'habitent, ou autre chose encore), j'étais tout bonnement incapable d'envisager que ses paroles puissent venir du cœur. Après un autre de ces regards appuyés et plein de sous-entendus dans ma direction, il ôta sa cape d'un geste, la laissa négligemment tomber par terre et se tourna vers le miroir. J'eus à peine le temps de me demander ce qu'il était en train de fabriquer qu'il souleva un loquet escamoté, ce qui eut pour effet de faire pivoter le miroir vers nous.

— Allez, debout, s'exclama César en me tendant la main. Avant d'avoir même l'idée de protester, je fus poussée dans le passage derrière le miroir, et il m'y suivit prestement.

Je me retrouvai aussitôt dans un élégant salon, faiblement éclairé par de petites fenêtres à claire-voie, près du plafond. Pendant que j'observais les lieux, César alluma plusieurs candélabres. Je me rendis alors compte que nous nous trouvions dans un petit appartement ingénieusement dissimulé.

— Il en existe un en tous points similaires dans la maison de Juan, précisa-t-il en voyant mon regard étonné. (Il retourna fermer le miroir, qui de ce côté-ci revêtait l'apparence d'une banale porte.) Pour sortir en cachette, il suffit de prendre un escalier secret qui mène à un passage débouchant derrière les écuries, près du fleuve. J'y ai toujours à disposition des chevaux, ainsi que plusieurs barques.

Ne me remettant toujours pas de ma stupeur, je dis dans un souffle :

— Ton père a vraiment pensé à tout.

Ou du moins, à tout ce qu'il fallait pour prendre rapidement la fuite, dût-il arriver un jour funeste où cela deviendrait nécessaire.

— En fait, c'est moi. Il avait déjà dans l'idée de construire les deux maisons, mais je lui ai suggéré de songer dès le départ à notre intimité et à notre sécurité, qui deviendraient primordiales le jour où il serait élu pape. Fort heureusement, il a convenu que j'avais raison. (Il eut un temps d'arrêt.) Naturellement, c'était à l'époque où il ne me prenait pas pour son ennemi.

— Il n'est pas sérieux quand il dit cela, répliquai-je, en y croyant très fort.

— Certes, mais il est tout de même prêt à l'envisager. Tourne-toi.

Ses mains étaient déjà sur les lacets de mon pourpoint – mais j'avais encore des questions pour lui, et ne me laisserais pas distraire, pour une fois.

— Ton père, où est-il ? fis-je en me campant devant lui.

— Il est parti pour le château Saint-Ange sitôt tes funérailles terminées. Il y est en ce moment même, sous bonne garde grâce à Vittoro. Tiens-toi donc tranquille.

Ainsi ma « mort » avait-elle inspiré à Borgia l'idée de trouver refuge dans l'antique forteresse de Rome, l'endroit même où j'avais failli périr l'année précédente alors que je faisais tout mon possible pour précipiter le précédent pape vers sa demeure éternelle ? Cela me donnait à réfléchir.

— Si Morozzi apprend qu'il est là-bas…

Le prêtre fou connaissait fort bien le *castel*, y ayant vécu pendant un temps, quand il faisait partie du cercle d'intimes d'Innocent VIII. S'il y avait bien quelqu'un (à part moi) capable de pénétrer dans la forteresse avec de mauvaises intentions, c'était lui.

— Pour s'y rendre, papa a pris par le *passetto*, précisa César, désignant ainsi le passage dissimulé dans ce qui ressemble à s'y méprendre à un vieux mur fortifié, entre le Vatican et le *castel*. Et tu penses bien que tout est fait pour qu'on le croie encore au Vatican. On a aussi laissé la voie libre à Morozzi au palais – pas trop pour ne pas éveiller ses soupçons, mais tout de même suffisamment pour qu'il soit tenté d'agir.

— C'est très bien tout ça, mais le pape ne pourra pas rester caché bien longtemps. Tu n'as tout de même pas oublié que Giovanni Sforza est censé arriver de Pesaro demain.

Et son mariage avec Lucrèce avoir lieu deux jours après. Fatalement, Borgia devrait être présent aux cérémonies et autres festivités prévues pour l'accueillir, sans compter les noces en elles-mêmes. Ainsi exposé, comment faire pour le protéger efficacement ?

Je m'assis dans le fauteuil le plus proche pour réfléchir à tout cela et levai distraitement les yeux au plafond, comme si quelque inspiration divine allait me venir. Au lieu de cela ce furent des chérubins qui m'apparurent : certains nous observaient avec un grand sourire, pendant que d'autres gambadaient gaiement sur d'énormes nuages blancs.

— Pinturicchio ? proposai-je.

César leva la tête, et me fit un signe de tête affirmatif.

— Tu aimes ?

Je plissai les yeux pour regarder plus en détail.

— Pour être honnête, c'est un peu trop sentimental à mon goût. Les fresques qu'il peint en ce moment dans le nouvel appartement de ton père sont de bien meilleure facture.

Cela le fit rire, et il abandonna l'idée d'ôter ses hauts-de-chausses par la même occasion.

— Ah, Francesca, si toutes les femmes étaient comme toi je me ferais Turc dans le seul but d'avoir un harem.

— Un harem d'empoisonneuses ? Tu aimes vraiment vivre dangereusement.

— Pas plus que toi, répliqua-t-il. As-tu déjà songé à la réaction de mon père quand il découvrira que tu as feint ta propre mort ?

— Peut-être aura-t-il des problèmes autrement plus graves à régler.

Je ne prétends pas comprendre les mécanismes de mon esprit, troublé comme il l'était par cette noirceur qui ne me laissait jamais tranquille bien longtemps. Ainsi passai-je du badinage au soupçon en un éclair, sans que je sache pourquoi. J'en conclus que pendant tout le temps qu'avait duré notre conversation, une partie de moi était restée à l'écart, prudente, réfléchissant à ce détail qu'il avait involontairement laissé échapper.

Il alla vers un autre fauteuil et s'y installa.

— Que veux-tu dire par là ?

Je me levai, me détournai de lui comme pour arranger mes vêtements, et en profitai pour sortir discrètement mon couteau. Puis je me retournai et dans le même temps le glissai derrière mon dos. Mon tour de passe-passe fit s'éveiller la noirceur qui est en moi, un rappel de ce qu'il pourrait fort bien arriver si je ne songeais pas à me contenir.

Ma main enserrant fermement le manche, je lui demandai d'un ton impérieux :

— Qui se trouve dans l'autre appartement ?

J'étais un piètre stratège, c'était le moins qu'on puisse dire. Il aurait mieux valu répondre à ses avances et lui mettre le couteau sous la gorge dans ce moment d'extase qui vient après l'amour, car quel meilleur moment que celui-là pour prendre un homme de court ? Mais passons.

— Tout à l'heure tu as précisé qu'il y avait un appartement identique à celui-ci, dans la maison voisine. Qui est dans l'autre en ce moment ?

— Personne. Pourquoi diable penses-tu… ?

Ah, César ! Ce soir-là, pour une fois, j'aurais préféré que tu te montres un peu moins vif d'esprit.

Sans me quitter des yeux il se leva, puis resta immobile, bras sur le côté, prêt à bondir à la vitesse de l'éclair s'il le jugeait nécessaire.

— Qu'est-ce que tu sous-entends par-là, Francesca ?

— Tu ne sembles guère t'inquiéter que ton père doive très bientôt quitter le *castel* pour célébrer les noces de Lucrèce. C'est donc que tu dois avoir toutes les raisons de croire que le problème sera réglé avant, non ? Ce qui veut forcément dire que tu sais où se terre Morozzi.

Croyais-je réellement que mon amant ténébreux avait caché Morozzi pendant tout ce temps ? Qu'il était venu en aide à l'homme qui m'avait causé une angoisse aussi infernale depuis un an ?

Souvenez-vous, je n'avais pas encore eu l'occasion d'apprendre la réaction de César à ma mort, hormis ce dont j'avais été témoin à mon retour dans le monde des vivants. Je ne savais rien du vœu désespéré qu'il avait fait au-dessus de mon corps de tuer le prêtre fou – mais l'eussé-je su, je ne me serais pas nécessairement laissée fléchir pour autant.

César était un Borgia jusqu'au bout des ongles, capable d'ourdir des complots à l'intérieur même d'autres complots, jusqu'à en avoir le tournis. Par ailleurs il se disait peut-être que ce n'était pas un péché de se servir du prêtre pour s'attirer les bonnes grâces de son père, du moment qu'au final Morozzi mourait.

Mais naturellement, je ne voyais pas les choses sous cet angle.

— Pour l'amour du ciel, s'écria-t-il au bord de l'exaspération, en passant une main dans ses cheveux. Tu ne fais vraiment confiance à personne. Pas à une seule âme.

Que pouvais-je répondre à cela ? Il m'avait bien cernée.

— Non.

— Pas même à ce verrier, Pocco…

— Rocco.

— Tu ne lui as pas parlé de ton macabre stratagème, n'est-ce pas ?

Quelqu'un saurait-il m'expliquer exactement comment nous en étions arrivés à parler de Rocco alors que le seul sujet que j'avais envie d'aborder présentement était Morozzi ? César s'inquiétait-il vraiment de ma relation avec un autre que lui, ou était-ce simplement un moyen de faire diversion ?

— Je ne voulais pas qu'il soit impliqué dans tout cela. Il va se marier.

César leva un sourcil. Il n'était qu'à quelques mètres de moi. Je l'observai – l'ombre nichée dans le creux de sa joue, ses sourcils épais, comme protégeant ses yeux, la douce pulsation d'une veine dans son cou musclé. Je me concentrai soudain sur cette vie qui battait en lui, et la noirceur en moi remua de nouveau.

— Ah bon ? Avec qui ?

— Carlotta d'Agnelli. C'est un bon parti pour lui. Il aura une chance d'être heureux.

César soupira, et fit un pas en avant.

J'en fis un en arrière, ne sachant ce que je craignais le plus, qu'il tente de me désarmer ou que je perde tout contrôle et me jette sur lui.

— Dis-moi ce que tu me caches, le sommai-je.

Il feignit de ne pas m'avoir entendue – ce qui était ridicule vu comme nous étions près, si près que je voyais sa poitrine se soulever et retomber calmement, et m'imaginai combien il serait facile d'en arrêter le mouvement. Il y aurait du sang, pour sûr, ce sang que je haïssais et craignais, tout en le réclamant désespérément. Mes ténèbres intérieures s'imposaient à chaque instant davantage à moi, je le sentais. Il fallait en finir vite. Mais César semblait n'en avoir cure.

— Qu'est-ce que le bonheur ? s'exclama-t-il. Tu gagnes ou tu perds, et entre les deux tu ne fais que te battre. Voilà l'essence de la vie. Tout le reste, ce n'est qu'une belle histoire racontée aux enfants.

— Et des deux c'est moi, la cynique ?

Vraiment, les enseignements des cyniques grecs m'échappent. Il me paraît proprement absurde de prôner une vie affranchie de tout, désirs, possessions matérielles, sous prétexte que rien n'a vraiment de valeur. Nous sommes de ce monde ; par conséquent, nous devons accepter nos êtres imparfaits du mieux possible. Prétendre être autre chose que ce que nous sommes est pour moi le pire des aveuglements.

— Dis-le-moi, César ! Qu'est-ce que tu caches ? Ou bien devrais-je dire qui ?

— Tu me prêtes bien trop de latitude. Je suis seulement le fils de mon père, qui compte bien me voir marcher docilement sur ses traces telle une marionnette. Ce genre de créature ne vaut rien.

— Si tu deviens pape, tu penseras différemment.

— Si je deviens pape, c'est que vraiment le monde ira à vau-l'eau, car jamais il n'y aura eu de plus grand outrage fait à la nature. Juan… En toute sincérité, tu le crois vraiment capable d'être un duc digne de ce nom ?

— Je le connais à peine.

Certes ce que j'avais vu de lui ne m'avait pas impressionnée, mais à sa décharge, le fait qu'il me considère comme une sorcière méritant le bûcher avait quelque peu influencé mon opinion.

— Et moi je ne le connais que trop bien, rétorqua César. C'est un idiot, et pas autre chose. Mais notre père l'aime et ne pensera jamais du mal de lui, sauf si je réussis à lui donner la preuve irréfutable de ce qu'il a fait, l'imbécile.

J'entendis pourtant distinctement César, mais ses paroles avaient tant de répercussions possibles que cela m'en donna le vertige. Il me fallut respirer une fois, deux fois, avant de seulement commencer à digérer ce qu'il avait l'air d'affirmer.

— Juan ? Ton frère Juan donne asile à Morozzi ?

Cet ignare de fils cadet, qui réussissait seulement à être le préféré de Borgia en raison de son empressement zélé à faire tout ce que le pape demandait de lui ? C'était *lui* qui complotait avec l'assassin en puissance de son père ?

— Mais enfin, pour quelle raison ferait-il une chose pareille ?

— Je n'en ai aucune idée, admit César. Cela dit, loin de moi l'idée de prétendre comprendre ce qui passe par la tête de mon frère. Mais tu as raison, c'est Juan qui cache Morozzi dans l'appartement identique à celui-ci, chez lui. Il a accès à un tunnel, comme moi, ce qui veut dire qu'il peut aller et venir à sa guise par le fleuve, les rues et les tunnels, comme tu l'as appris à tes dépens. C'est pour cela qu'il est resté invisible jusqu'à présent.

— Comment l'as-tu su, dans ce cas ?

— L'un de mes hommes a réussi à infiltrer la résidence de Juan. Il y a quelques jours, il est venu me voir : il pensait que quelqu'un se cachait peut-être dans l'appartement secret, mais il n'en était pas certain. Un peu plus tôt aujourd'hui, il a enfin aperçu l'homme en question. Quand il m'en a fait la description, j'ai tout de suite compris qu'il s'agissait de Morozzi.

— Je suis sincèrement désolée.

Que pouvais-je dire d'autre ? J'étais désolée d'avoir bien failli brandir un couteau devant lui, certes, mais ce n'était rien comparé à la sympathie que j'éprouvais pour lui en le sachant ainsi embarrassé d'un frère qui n'avait pas un sou de bon sens, et d'un père incapable de voir ses propres fils sous leur vrai jour. Le peu de temps où il avait vécu, mon père avait su qui j'étais réellement et, chose incroyable, ne m'en avait pas moins aimée pour autant. Borgia, lui, était complètement aveugle.

— Qu'as-tu l'intention de faire ? poursuivis-je.

— Je fais surveiller toutes les issues de la maison de Juan. Dès que Morozzi bougera, je le saurai. Nous le suivrons, l'attraperons (en vie si possible, mais je ne peux te le promettre), et Juan devra alors rendre des comptes pour sa conduite.

Et ensuite, quoi ? Borgia verrait enfin qui sont vraiment ses fils, et autoriserait César à vivre comme il l'entendait ? Pour autant que je veuille y croire très fort, j'en doutais.

Mais je gardai mes pensées pour moi et me contentai de remettre le couteau dans son fourreau. Je sentis bien, ce faisant, que mes démons intérieurs s'apaisaient, bien que de mauvaise grâce.

Quant à César, il ne prit même pas la peine de regarder ailleurs. Au contraire il observa chacun de mes gestes, visiblement curieux de me voir faire.

— Tu ne sors jamais sans ? s'enquit-il.

— Je le garde en souvenir de toi.

Il s'esclaffa, me connaissant sans doute trop pour me prendre au sérieux ; et pourtant une lueur dans ses yeux me fit songer qu'il aurait préféré que ma boutade n'en soit pas une.

— Pocco n'aurait jamais su s'y prendre avec toi, tu le sais, j'espère ? fit-il en secouant la tête d'un air désapprobateur.

— Je n'ai pas envie de discuter de ça.

— D'accord. Mais si l'idée de me menacer d'un couteau te reprend, tu ferais bien d'être prête à t'en servir.

— Il me suffira juste de glisser quelque chose dans ton vin.

Je ne le pensais pas, naturellement, et il ne le prit pas comme tel. Il me restait à espérer que jamais plus il ne serait aussi près de découvrir ce dont j'étais réellement capable.

— Cela me fait penser que j'ai faim, tiens.

Il partit donner ses instructions, et quelques instants après nous dînions d'une caille en sauce, accompagnée de carottes au miel et de la plus succulente terrine de canard que j'avais mangée de ma vie. Sur un bon pain croustillant, c'était tout simplement divin.

— Depuis quand soupçonnes-tu Juan ? lui demandai-je en trempant un morceau de pain dans la sauce. Ma vague inquiétude à l'idée qu'une nourriture aussi riche ne convienne guère à un estomac si peu solide s'était envolée à la première bouchée.

— Je l'ai soupçonné toute ma vie, je crois, même s'il est difficile d'exprimer précisément ce que je ressentais quand nous étions très jeunes. Par exemple, je ne saurais te dire exactement quand je me suis rendu compte qu'il faisait vraiment tout ce qu'il pouvait, le bougre, pour monter mon père contre moi.

— Le pape t'a tout de même donné de grandes responsabilités.

Juan avait peut-être reçu des titres de noblesse et les terres qui allaient avec, mais c'était vers César que Borgia se tournait pour régler des questions aussi sensibles que la répartition des fonds familiaux, ou bien la collecte d'informations délicates. Assurément on pouvait considérer cela comme un signe d'estime paternelle ?

César fit tournoyer sa coupe de chianti entre ses doigts pendant un moment, puis me regarda.

— Pour sûr, il trouve essentiel qu'un futur pape ait de l'expérience en matière de finance et de diplomatie. Mais c'est Juan qui mènera nos armées à la bataille, même si ce n'est que symboliquement. Mon frère sera auréolé d'une gloire qu'il ne mérite pas.

— Et c'est à cela que tu aspires, la gloire ?

— Mais à quoi aspirer d'autre en ce monde ? C'est grâce à la gloire que notre nom est perpétué. C'est ce qui nous rend immortels.

Je levai une main dédaigneuse.

— Toi, tu as passé bien trop de temps à lire Homère. À quoi la gloire a-t-elle servi aux Grecs, à Troie ? Et même après, d'ailleurs. Regarde leurs temples, leurs cités, tout a été détruit. Que sont-ils aujourd'hui, si ce n'est un souvenir ?

— Justement, quoi de plus important que de se souvenir ? riposta César. Achille, Ulysse, Ajax, Patrocle… On connaît encore leurs noms, leurs exploits. Et en parlant d'eux, on les fait revivre.

Je ne voyais pas les choses sous le même angle, mais n'espérais certainement pas non plus le convaincre du contraire. Il avait une vision héroïque de la vie, qui outrepassait tout ce que son père pourrait jamais imaginer. La seule question était de savoir jusqu'où il serait prêt à aller pour atteindre son but.

— Quel sort mérite Juan, à ton avis ?

César hésita. Je voyais bien que le sujet était sensible ; après tout il avait eu tout le loisir d'y réfléchir, pendant de longues années.

— Par égard pour la famille, l'affaire ne peut être rendue publique, manifestement. Il faudrait lui laisser la jouissance de ses titres, et même donner suite à cette idée de mariage. Mais hormis cela, on ne doit pas le laisser causer davantage de torts.

— Il va tenter de te rendre responsable de son malheur. As-tu songé qu'il pourrait chercher à se venger ?

— Chaque chose en son temps.

En l'entendant se dérober ainsi, je ne pus m'empêcher de me demander jusqu'où exactement Juan parviendrait à aller avant que César ne cherche une solution plus radicale au problème posé par son frère.

J'étais en train de méditer là-dessus lorsque soudain on frappa doucement à la porte-miroir. César alla voir qui c'était. Quand il revint, il avait les sourcils légèrement froncés.

— Il y a eu un incident à la pension située à côté de la basilique Sainte-Marie.

Je me laissai aller en arrière sur mon siège, et feignis un regain d'intérêt pour le plafond orné de chérubins.

— Quel genre d'incident ?

— Un incendie, à ce qu'on me dit.

— Des blessés ?

César resta debout. Il remplit nos deux coupes, et me tendit la mienne.

— Ce qui est curieux, c'est que les flammes se sont propagées si vite qu'il n'y a aucun rescapé. On ne croirait pas qu'un immeuble en pierre puisse prendre feu aussi facilement, n'est-ce pas ? Mais apparemment c'est le cas.

— Peut-être l'y a-t-on un peu aidé.

Pour ce qui était des produits inflammables, Alfonso n'avait eu que l'embarras du choix : braises, poix, ou encore une lampe à huile, par exemple. Lancé à travers les fenêtres de la pension, n'importe lequel des trois produits aurait été efficace.

— Peut-être, effectivement, répéta César avant de finir son vin et de poser sa coupe sur la table. Le messager a également fait état d'un groupe de marchands florentins venus en ville pour discuter des rénovations de l'église. Aucun d'entre eux n'a été revu depuis que l'incendie s'est déclaré.

— Oh mon Dieu.

— Je suis d'avis qu'on devrait nommer une commission pontificale pour enquêter sur la sécurité en matière d'incendies à Rome.

— Excellente idée, en conclus-je. Juan pourrait la présider.

Mon idée fut accueillie par un sourire contrit de mon compagnon. Je finis mon vin et réussis à me faire une dernière tartine de terrine avant de quitter les lieux. Morozzi allait sans aucun doute lui aussi apprendre très vite la nouvelle. Ses alliés n'étant plus, mon ennemi juré n'aurait d'autre choix que d'avancer ses pions.

33

La résidence de Juan avait été rapidement encerclée par les hommes de César, après qu'il eut donné des instructions dans ce sens. Tous se tenaient dans la pénombre des immeubles voisins pour ne pas se faire voir, et tous étaient armés de pied en cap. Nous nous faufilâmes parmi eux, et fûmes salués par un jeune garde qui bondit au garde-à-vous dès qu'il vit César. En revanche, il me remarqua à peine – exactement ce que je souhaitais.

— Signore, fit-il. Aucune activité depuis que le duc de Gandie est revenu ici il y a à peu près une heure. Personne n'est entré, ni sorti.

César hocha la tête, tout en gardant les yeux sur la maison.

— Et sur le toit, rien n'a bougé ?

Je comprenais son raisonnement : quelqu'un aurait pu sentir la fumée ou apercevoir des flammes s'élever depuis le bâtiment adjacent à Sainte-Marie, et monter là-haut pour en avoir le cœur net. Encore maintenant, un voile de fumée flottait dans l'air. Pour une soirée de juin il était bien plus épais qu'en temps normal, ce qui indiquait sans conteste qu'un incendie conséquent s'était déclaré à proximité.

Mais le condottiere secoua la tête.

— Non, Signore. Rien du tout.

— Alors, on attend, en conclut César. Se tournant vers moi, il ajouta :

— Cela ne saurait être long.

Nous attendîmes toute la nuit. À chaque heure qui passait, César devenait davantage frustré et impatient. Par deux fois il me fit signe de le suivre, et nous allâmes discrètement vérifier la sortie du tunnel secret, près du fleuve. Les hommes qu'il avait postés là étaient visiblement sur le qui-vive. Ils lui jurèrent (et je les crus aisément) que le seul signe de vie dans les parages venait des rats, qui étaient sortis dès la nuit tombée et n'avaient ensuite cessé de faire des allers-retours entre le fleuve et les berges.

On nous certifia peu ou prou la même chose aux écuries, où les chevaux dormaient paisiblement sous l'œil vigilant des hommes d'armes, prêts à bondir si nécessaire.

Nous retournâmes donc à notre point de départ près de la maison, et l'attente continua. J'eus bientôt les jambes raides, et mal aux reins. Eussions-nous guetté une autre proie que Morozzi, j'aurais trouvé une excuse pour aller me coucher. Mais les circonstances étant ce qu'elles étaient, je m'assis par terre, m'adossai contre un mur et bientôt, somnolai.

L'aube approcha ; toujours aucun signe de Morozzi. César était hors de lui.

— Cela n'a pas de sens, enfin, fulmina-t-il. Il doit pourtant savoir qu'à chaque heure qui passe, il risque davantage d'être repéré. Et quand Giovanni Sforza arrivera ce sera pire, il y aura des condottieri dans tout Rome.

Je me relevai avec raideur, et m'époussetai comme je pus.

— Peut-être soupçonne-t-il qu'on le surveille. Pourquoi ne vas-tu pas tout bonnement le chercher à l'intérieur ?

À mon avis je connaissais la réponse à cette question, mais j'espérais quand même arriver à persuader César de le faire. En ce qui me concernait, c'était encore la solution la plus simple.

— Au cas où tu ne l'aurais pas remarqué, répliqua César, mon frère a ses propres gardes. Si je tente d'entrer sans sa permission, il y aura du grabuge, c'est certain. Morozzi pourrait profiter de la confusion pour s'enfuir.

Cela me paraissait peu probable – mais pas impossible, au vu de la fourberie du prêtre fou. Plus vraisemblablement, cette retenue (inhabituelle chez César) était liée au fait que son père le tiendrait certainement pour responsable si du sang était versé au détriment de Juan. Tout ce qu'il cherchait à faire, présentement, c'était de remonter dans l'estime de son père, de prouver qu'il était un homme d'action, capable de triompher d'un ennemi mortel, un vrai chef. Jamais il ne tenterait une manœuvre susceptible d'amener Borgia à croire qu'il avait uniquement agi dans le but de discréditer son frère.

Le mien était plus simple : je voulais voir Morozzi mort.

L'année précédente j'avais réussi à déjouer les plans du prêtre fou, mais à la toute dernière minute. Comme vous le savez déjà, je ne l'avais pas estimé à sa juste valeur ; et sans même m'en rendre compte, j'avais aussi fait certaines suppositions sur son compte qui s'étaient avérées totalement fausses. Je me demandais si je n'étais pas en train de recommencer, tout comme César.

Car enfin, un piège avait été tendu, avec comme appât rien de moins que le pape lui-même. Tout portait à croire qu'il aurait dû tomber dedans. Or il semblait se satisfaire d'attendre. Peut-être car il projetait de tuer Borgia pendant le mariage ? Mais cela voudrait dire agir en public, en présence de la garde pontificale *et* des gens d'armes de Sforza. Par ailleurs, avec le portrait que Nando avait fait de lui et qui circulait présentement parmi tous les condottieri, il n'aurait aucune chance de passer inaperçu.

Dans ce cas, à quoi pensait-il ? Comment comptait-il s'y prendre ?

Ce qui, en définitive, revenait à se demander : si j'étais lui, que ferais-je ?

Vous comprendrez que j'abhorrais l'idée de me mettre dans la peau d'un dément. Je ne supportais pas de songer que le mal qui l'habitait était peut-être analogue au mien. Et pourtant on ne pouvait nier que nous étions tous deux des assassins, poussés à agir par des forces malfaisantes qui dépassaient l'entendement pour d'autres – ceux suffisamment chanceux pour vivre dans la lumière.

Je me fis violence, mais en vain. Le plan de Morozzi continuait à m'échapper.

Le jour commençant à se lever, César n'eut d'autre choix que de redéployer ses hommes. Ils prirent prestement position alentour, en prenant garde de ne pas se faire voir. Bientôt, l'activité de la rue reprit ; les gens ne parurent rien remarquer d'inhabituel, cependant. Cela me remonta quelque peu le moral, mais mon esprit bouillonnait toujours autant pour essayer de deviner ce que Morozzi mijotait.

Mal rasé, les yeux rouges, et bien trop nerveux pour rester là à ne rien faire une minute de plus, César retourna chez lui, un page de la maison d'Amico dans son sillage. Une fois-là il prit un bain rapide, revêtit des habits propres et mangea debout, sans même savoir ce qu'il fourrait dans sa bouche, à ce que j'en vis. Quant à moi, je me contentai d'une tisane fortifiante et d'un pichet d'eau froide, avec l'aide duquel je m'aspergeai le visage.

— Je sors, annonçai-je une fois prête.

— Où t'en vas-tu ? exigea de savoir César.

— Je veux jeter un œil à la pension. Les hommes qui sont morts dans l'incendie faisaient partie de la Fraternité.

— Je m'en doutais.

— Ils sont notre seul lien avec Morozzi. Peut-être auront-ils laissé un indice qui nous permettra de comprendre ce qu'il trame.

Nous nous y rendîmes tous deux, César quelque peu à contrecœur mais prêt à tout pour découvrir quelque chose, n'importe quoi qui puisse nous être utile. La place devant la basilique Sainte-Marie était moins animée qu'à l'ordinaire. Souvenez-vous, l'incendie de la pension venait s'ajouter à la mort sur le bûcher quelques jours plus tôt de la jeune blonde : les gens préféraient se tenir à l'écart. Seules quelques femmes tiraient de l'eau à la fontaine, faisant aussi vite qu'elles le pouvaient et détalant à toute allure, sans même voir qu'elles répandaient de l'eau un peu partout.

Le vent était retombé, ce qui voulait dire que l'odeur de

bois calciné était encore très prégnante. César et moi nous approchâmes prudemment. J'imagine qu'il fut aussi choqué que moi en voyant ce qu'il restait des lieux. Heureusement les immeubles adjacents étaient en pierre avec des toits de tuiles, et le feu ne s'y était pas propagé. La pension, en revanche, avait été réduite en cendres. À la place il n'y avait plus qu'un trou béant, le toit puis le plancher du dessous s'étant écrasés sur le rez-de-chaussée. Des poutres noircies gisaient un peu partout, certaines en tas, d'autres appuyées contre la pierre roussie.

J'enjambai l'encadrement de la porte avec précaution, et fis un rapide tour d'horizon. Aucune trace nulle part des restes des victimes : le feu avait été si virulent que les os avaient dû être réduits en poudre. Il se pourrait fort bien, songeai-je, que le sort des « marchands florentins » ne soit jamais précisément connu.

— Qu'est-ce qui a pu provoquer un tel effet ? demanda César.

Je me relevai et secouai lentement la tête.

— Je ne sais pas. Je n'ai jamais rien vu de tel.

La fontaine était à moins de quinze mètres de la bâtisse ; il semblait donc logique que l'on ait sérieusement tenté d'éteindre l'incendie. Et pourtant, il avait fait rage si violemment que même la pierre des murs extérieurs paraissait en danger de s'écrouler.

— Il va falloir tout démolir, constata César.

J'acquiesçai d'un signe de tête. Les ravages provoqués par le feu étaient un mystère qui me semblait insoluble, et pourtant je ne pouvais me résoudre à m'en aller. Je fis un tour complet sur moi-même en observant bien mon environnement, pour essayer de comprendre. Où le feu avait-il pris ? À quelle vitesse s'était-il propagé ? Personne n'avait réussi à s'enfuir, d'après les témoins, ce qui voulait dire que tout était allé très vite ; mais même ainsi, cela n'expliquait pas ce que je voyais autour de moi.

Je me baissai et passai un doigt hésitant sur la surface brûlée d'une poutre tombée au sol. Le bois se désintégra à mon contact. Une odeur forte d'humidité s'en éleva – celle du feu que l'on avait tenté d'éteindre avec de l'eau, mais je décelai autre chose en note de fond.

J'inhalai profondément l'odeur restée sur mes doigts.

— Que fais-tu ? me demanda César.

Je ne lui répondis pas tout de suite, occupée comme je l'étais à expirer lentement, puis à inspirer de nouveau. Du bois brûlé, d'accord, et moins familière, ce qui devait être de la pierre brûlée. Mais en dessous de tout cela… Qu'était-ce donc ?

— J'essaie de déterminer ce qui est arrivé ici, répliquai-je finalement. Il y a quelque chose…

Je me relevai, m'essuyai les mains et m'enfonçai un peu plus avant dans les ruines calcinées. César me suivit.

— Prends garde à toi, s'exclama-t-il. Le plancher pourrait céder.

Jusque-là il avait résisté pour la simple et bonne raison qu'il était en ardoise, mais César n'avait pas tort. Si les poutres du dessous avaient été affectées dans l'incendie, elles pouvaient craquer à tout moment. D'ailleurs en y regardant de plus près, je vis un grand trou noir dans l'un des coins de la bâtisse.

Je m'approchai avec moult précautions et me penchai vers l'obscurité, tentant de distinguer quelque chose.

— Il s'est passé quelque chose ici, fis-je.

César me rejoignit et regarda à son tour dans le trou béant.

— Le plancher s'est effondré.

Cela semblait logique, mais en observant la façon dont les morceaux d'ardoise étaient disséminés tout autour du trou, j'eus un temps d'arrêt. Cette odeur, encore cette odeur.

— Nous devons partir, à présent, m'annonça César. Le fiancé de Lucrèce est censé arriver à midi, et je dois être sur place pour l'accueillir.

Pour sûr Borgia avait même dû lui ordonner d'être présent, et de se tenir tranquille, en plus. Je lui fis un sourire qui se voulait compatissant.

— Pars devant. Je reste encore un peu.

Il accepta à contrecœur, vu qu'il n'avait pas le choix. Il devait certainement craindre pour sa survie s'il arrivait en retard – comme je le comprenais.

Lorsque je fus de nouveau seule, je pris mon temps pour examiner les ruines le plus méthodiquement possible. Ce que je vis me laissa vraiment perplexe. Pour autant que je le sache l'incendie avait commencé près des fenêtres avant et arrière, ce qui était plausible car Alfonso et ses complices avaient parfaitement pu se séparer pour lancer simultanément le produit inflammable. Toutefois cela n'expliquait pas le trou dans le sol, et encore moins la tache de fumée qui noircissait le mur derrière.

Ni le fait que les bouts d'ardoise gisaient à quelques mètres du trou comme si elles avaient été soufflées, plutôt que de simplement tomber à l'étage du dessous.

— Qu'a-t-il bien pu se passer ici ? murmurai-je.

J'entendis alors au loin la sonnerie des trompettes annonçant l'entrée de Giovanni Sforza dans la ville de Rome. Lucrèce ne devait plus tenir en place. Je l'imaginai à la fenêtre du palazzo Santa Maria in Portico, tendant le cou pour essayer d'apercevoir son fiancé. Se révélerait-il être tout ce dont elle avait rêvé ? Mais comment un seul homme saurait-il jamais exaucer tous les désirs d'une femme ?

Qu'était-ce donc que je sentais ?

Je me remis à genoux et plongeai les deux mains dans les débris au sol, avant de les porter à hauteur de mon visage et d'inspirer. Je regrettai aussitôt ce geste impulsif, car je fus prise d'une quinte de toux. Pourtant, il y avait bien quelque chose…

Les canons grondèrent en l'honneur de l'héritier de la famille Sforza. Non loin de moi des pigeons s'envolèrent à la hâte, et j'en perdis mon équilibre. Je tombai alors sur le plancher d'ardoise et le sentis craquer sous moi. Me remettant tant bien que mal debout, je me dépêchai de quitter les lieux. Une fois en sécurité devant la bâtisse, je l'observai une dernière fois. Elle ne me révéla rien de plus que ce que j'avais déjà deviné : l'incendie avait été terrible et étonnamment rapide, ce qui ramenait à néant la probabilité que quiconque ait pu en réchapper. Mais cela n'expliquait pas tout.

Bon sang, quelle était cette odeur ?

Je fermai les yeux, et approchai lentement mes doigts du nez. Ce faisant, je me demandai bien pourquoi je perdais ainsi mon temps. Morozzi n'était pas sorti de la maison de Juan comme nous l'avions escompté. Par conséquent c'est qu'il n'y avait jamais été pour commencer, malgré ce que César pensait, ou bien…

Avait-il trop peur pour sortir ?

Cela ne concordait pas vraiment avec ce que je savais du prêtre fou. C'était un vrai fanatique, convaincu que Dieu Tout-Puissant était à ses côtés. J'aurais pu l'affubler de quantité de qualificatifs, mais celui de pleutre ne lui convenait guère.

Dans ce cas, s'il n'avait tout simplement pas *besoin* de sortir ?

Mais comment serait-ce possible ? Comment pouvait-il rester en sécurité dans la maison de Juan et réussir tout de même à tuer Borgia ?

Un poison. Dans de la nourriture, ou une boisson, quelque chose en tout cas dont le pape serait amené à se servir durant la cérémonie nuptiale. Mais j'avais tout vérifié, et revérifié encore. Pas une meule de fromage, pas un fût de vin, pas un poulet, cochon, navet, brocoli, n'avait échappé à ma vigilance – dont j'avais redoublé après l'attaque contre Lucrèce, en plus. J'avais forcément dû rater quelque chose. Mais quoi ?

La panique s'empara de moi mais très vite, Dieu merci, je me raisonnai, en me répétant sévèrement que Morozzi n'était pas un empoisonneur, même s'il aspirait à devenir alchimiste. Il n'avait aucune véritable connaissance des différentes substances mortelles et de la meilleure façon de les combiner. Certes il aurait pu s'instruire auprès d'un confrère florentin, mais jamais il n'aurait réussi à maîtriser l'art de l'empoisonneur en si peu de temps.

Aurais-je oublié quelque chose, dans ce cas ? Ma première

réaction était de dire que non, surtout après ce que Lucrèce…

Après l'attaque ratée contre Lucrèce, je m'étais tenue deux fois plus sur mes gardes. L'étrange épisode des savons, que l'on avait contaminés mais qui n'auraient jamais pu tuer, m'avait plus que jamais convaincue que Morozzi allait tenter d'empoisonner Borgia.

Et si tout cela n'avait été qu'une diversion ? Un moyen de me faire regarder là où cela arrangeait le prêtre fou, pour pouvoir agir à sa guise ?

Pour l'amour du ciel, mais quelle était cette odeur ?

De nouveau, je fermai les yeux. De nouveau j'inspirai, et enfin je sentis, sous la fumée et le bois, sous le feu et la pierre… l'odeur sèche, âcre mais ô combien caractéristique du… soufre ?

L'un des trois principes actifs en alchimie avec le sel et le mercure, qui se caractérise par sa capacité à condenser la matière du feu. Je l'avais déjà manipulé dans un certain nombre d'expériences, et je connaissais les propriétés de cet élément.

Y aurait-il eu des alchimistes dans les rangs d'Il Frateschi ? La sainte Église s'oppose à nos activités, ne sachant si nous cherchons à sonder les mystères du divin ou bien à vénérer le diable. Ce qui est certain, c'est qu'elle n'encourage pas notre curiosité.

Mais y avait-il une autre explication à la présence de soufre dans les ruines de la pension ?

Au loin j'entendis une clameur et compris que Sforza était en chemin vers la basilique Saint-Pierre, où il était prévu qu'une messe l'accueille officiellement à Rome – et dans La Famiglia. C'est Borgia qui allait la célébrer avec César et Juan à ses côtés bien sûr, et le plus jeune, Jofre, serait certainement là aussi. Finalement, seule la première intéressée serait absente.

À l'évidence, la basilique serait pleine à craquer de princes de l'Église – du moins ceux qui restaient alliés à Borgia ; de riches nobles et de négociants ; d'ambassadeurs étrangers, et aussi…

Du soufre !

Peut-être le criai-je ; je ne saurais le dire avec certitude. Ce que je sais, c'est que je tournai les talons et me mis à courir aussi vite que je le pus, à travers la place, dans les rues (où des passants surpris s'ôtèrent d'un bond de mon chemin), sur le pont Sisto, et enfin sur la place devant Saint-Pierre. Devant moi se dressait l'endroit sur terre où je redoutais le plus d'entrer. Un garde tenta bien de me stopper mais je passai comme une flèche devant lui et continuai ma course, la respiration haletante, le cœur battant si fort que je crus bien le sentir exploser dans ma poitrine, en haut des marches de la basilique pleine d'invités, devant les bannières des grandes maisons Sforza et Borgia, pour enfin arriver dans la très ancienne nef.

Là où la messe venait de commencer.

34

Confiteor Deo omnipoténti… Je confesse au Dieu Tout-Puissant…

Dès que je fis mon entrée dans la basilique, le terrifiant souvenir de ce qu'il s'y était passé l'année précédente me submergea. Dans le même temps je m'armai de courage pour le châtiment divin qui n'allait certainement pas manquer de tomber sur moi, j'en avais bien peur ; car comment une créature des ténèbres oserait-elle entrer dans un lieu aussi sacré sans en payer le prix ? Seule la conviction que j'étais venue ici pour faire le bien (assurément, Dieu prendrait cet élément en compte dans Son jugement ?) réussit à me faire avancer. Cela et le fait que sincèrement, je ne voyais aucune autre alternative.

Ainsi je rassemblai mes forces, et me précipitai vers mon destin. Deux gardes postés non loin de l'entrée de la nef s'élancèrent pour m'arrêter. Ils étaient gros et empruntés dans leur armure, alors que de mon côté le sentiment de pure terreur qui m'accablait l'instant d'avant me donnait à présent des ailes. Je plongeai sous leurs bras tendus pour me barrer le passage, et continuai ma course folle.

… *beátæ Maríæ semper Vírgini*… à la bienheureuse Marie toujours vierge…

L'église embaumait l'encens. À l'autre bout de la nef j'aperçus Borgia, tout de rouge vêtu, qui se tenait devant l'autel et avait levé les bras pour réciter la sainte liturgie.

… *beáto Michaéli Archángelo*… à saint Michel Archange…

Plusieurs des nobles invités (pas trop nobles, tout de même, car ils avaient été placés vers l'arrière) remarquèrent ma présence. Une légère commotion s'ensuivit alors, car ils n'arrivaient pas à décider s'ils devaient tenter de m'arrêter ou faire comme si de rien n'était.

… *beáto Ioanni Baptístæ*… à saint Jean-Baptiste…

Sans me soucier d'eux je fonçai vers une allée au hasard, et me retrouvai non loin du pilier derrière lequel était dissimulé l'escalier qui menait au grenier. Celui-ci s'étendait sur toute la surface de la basilique, au-dessus du plafond décoré. J'avais bien failli y mourir l'année précédente, mais s'il plaisait à Dieu ces souvenirs-là allaient rester bien enfouis.

… *sanctis Apóstolis Petro et Paulo*… aux saints apôtres Pierre et Paul…

Soudain un homme surgit pour m'intercepter ; d'abord sévère, son visage fut rapidement en proie à la plus grande confusion.

Vittoro !

… *ómnibus Sanctis, et tibi, Pater*… à tous les saints et à vous, mon Père…

— Francesca ?

… *quia peccávi nimis cogitatióne, verbo et ópere*… que j'ai beaucoup péché, par pensées, par paroles et par actions…

Je le vis tiraillé entre le saisissement et la joie soudaine de découvrir que finalement, j'étais bien vivante. Qu'il puisse ainsi se réjouir pour moi, sans même se sentir trahi, m'alla droit au cœur. Pour sûr, je ne méritais pas d'aussi généreux amis.

… *mea culpa, mea culpa, mea máxima culpa*. C'est ma faute, ma faute, ma très grande faute.

— Aide-moi, l'implorai-je. Quelque chose de terrible est sur le point d'arriver !

À ce jour, je ne m'explique pas comment ce brave homme parvint à réagir aussi promptement. En une seconde il évalua la situation, l'accepta pour ce qu'elle était (malgré son caractère éminemment bizarre) et prit sa décision. Les explications pouvaient attendre ; il fallait agir, et *maintenant*.

— De quoi as-tu besoin ? s'exclama-t-il en me prenant par le bras, pour m'attirer au plus vite à l'écart.

Sans songer même une seconde à reprendre mon souffle, je haletai :

— Je pense que Morozzi a placé de la poudre à canon quelque part dans la basilique.

Peut-être savez-vous que le soufre est l'un des composants de la poudre à canon avec le charbon de bois et le salpêtre, auquel cas vous ne serez pas surpris que j'en sois arrivée à cette conclusion. Il s'avère que je les avais déjà tous trois manipulés (en très petites quantités), lors de quelques expériences. Mais plus important, je savais ce que pouvait provoquer la poudre à canon utilisée à grande échelle. Elle avait en effet grandement contribué à faire tomber les murailles de Constantinople, il y avait à peine quelques décennies de cela, alors que pendant des siècles la cité était restée imprenable. La présence d'une telle substance dans la pension était l'explication la plus plausible des énormes dégâts causés dans l'incendie.

Et sa présence à l'intérieur de la basilique, si mon raisonnement était le bon, m'évoquait des visions de cauchemar apocalyptique au cœur même de la chrétienté.

Sans oublier la destruction presque totale de La Famiglia.

Savonarole se ferait porter sur le trône de Saint-Pierre par l'impérieuse conviction populaire que Dieu Lui-même avait frappé Ses princes corrompus en leur palais dans le but de faire place au purificateur de la sainte Église. Et alors là, vraiment, nous pourrions prier pour que le ciel nous vienne en aide.

— Où aurait-il pu la cacher ? s'écria Vittoro.

Je secouai la tête au bord du désespoir, car je n'en avais véritablement aucune idée. La basilique était immense et regorgeait de cryptes, sans parler du grenier abandonné au-dessus de nos têtes. La poudre aurait pu être dissimulée n'importe où.

— Je monte. Envoie des hommes dans les cryptes, mais pour l'amour du ciel, fais vite !

Aussitôt je me tournai vers l'escalier menant au grenier, et entrepris de monter les marches quatre à quatre. Malheureusement, ce qui m'attendait n'était pas un vaste espace ouvert dans lequel j'aurais pu avoir la chance de repérer promptement ce que je cherchais ; l'immense surface sous le toit vétuste était en effet un labyrinthe de niches et de recoins alternant avec de longues allées.

En arrivant là, d'atroces images me revinrent soudain en mémoire – un dément prêt à tout pour commettre son crime rituel, un enfant sur le point de connaître un sort abominable, et moi-même qui avais plongé vers une mort certaine, pour être sauvée à la dernière seconde seulement par un caprice du destin. Je me ressaisis rapidement mais avec la plus grande difficulté, je le confesse.

À une époque lointaine, ce grenier avait servi de débarras. Mais le temps et la négligence des hommes avaient fait leur œuvre, fatalement. Le bâtiment érigé quelque mille ans plus tôt par le grand Constantin était à présent dans un tel état de délabrement que la majeure partie du plancher, à ce niveau, était bien trop instable pour supporter quoi que ce soit de lourd.

Ce qui soulevait nécessairement la question de l'endroit où Morozzi avait bien pu placer des barils de poudre à canon, dans un édifice si tristement renommé pour son sol branlant et son toit fuyant.

Cette dernière pensée, si banale qu'elle puisse paraître, me fit l'effet d'une inspiration presque divine. Si mon raisonnement était juste, la poudre avait pu être placée là il y avait des semaines de cela, avant même l'arrivée de Morozzi à Rome, par des complices présents sur place – à l'évidence, en tout cas, *avant* le renforcement de la sécurité aux alentours du Vatican que j'avais moi-même demandé en apprenant son retour. Dans cet intervalle de temps il avait plu à plusieurs reprises, et dès lors la poudre aurait probablement été trop humide pour s'enflammer.

À moins qu'elle ne soit bien protégée. J'arrêtai aussitôt de rechercher les rondeurs caractéristiques de barils pour tenter de repérer dans la faible lumière une sorte de tas qui serait recouvert d'une toile quelconque.

J'étais en train de me diriger vers le fond du grenier, qui donnait quasiment au-dessus du maître-autel, lorsque j'eus le pied un peu lourd et faillis passer à travers une planche complètement moisie. Je chancelai, et parvins de justesse à me rattraper sans tomber. Ce faisant je crus entendre un sifflement, faible mais insistant.

Comme la plupart des gens j'associais ce son un peu particulier aux serpents, mais à Saint-Pierre ? Les lieux regorgeaient de rats, suffisamment pour occuper une équipe de chasseurs à plein temps, mais je n'avais jamais entendu parler d'un seul serpent qui aurait osé pénétrer le lieu saint. À l'exception, me direz-vous, des vipères appartenant au genre humain ; ce que je vous concéderais volontiers, car effectivement elles étaient légion.

Dans ce cas, qu'est-ce qui provoquait ce sifflement ? De la vapeur s'échappant par un tuyau étroit, par exemple. J'avais déjà entendu un bruit en tous points similaires lors de mes expériences d'alchimie. Mais celui-ci était différent : on entendait comme un crépitement, en même temps.

À l'évidence César aurait reconnu ce bruit sur-le-champ, en bon guerrier qu'il était ; tandis que moi, je perdis quelques précieuses minutes à comprendre.

Je n'avais jamais eu l'occasion de manipuler une amorce, mais j'en avais déjà entendu parler et je savais comment cela fonctionnait. Il suffisait d'allumer une mèche de chanvre imbibée de salpêtre mais très peu (de manière à contrôler la vitesse à laquelle elle allait se consumer), pour actionner les mousquets, espingoles et autres arquebuses dont on dit qu'ils finiront par changer radicalement l'art de la guerre. Ce dispositif était également utilisé pour provoquer des explosions contrôlées dans l'édification de bâtiments, de barrages et même dans les mines, bien que cela soit considéré comme extrêmement dangereux, avais-je lu quelque part.

Bien entendu, c'était aussi le moyen parfait pour enflammer des barils de poudre.

J'arrêtai de respirer. Si j'avais pu faire cesser les battements de mon cœur, je n'aurais pas hésité. De toutes mes forces, je tendis l'oreille pour essayer d'identifier d'où venait le son. Lentement, en priant pour avoir raison, je le suivis.

Le sifflement s'amplifia. Un peu plus loin, j'aperçus vaguement une étincelle qui s'éloignait de moi à grande vitesse. Vite je me précipitai vers elle, en préférant ne pas songer au plancher qui pouvait céder à tout moment. Dans la faible lumière qui filtrait par les trous dans le toit, je vis alors un œil rouge qui me fixait sans ciller.

Et juste derrière, sous une toile, ce qui ne pouvait être qu'une énorme quantité de poudre à canon. Assez, dans tous les cas, pour faire s'effondrer le plafond de la basilique et plusieurs piliers sur les invités sans méfiance en dessous. Un pape, des cardinaux, des princes, des ambassadeurs, les frères Borgia… Tous mourraient, et avec eux l'espoir de triompher du fanatisme de Savonarole.

Par la grâce de Dieu je m'élançai dans l'air saturé de poussière vers cet œil de serpent incandescent, bras tendus et mains ouvertes. Juste au moment où elle allait disparaître sous la toile, je m'emparai de la mèche et tirai de toutes mes forces.

Elle céda si brutalement que j'en tombai en arrière. La mèche continuait de se consumer, et elle me brûla la main. Je criai, me levai d'un bond et la jetai sur le plancher où je l'écrasai des deux pieds, jusqu'à ce qu'enfin l'œil rouge se ferme pour de bon et que le seul sifflement audible, dans ce firmament de la sainte Église, soit celui de mes poumons martyrisés.

Gloria in excelsis Deo. Gloire à Dieu, au plus haut des cieux.

Après cela je dus m'écrouler par terre, car quelques instants après je sentis César qui me relevait de sa poigne ferme. Chose improbable et absurde, j'étais vivante. *Nous* étions vivants.

— Que se passe-t-il ici, pour l'amour du ciel ? cria-t-il. Vittoro m'a parlé de…

— Soulève la toile, le pressai-je.

M'étreignant toujours, il s'exécuta. En voyant ce qu'il y avait dessous nous en suffoquâmes tous deux. Plus d'une douzaine de barils de poudre se trouvaient là, suffisamment petits pour être dissimulés sous une cape et transportés par un seul homme, mais contenant une quantité sans nul doute mortelle de charge explosive ; on les avait entassés contre l'un des piliers de soutènement du toit, et par extension de toute la partie droite de la basilique. S'ils avaient sauté, tout ce côté de l'édifice se serait effondré et il aurait probablement fini par emporter le reste, au vu du piètre état dans lequel tout cela était. Les victimes se seraient comptées par centaines ; il est probable même que personne n'en aurait réchappé. Sans même songer au coup porté à la chrétienté sur le plan symbolique : il aurait été sans commune mesure.

— Mais comment as-tu… ? murmura César.

— L'odeur, à la pension. Cela m'a pris du temps, mais j'ai fini par comprendre que c'était du soufre. À mon avis il devait y avoir encore une certaine quantité de poudre entreposée là-bas, qui a explosé lorsque le bâtiment s'est embrasé. Peut-être Il Frateschi projetait-il de commettre d'autres attentats en ville, après la destruction de la basilique. Cela aurait provoqué un véritable chaos, et il est probable que le Sacré Collège aurait accepté le premier pape venu – en tout cas quiconque se prétendant capable d'y mettre un terme.

César confirma mes propos d'un lent signe de tête. Il relâcha son étreinte, sans pouvoir détacher ses yeux des barils.

— As-tu vu qui avait allumé la mèche ?

Je secouai la tête. Ce détail me laissait encore perplexe.

— Pour autant que je le sache il n'y avait personne dans le grenier, quand je suis montée.

Il était toujours possible que quelqu'un ait pris la fuite par un autre escalier que celui par lequel j'étais arrivée, mais cela voulait dire qu'il aurait dû traverser tout cet espace à découvert, et au pas de course encore, au vu du peu de temps qu'il restait avant l'explosion.

— Vittoro est sur le point d'interrompre la messe et d'ordonner l'évacuation immédiate des lieux, m'informa alors César. Il faut l'avertir.

Nous redescendîmes alors rapidement à l'étage d'en dessous par un escalier en colimaçon. Je restai en retrait pour ne pas me faire voir et César alla annoncer à Vittoro que le pire avait été évité. Lorsqu'ils revinrent ensemble, mon vieil ami m'examina un moment de près.

— Ton séjour dans l'autre monde ne semble pas t'avoir affectée outre mesure, à ce que je vois.

— Je suis désolée…, commençai-je, mais il balaya mon début d'excuses d'un grand geste de la main.

— Plus tard, Francesca. Si ce que le Signore César vient de me dire est vrai, tu mérites amplement d'être pardonnée.

Je me sentis très humble en voyant la compréhension dont il faisait preuve à mon égard, même si je n'étais pas autant convaincue que lui que cela suffirait à m'absoudre. Une fois de plus j'avais entraîné mes amis dans ma quête de vengeance, et leur avais certainement causé beaucoup d'angoisse et de tristesse. Qui pouvait dire ce que je leur ferais subir la prochaine fois ?

À moins d'arriver à y mettre un terme, ici et maintenant.

— Morozzi, fis-je dans un souffle, et César hocha la tête. Nous laissâmes à Vittoro le soin de répondre aux inévitables questions dont le pape et les notables les plus perspicaces allaient sous peu l'assaillir, et nous précipitâmes dans l'une des allées latérales. À peines avions-nous parcouru quelques mètres que je m'arrêtai brusquement.

Devant nous se dressait la grande clepsydre que l'on avait érigée à l'écart de la grande nef peu après la construction de la basilique, et qui depuis n'avait jamais cessé de mesurer le passage des heures canoniques, des laudes aux vêpres, et à chaque nouvel office de la journée. Cette clepsydre était une merveille de technique, qui devait mesurer près d'un mètre et consistait en deux réservoirs de pierre sculptée, l'un situé au-dessus de l'autre. Une petite ouverture dans le réservoir du haut permettait à une quantité précise d'eau de s'écouler dans celui du bas. Ainsi, quand le niveau de l'un s'élevait, celui de l'autre baissait, ce qui avait pour effet d'actionner des cylindres affichant le jour, le mois, la phase de la lune et le signe astrologique actuels. De l'avis général la clepsydre est un vestige du paganisme, puisque tout le monde sait que dans l'Antiquité ce type de mécanisme jouait un rôle précis dans la pratique du culte ; ce qui fait que de nos jours, plus personne n'en fait grand cas. Moi-même j'étais passée devant un nombre incalculable de fois, mais dans mes jeunes années j'avais dû tout de même la trouver digne d'intérêt, car j'étais allée jusqu'à demander à mon père de m'en expliquer le fonctionnement. Toutefois, une fois ma curiosité satisfaite, je ne m'en étais plus guère préoccupée – si ce n'est pour me demander de temps à autre quelles autres merveilles étaient parvenues jusqu'à nous sans que nous ayons l'intelligence de les voir.

Cela faisait quelques minutes déjà que je me demandais comment il était possible que je ne sois pas tombée sur Morozzi ou un de ses alliés dans le grenier. Car assurément quelqu'un avait bien allumé la mèche ? Et voilà à présent qu'une nouvelle possibilité, en apparence absurde, semblait vouloir s'imposer à moi. Scrutant la clepsydre dans ses moindres détails, je repérai un élément qui n'aurait pas dû se trouver là : un trou, petit mais bien visible.

— Aide-moi à monter, lançai-je à César.

Il fronça les sourcils, mais s'exécuta. Mon examen approfondi vint prestement confirmer qu'un trou avait été fait quelques centimètres seulement au-dessus du réservoir du bas, de taille à peine plus large que la mèche que j'avais éteinte dans le grenier. Pour quelqu'un de bien préparé, et au vu de la décrépitude des lieux, il semblait tout à fait possible d'avoir fait passer la mèche à l'intérieur du pilier, pour la faire ressortir par le plancher branlant du grenier. Mais dans quel but ?

M'agrippant au rebord du réservoir, je jetai un œil à l'intérieur.

Ce que j'y vis me donna un choc. M'adossant au pilier pour ne pas tomber, je plongeai deux mains dans le réservoir. Sous l'œil interloqué de César, j'en ressortis un récipient long et peu profond contenant encore une certaine quantité d'huile, au centre duquel flottait l'extrémité d'une mèche à combustion lente.

— Par le diable, mais qu'est-ce que c'est que ça ? s'écria-t-il lorsqu'il m'eut ramenée sur la terre ferme. Ensemble, nous examinâmes ma trouvaille.

— C'est ce qui explique comment Morozzi a fait pour allumer la mèche, lui annonçai-je. La clepsydre fonctionne selon un cycle de sept jours, durant lequel toute l'eau s'écoule du premier réservoir dans le second. Si tu regardes bien, en ce moment même, nous en sommes au point où le réservoir du bas est quasiment plein. À un moment donné ces jours derniers, lui ou l'un de ses complices a mis ce récipient à flotter dans le réservoir, en prenant garde que la mèche soit suffisamment longue pour continuer à brûler tout le temps où le réservoir se remplirait. À force de s'élever, le niveau de l'eau a fini par mettre en contact la mèche du récipient et celle de l'amorce, qui avait été au préalable raccordée depuis le grenier jusqu'ici… (Je pointai du doigt le petit trou.) En s'y prenant à l'avance, il était possible de calculer exactement à quelle vitesse le réservoir allait se remplir. Une fois cela fait, il ne restait plus à Morozzi qu'à choisir précisément le moment où il souhaitait voir la mèche s'enflammer.

— Pendant la messe, en conclut César.

Son visage s'était assombri, mais je voyais bien que malgré lui il était aussi fasciné que moi.

— C'est ingénieux, fit-il dans un souffle.

Il n'est guère plaisant de songer que l'intelligence supérieure se met parfois au service du mal absolu, et pourtant j'ai dans l'idée que cela arrive bien plus souvent qu'on ne le croie.

— Très ingénieux, renchéris-je, avant de ressentir le désespoir pointer, en prenant conscience de ce que ma découverte signifiait.

35

Morozzi était bel et bien parti de Rome, comme s'il n'avait jamais été là. Plus tard, nous fûmes en mesure de confirmer que le prêtre fou avait été vu quittant la ville par la porte Septimienne, qui menait ensuite vers le nord en suivant la via Cassia, donc vers Florence – et quantité d'autres villes et ports, au demeurant. Cette information nous parvint de toute façon trop tard pour que cela ait la moindre importance.

Restait à déterminer s'il était responsable des autres attaques contre Borgia. Il aurait manifestement pu se servir de la Fraternité à cette fin mais, même si je répugnais à l'admettre, d'autres que lui pouvaient avoir joué un rôle dans cette affaire : les Espagnols, la famille Sforza, les Français, della Rovere… Vraiment, mon maître avait tant d'ennemis que c'en était gênant. Quelle chance de pouvoir compter sur sa famille, pour un homme dans sa situation – ou pas, selon le point de vue duquel on se plaçait.

La première réaction de Juan lorsque César le mit devant le fait accompli fut de se braquer, puis de tout nier en bloc, et enfin de se draper dans sa dignité.

— Comment oses-tu mettre ma loyauté en doute ? fulmina-t-il. Je sers notre père bien plus fidèlement que tu ne l'as jamais fait ! Tu lui ferais faire tout le temps la guerre, alors que tout ce que je souhaite moi, c'est la paix.

— Quel genre de paix exactement, dis-moi ? rétorqua César d'un ton non moins véhément. Nous nous trouvions dans l'une des nombreuses antichambres du palais du Vatican, où César avait réussi à acculer son frère entre la fin de la messe et le début des festivités en l'honneur du futur marié. Je faisais de mon mieux pour me fondre dans le décor, comme tout bon domestique doit savoir le faire. Mais je me fatiguais peut-être pour rien, car je doutais que Juan soit assez perspicace pour me reconnaître, ainsi accoutrée. Une femme osant s'habiller comme un homme ? Cela devait tout bonnement le dépasser.

D'autre part, tout le monde savait que la *strega* était morte.

— Une paix qui verrait Saint-Pierre en ruine et nous tous ensevelis dessous ? continua César. C'est ce genre de paix dont tu parles ? Figure-toi que l'homme que tu as protégé avait l'intention d'accomplir exactement cela. Mais enfin, comment as-tu pu faire alliance avec lui ? *Comment ?*

— Tu mens ! Il n'a jamais souhaité pareille chose. Le père Morozzi est un émissaire du cardinal della Rovere venu apporter des messages d'amitié et de paix. Tout ce qu'il voulait, c'était convaincre notre père qu'ils n'avaient pas besoin d'être ennemis, ni de se faire la guerre ! Et tu as ruiné tout espoir d'y parvenir. Il m'avait bien dit que tu avais peut-être infiltré un espion dans ma maison, mais je n'ai pas voulu le croire. Quand il a compris qu'on l'avait repéré, il n'a eu d'autre choix que de partir, sans quoi il risquait de périr par ton épée.

— Bougre d'imbécile ! rugit César. Mais bon Dieu, comment arrives-tu même à survivre en étant aussi bête ? Il est parti parce qu'il avait accompli ce qu'il était venu faire ; du moins le pensait-il. Que crois-tu, que ce sont des anges qui ont mis les barils de poudre dans la basilique et se sont arrangés pour qu'ils explosent tous pendant la messe ?

— Bien sûr que non, répliqua Juan en regardant son frère d'un air renfrogné. Si ce que tu dis est vrai, c'est certainement la sorcière qui l'a fait, peut-être même avec ton aide. Dieu merci, elle est allée rejoindre l'autre monde.

— Ça va lui faire un choc terrible d'apprendre que je suis encore en vie, lançai-je quand César eut quitté la pièce comme un ouragan, avec moi sur ses talons. Plus tard, il me faudrait faire le deuil des sentiments que m'inspirait la fuite de Morozzi – une fois de plus. Mais en cet instant précis j'aspirais surtout à calmer César : après tout, j'allais avoir besoin de son aide lorsque l'heure de l'entrevue avec son père sonnerait.

Borgia avait en effet été informé de mon stratagème. Vittoro n'avait eu d'autre choix que de le mettre au courant, ce qui m'arrangeait à vrai dire, car ainsi il aurait eu tout le temps de rager et de tempêter en mon absence. Du moins l'espérais-je. Il ne me tardait pas précisément de le constater par moi-même, à vrai dire.

Toutefois, plus l'heure avançait et plus ma détermination s'affirmait. Je me disais que je m'étais tout de même donné beaucoup de mal pour sauver le pape, sans parler du fait que j'avais risqué ma propre vie. D'accord, il croirait très certainement que ma véritable motivation dans tout cela avait été de tuer Morozzi, mais au final cela revenait au même : Borgia était vivant, et avec lui tous les grands projets qu'il avait pour La Famiglia. Cela devait bien compter pour quelque chose, non ?

— Vas-tu lui dire ce que tu sais sur Juan ? m'enquis-je en suivant César dans le grand escalier de marbre menant au bureau papal.

— À quoi bon ? répliqua-t-il sans se retourner. Jamais il ne me croira. Il pensera juste que j'agis par jalousie. Ce que j'ai de mieux à faire maintenant, c'est de m'assurer qu'il ne rejette pas la faute sur toi.

J'étais partagée à l'idée que César livre bataille pour moi – je reconnaissais volontiers que son aide me serait précieuse, mais mon maudit caractère de femme indépendante s'y opposait. Quand bien même, mieux valait ne pas lui répondre, tant que je n'avais pas décidé du meilleur moyen de me tirer de ce mauvais pas.

Borgia n'était pas seul ; plusieurs de ses secrétaires étaient présents, ainsi que Renaldo, qui passait en revue avec lui la liste des événements prévus pour le reste de la journée. Lorsque l'intendant me vit il se fendit d'un grand sourire, au point que je craignis pour sa mâchoire. Il semblait animé d'un tel sentiment de bonheur sans mélange à me retrouver en vie que je ne pus m'empêcher de penser qu'il avait peut-être misé un peu d'argent là-dessus. À sa place j'aurais certainement fait de même, car à l'évidence la cote en faveur de ma « résurrection » aurait été extrêmement avantageuse.

Je lui fis un bref salut de la tête, puis tournai toute mon attention vers Borgia. Sa Sainteté, elle, n'avait pas du tout l'air d'apprécier que l'un de ses plus fidèles serviteurs soit de retour parmi les vivants. Au contraire, elle semblait prête à me renvoyer en enfer séance tenante.

De toute évidence j'aurais dû être remplie de crainte, mais au lieu de cela un grand calme me gagna soudain. Son origine n'était pas un mystère pour moi : j'avais affronté ma plus grande peur, la quasi-certitude qu'en tant que créature des ténèbres, je ne pourrais rester dans la lumière de Dieu. J'étais entrée dans le lieu le plus sacré de tous, et j'avais survécu. En comparaison, affronter Borgia ne me semblait tout à coup plus si terrible que cela.

Mais ce n'est pas pour autant que je coupai au spectacle de sa fureur.

— Explique-toi ! me somma-t-il après que tous sauf César se furent prudemment éclipsés du bureau. Bonté divine, mais à quoi songeais-tu en mettant en scène pareille farce ? Nous avons même dit une messe pour toi, enfin ! Parbleu, mais tu as perdu la raison !

— Et toi tu es resté en vie, rétorqua vivement César. Il regardait son père droit dans les yeux et ne vacilla point – même quand Borgia vira au violet.

— Et dire que pendant tout ce temps vous étiez de connivence tous les deux, s'énerva le pape. D'un côté un fils déloyal, de l'autre une empoisonneuse perfide. Mais qu'ai-je donc fait au ciel pour mériter un tel fardeau ?

Sérieusement ? Voulait-il vraiment qu'on lui dresse une liste ? Je n'avais que faire d'entendre le Vicaire du Christ sur Terre nous raconter combien il avait été abusé et maltraité.

— Vous n'avez qu'un mot à dire, et je cesserai d'être un sujet de préoccupation pour vous, lui dis-je froidement.

Par deux fois j'avais échoué à venger le meurtre de mon père et à nous débarrasser de Morozzi, car je m'étais sentie tenue de sauver Borgia. Cette charge d'empoisonneuse, que j'avais ravie à un autre en pensant qu'elle m'apporterait le pouvoir nécessaire pour tuer le prêtre fou, m'avait en fin de compte été d'un piètre secours.

— Si tel est votre souhait, je me retirerai avec joie de votre service, poursuivis-je. Ainsi je serai libre de traquer Morozzi comme je l'entends. Rien d'autre ne m'importe véritablement, vous devriez le savoir.

Ce n'était pas une vaine menace ; en cet instant, je pensais vraiment ce que je disais. Malgré les sentiments que je portais à César, l'idée d'en avoir terminé avec La Famiglia m'attirait presque irrésistiblement. Ils mettaient un tel point d'honneur à ne songer qu'à eux-mêmes, à piétiner tout le monde sans discernement, à avoir sans cesse les exigences les plus extravagantes, que l'air en devenait proprement irrespirable autour d'eux. Je me sentais tout à coup très lasse.

— Francesca, commença César. Il avait l'air consterné, et je ne pouvais lui jeter la pierre : la moindre des choses aurait été de l'avertir avant de me lancer dans un tel discours. Pourtant il me connaissait à présent et devait savoir qu'il ne pouvait attendre pareille considération de ma part.

Borgia, au contraire, avait l'air de se soucier si peu de mes paroles que c'en était suspect. Il prit le temps de me regarder de la tête aux pieds, comme pour s'assurer que j'étais bien vivante et qu'il ne parlait pas à un fantôme, puis me lança :

— Rien d'autre ne t'importe, en es-tu bien sûre ? Que fais-tu de Lux, dans ce cas ?

— Lux ? Qu'est-ce que c'est ? intervint César en fronçant les sourcils.

Borgia haussa les épaules.

— Cela dépend du point de vue d'où l'on se place. Certains vont te dire que c'est une assemblée de conspirateurs déterminés à user d'alchimie ainsi que d'autres moyens pour saper l'influence de notre Mère la sainte Église et ouvrir la voie au diable. D'autres diraient plutôt que c'est un groupe de fervents adeptes de la philosophie naturelle, qui s'efforcent de comprendre la vérité se cachant derrière la Création de Dieu.

Il me regarda alors, et dit :

— La première explication te mènera un jour au bûcher. Quant à la seconde… (il haussa de nouveau les épaules)… je suis sûr que tu auras remarqué que comme pour beaucoup de choses dans la vie, tout est question d'interprétation.

Une chose était sûre avec Borgia, jamais je n'avais eu de difficultés à le comprendre ; même quand je n'en avais pas la moindre envie.

— Vous iriez jusque-là pour me garder à votre service, malgré ma supercherie ?

— Malgré elle et à cause d'elle. Je ne le redirai jamais assez, tu as le don de trouver des solutions originales et cela peut m'être utile, du moins pour le moment. Tiens-toi tranquille, ne cherche plus à me contrarier et tes amis et toi pourrez faire comme bon vous semble – en toute discrétion bien entendu. Sinon…

— Ce n'est pas suffisant.

César retint son souffle en m'entendant parler si impudemment à son père, mais de mon côté je n'eus aucune hésitation. Si Borgia devait me contraindre à rester à son service, il y aurait un prix à payer.

En le regardant droit dans les yeux, je lui annonçai :

— Vous n'allez pas vous contenter de tolérer Lux mais bien nous donner votre entière protection, ce qui signifie que plus jamais, vous ne vous servirez de nous à vos propres fins. Et ce n'est pas tout. Vous allez me donner un accès illimité au Mysterium, pour que je puisse étudier les trésors qu'il recèle et partager mes trouvailles avec les autres membres de Lux.

Borgia plissa les yeux. Il n'était pas exactement homme à accepter docilement les exigences de la première venue.

— Y a-t-il autre chose que tu voudrais, tant que nous y sommes ? Ma couronne de pape, par exemple, ou peut-être devrais-je te laisser le trône de Saint-Pierre, disons deux ou trois jours par semaine ? Cela te plairait d'avoir à rendre des jugements sur tout, du plus important au plus trivial ?

— Non merci, lui répondis-je modestement. Je ne le laisserais pas prendre à la légère le sacrifice que je faisais pour lui en restant à Rome au lieu de partir sur-le-champ à la poursuite de Morozzi. Cette idée me tentait encore terriblement, mais je savais que mon père aurait préféré que je protège Lux et que je profite pleinement de l'extraordinaire opportunité que représentait le Mysterium. Était-ce à dire que mon cœur était en train de guérir, si j'étais capable de songer aux espoirs qu'il aurait eus pour moi, plutôt qu'à ma seule soif de vengeance ?

Borgia accepta, à contrecœur – du moins me sembla-t-il. Comme toujours lorsque j'avais affaire à lui, je le quittai en me demandant s'il n'avait pas précisément obtenu ce qu'il cherchait depuis le début, en me forçant à rester auprès de lui.

Or, pour César, j'avais remporté une grande victoire.

— Tu as été plus forte que lui, s'exclama-t-il dans le grand escalier, une fois que nous fûmes sortis. Tu lui as tenu tête sans faillir, tu l'as poussé dans ses derniers retranchements, et tu as gagné !

— Pas exactement, répliquai-je. J'ai accepté de ne pas partir en quête de Morozzi – en échange de compensations importantes, je te l'accorde. Mais si je n'étais pas convaincue que le prêtre fou sera amené de nouveau à vouloir frapper ton père, et donc à être à ma portée, jamais je n'y aurais consenti.

Il balaya cette idée d'un geste comme si cela n'avait pas d'importance, mais me mit également en garde :

— Accepte ta victoire, Francesca, et savoure-la ; car crois-moi, mon père te la fera chèrement payer.

Devant se préparer en vue des prochaines festivités il me laissa méditer là-dessus après un bref mais intense baiser, assuré de scandaliser tous ceux qui entraient à ce moment-là à la curie et virent le fils de Jupiter visiblement *intimo* avec un simple page.

Quant à moi, n'ayant plus rien d'autre en tête qu'un bain et un bon lit, je rentrai chez moi en faisant comme si je n'entendais pas les murmures choqués qui ne manquèrent pourtant pas de jaillir à mon passage. En m'embrassant, César avait en effet réussi à ôter mon chapeau, que je n'avais pas pris la peine de remettre. Sans cet accessoire, il était impossible de ne pas me reconnaître. Déjà, le bruit courait que la *strega* de Borgia était revenue du monde des morts.

Portia était dans la loggia lorsque j'arrivai. Elle laissa tomber le panier qu'elle avait en main et me regarda, bouche bée. L'instant d'après j'étais à genoux devant elle, et elle m'étreignait farouchement.

— Grâce à Dieu vous êtes bien vivante, et en un seul morceau encore ! s'écria-t-elle. Mais Donna, si jamais vous me refaites pareil mauvais coup, je jure sur la Sainte Vierge que je…

— Si jamais je devais de nouveau comploter ma mort, la rassurai-je précipitamment, tu seras la première à le savoir, je te le promets. Maintenant dis-moi, est-ce que ce ne serait pas un bon fumet de poulet que je sens, par hasard ?

Nourrie, baignée et enfin allongée sur mon lit, je dormis sans l'aide de la poudre de Sofia, et sans faire de cauchemars. Peut-être rêvai-je, mais je n'en ai aucun souvenir – ou bien mon esprit choisit-il cette fois-là de ne pas s'en rappeler. Je me réveillai en songeant à Rocco. Assurément je ne saurais faire davantage que lui envoyer une brève missive où je m'excuserais de l'avoir trompé, et ensuite laisser enfin cet homme en paix. Il avait tous les droits de tenter d'être heureux avec Carlotta d'Agnelli, et j'étais convaincue qu'elle s'y emploierait de son mieux. Je pensais aussi à Nando, en disant cela.

Ainsi, imaginez ma surprise lorsque j'ouvris la porte à un messager livide, tremblant à l'idée d'affronter la sorcière revenue du monde des morts.

Le pauvre homme me jeta un paquet dans les bras, refusa tout paiement et s'enfuit à une telle vitesse que j'attendis, avant de rentrer dans mon appartement, d'être sûre qu'il ne tombe pas tête la première dans les escaliers.

Je posai le paquet sur ma table de travail, et l'ouvris lentement. J'eus un coup au cœur en reconnaissant la sphère pourpre striée d'or que Rocco avait créée sous mes yeux. Il l'avait façonnée en une lampe, sur la base de laquelle il avait inscrit les mots : *Ex obscuritate lucem fers* – Dans les ténèbres, tu apportes la lumière.

Je ne pleurai pas (du moins m'en persuadai-je), mais restai longtemps assise là, une main posée sur la lampe, à réfléchir à ce que la foi d'un homme tel que lui signifiait pour moi. Tant de batailles restaient à livrer – pour protéger Lux, garder Borgia en vie, résoudre le problème posé par della Rovere et la menace de guerre qu'il faisait peser sur nous, ou encore découvrir quel ennemi, si ce n'était Morozzi, se cachait derrière les tentatives d'empoisonnement contre le pape. Par-dessus tout, je devais trouver la solution en moi pour apaiser les terribles ténèbres qui menaçaient encore et toujours de me dévorer. Et pourtant ce jour-là, assise à ma table où j'avais repris mes expériences, en ce lieu que je pouvais véritablement considérer comme ma maison, je sentis confusément qu'un jour, j'arriverais peut-être à devenir une femme meilleure.

Sentant l'espoir renaître, je me levai et allumai la lampe. En voyant les premiers reflets irisés m'éclairer, mon cœur s'illumina et je souris.

Chronologie

Mars 1493	La *Niña*, la caravelle de Christophe Colomb, parvient à rentrer à Lisbonne après avoir essuyé une terrible tempête dans l'Atlantique. Le grand navigateur italien annonce la découverte d'immenses territoires vierges à l'ouest.
Printemps 1493	Bien décidé à accroître encore le pouvoir et la richesse de sa famille, Rodrigo Borgia (devenu le pape Alexandre VI) s'empare de terres appartenant au royaume de Naples pour les octroyer à son fils cadet Juan, récemment nommé duc de Gandie. Ferdinand I, roi de Naples, menace de déclencher une guerre si ses droits continuent à être ainsi bafoués par la papauté. Une rumeur persistante veut que le pape ait également l'intention de conférer le titre de cardinal à son fils aîné de dix-sept ans, César, afin de jeter les bases d'une dynastie de papes Borgia qui régneraient sur la chrétienté toute entière. Ceci provoque l'inquiétude de nombre de grandes familles italiennes et de prélats de l'Église, et renforce encore l'opposition contre sa papauté. De Florence où il est basé, le frère dominicain fanatique Girolamo Savonarole prêche contre la corruption de l'Église catholique romaine et du pape Alexandre VI.

25 avril 1493	En réponse aux assauts venus notamment de Naples contre sa papauté, Alexandre VI commence officiellement à se préparer à la guerre. Le grand rival de Borgia au trône papal, le Cardinal della Rovere, se retire dans son évêché d'Ostie pour le fortifier.
4 mai 1493	Le pape signe la bulle pontificale *Inter caetera*, qui octroie à l'Espagne toutes les nouvelles terres découvertes à cent lieues à l'ouest des Açores. Il cherche par ce geste à acheter le soutien de Leurs Majestés très catholiques, la reine Isabelle et le roi Ferdinand, dans sa lutte contre ses ennemis.
Mi-mai 1493	Le Cardinal della Rovere se retire dans son fief familial de Savone. De là, il entre en négociations avec le roi de France Charles VIII, dans le but avoué de déchoir Borgia de son trône papal.
Juin 1493	L'émissaire espagnol Don Diego Lopez de Haro arrive à Rome, avec dans ses bagages davantage d'exigences encore de Leurs Majestés très catholiques en échange de leur soutien à Borgia.
12 juin 1493	Tenant sa promesse faite à la famille milanaise Sforza, grâce à qui il a obtenu la papauté l'année précédente, Rodrigo Borgia marie sa fille de treize ans, Lucrèce, à Giovanni Sforza. Cette union engendre un durcissement des positions de part et d'autre, et rend la guerre quasiment inéluctable.

Du même auteur

Francesca – Empoisonneuse à la cour des Borgia, MA éditions, Novembre 2011

Derniers titres parus chez MA éditions

Les Héritiers de Stonehenge, Sam Christer, Juin 2011

L'Évangile des Assassins, Adam Blake, Novembre 2011

Zéro Heure à Phnom Penh, Christopher G. Moore, Février 2012

Le Refuge, Niki Valentine, Février 2012

Le Sang du Suaire, Sam Christer, Mars 2012